래디컬

Radical
by David Platt

Originally published in English under the title: Radical by David Platt
Copyright © 2010 by David Platt
Published by Multnomah Books
an imprint of The Crown Publishing Group
a division of Random House, Inc.
12265 Oracle Boulevard, Suite 200
Colorado Springs, Colorado 80921 USA
Published in association with Yates & Yates, LLP,
Attorneys and Counselors, Orange, California www.yates2.com.

International rights contracted through:
Gospel Literature International
P.O. Box 4060, Ontario, California 91761-1003 USA

This translation published by arrangement with
Multnomah Books, an imprint of The Crown Publishing Group,
a division of Random House, Inc.

Korean Translation Copyright © 2011 by Duranno Press
95 Seobinggo-dong, Yongsan-gu, Seoul, Korea

래디컬

지은이 | 데이비드 플랫
옮긴이 | 최종훈
초판 발행 | 2011. 3. 14
43쇄 발행 | 2012. 10. 17.
등록번호 | 제3-203호
등록된 곳 | 서울시 용산구 서빙고동 95번지
발행처 | 사단법인 두란노서원
영업부 | 2078-3333 FAX | 080-749-3705
출판부 | 2078-3444

▌ 책값은 뒤표지에 있습니다.
ISBN 978-89-531-1510-1 03230

▌ 독자의 의견을 기다립니다.
tpress@duranno.com   http://www. duranno.com

두란노서원은 바울 사도가 3차 전도 여행 때 에베소에서 성령 받은 제자들을 따로 세워 하
나님의 말씀으로 양육하던 장소입니다. 사도행전 19장 8-20절의 정신에 따라 첫째 목회자를
돕는 사역과 평신도를 훈련시키는 사역, 둘째 세계선교(TIM)와 문서선교(단행본·잡지) 사역, 셋째
예수문화 및 경배와 찬양 사역, 그리고 가정·상담 사역 등을 감당하고 있습니다. 1980년 12
월 22일에 창립된 두란노서원은 주님 오실 때까지 이 사역들을 계속할 것입니다.

래디컬

데이비드 플랫 지음 | 최종훈 옮김

두란노

아름다운 아내이자
더할 나위 없는 벗 헤더에게
이 책을 드립니다.

데이비드 플랫은 그의 놀라운 신간 「래디컬」에서 예수 그리스도의 인격과 그분이 오신 목적을 제시하며 지금의 교회들의 실상을 적나라하게 드러낸다. 그리고 이 시대를 사는 모든 그리스도인들에게 속히 정신을 차리라고 외친다. 성공 신화에 뿌리를 둔 현대의 가치관을 떨쳐 버리고 하나님이 우리에게 주신 목표, 즉 그리스도의 영광을 열방에 전하는 비전을 주셨다는 사실을 온 마음을 다해 받아들이라는 것이다. 그리스도인이라면 누구나 읽어야 할 필독서다.

웨스 스태포드 _국제 컴패션 총재

예수님의 지상명령을 온전히, 뜨겁게, 그리고 전심으로 수행하기 위해 성공 신화를 과감하게 내던지는 열정을 지닌 젊은 지도자들이 나타나고 있다. 개인적으로는 이 주제와 관련하여 데이비드 플랫만큼 강렬하게 도전하는 사람을 본 적이 없다. 「래디컬」을 읽으라. 거기가 바로 축복과 변화의 시발점이다."

조니 헌트 _미국 남침례회 총회장, 우드스톡제일침례교회 담임목사

「래디컬」을 읽고 난 독자들의 반응은 '헉!'에서 '아멘!'까지 큰 폭으로 엇갈릴 것이다. 강력한 진리는 늘 그런 법이다. 삶을 철저하게 검증하고, 순간을 넘어 영원한 가치를 선택할 것을 요구하기 때문이다. 그 까다로운 길을 걸을 각오가 되어 있다면 이 책을 읽으라.

그렉 매트 _휴스턴제일침례교회 담임 목사

데이비드 플랫의 책은 시큰둥한 사람들도 진지하게 만드는 힘이 있다. 다시 말해 진실한 믿음을 어떻게 삶으로 구현해 낼 것인지 결단하게 만든다는 뜻이다. 「래디컬」은 교회를 일깨워서 사회를 넘어 세계를 변화시킬 원초적이고 성경적인 라이프 스타일을 실천하도록 하는 잠재력을 가지고 있다.

제리 랭킨 _남침례회 세계선교위원회 대표

주님의 교회는 성공 신화라는 노련하고도 매력적인 여인의 유혹을 끊임없이 받아 왔다. 데이비드 플랫은 기독교의 참모습을 변질시키는 적을 포착해서 폭로하는 한편, 철저한 신앙으로 이끄는 급진적인 신앙을 통해 유혹을 뿌리치는 길을 제시한다. 글을 읽고 난 뒤에 생각이 백팔십도 달라졌다. 특별한 경우가 아니라면 다들 그러리라 믿는다.

대니얼 L. 에이킨 _서든뱁티스트신학교 학장

원하든 말든, 그리스도인들 역시 현대 문화가 만들어 낸 우상의 영향을 받지 않을 수 없다. 이른바 '성공 신화'도 마찬가지다. 따라서 눈을 크게 뜨고 긴장해야 한다. 주님의 부르심에 민감해야 한다. 도전적이면서도 깊이를 잃지 않는 이 책에서 데이비드 플랫은 더 크신 분과 더 큰일을 위해 살아가는 방법을 가르쳐 준다.

대런 패트릭 _세인트루이스 순례자교회 창립목사

더러 어떤 책을 추천할 때 '한번 잡으면 좀처럼 손에서 놓기 어려운 책'이란 말을 쓸 때가 있다. 그러나 「래디컬」에는 그런 표현을 갖다 붙일 수 없다. 종종 덮어 버리고 싶은 충동을 느꼈던 까닭이다. 책을 읽으면서 비슷한 느낌이 든다면, 성령님의 불편한 표적이 되었다는 뜻으로 해석해도 좋다. 우선은 세속적인 성공 신화에 어떻게, 얼마나 물들었는지 절감하게 된다. 하지만 이미 주님으로부터 "나를 따르라"는 지극히 단순하면서도 강력한 명령을 직접 들었을 터라 낯설지는 않을 것이다.

러셀 D. 무어 _서든뱁티스트신학교 학생처장

"성경을 철저하게 파헤치는 한편, 온갖 박해를 견뎌 낸 그리스도인들의 충격적인 간증을 통해, 데이비드 플랫은 교회를 허약하게 만드는 현대 문화 속의 교묘한 위험 인자들을 샅샅이 찾아내서 보여 준다. 「래디컬」은 영적인 목적을 상실하고 육체적으로 쇠잔해 있는 현대인들을 더 깊이 보살피라는 시급한 경고를 담고 있다.

에드 스테처 _라이프웨이리서치 소장

c o n t e n t s

「래디컬」이 세상에 나오기까지 하나님은 다양한 방식으로 은혜를 베풀어 주셨다.

이 책에 지지를 보내 준 랜디(Randy), 셜리(Sealy), 지나(Jeana)에게 고마운 마음을 전한다. 켄(Ken)을 비롯한 멀트노마 출판사 식구들은 출판의 부담을 떠맡았다. 데이브(Dave)는 결실을 맺도록 물꼬를 터 주었다. 마크(Mark)는 물을 주고 가꿔서 열매를 맺게 했다. 감당치 못할 만큼 커다란 은혜를 베풀어 준 친구들이다.

온 열정을 쏟아 준 대드(Dad), 에디(Eddie), 그렉(Gregg), 프랭클린(Franklin), 짐(Jim)에게도 깊이 감사한다. 그처럼 큰 사랑을 아낌없이 받을 만한 인물이 되기 위해 죽는 날까지 최선을 다할 작정이다.

목회자로 섬길 특권을 허락해 준 브룩힐즈교회 장로들과 교역자들, 그리고 교인들에게도 감사한다. 바울의 표현 그대로 한 사람 한 사람이 '사랑하고 사모하는 나의 형제자매'이며 '나의 기쁨이요 나의 면류관'들이다(빌 4:1).

마지막으로 나를 항상 사랑해 주고 끊임없이 지지해 주는 가족들에게 고마운 마음을 전한다. 자식들과 손자들을 위해서라면 무엇이든 아낌없이 나눠 주신 어머니께 감사드린다. 아내 헤더, 케일럽과 조슈아, 그리고 입양 절차를 밟고 있는 소중한 아이에게 그들의 남편과 아버지인 것을 한없이 영광스럽게 생각한다는 얘길 꼭 전하고 싶다.

하나님의 은혜로 그분의 나라가 크게 부흥하길 기도한다(요 3:30).

Chapter **01**

모든 걸 다 포기하고
따를 만한 분

예수님을 위해 모든 것을 버린다는 것은 무슨 뜻인가?

'최연소 대형 교회 담임목사.'

미국 남동부 지역에서 한창 성장하고 있는 앨라배마 주 버밍엄에 소재하고 있는 브룩힐즈교회의 담임목사가 된 후 달라붙어서 아무리 손사래를 쳐도 좀처럼 떨어질 줄 모르는 내 꼬리표다. 부임 첫날부터, 교회를 더 크고 멋지게 만드는 갖가지 전략에 매달렸던 것은 사실이다. 주변 사람들이 하나같이 내 귀에 대고 속삭이는 것 같았다. "교회를 어느 규모로 키울지 일단 정해 놓고, 오천 명이든 만 명이든 과감하게 도전하라!"

그리고 얼마 지나지 않아 미국에서 가장 빨리 성장하는 교회를 이야기할 때마다 내 이름이 오르내렸다. 성공 신화의 시작이었다.

하지만 속으로는 이만저만 부대끼는 게 아니었다. 개인적으로는 열두 명의 교인들과 더불어 하루 스물네 시간을 다 쏟아 부었던 목회자를 사역의 모델로 삼고 있었다. 그런데 그분이 세상을 떠나고 난 뒤 변함없이 그 가르침을 따랐던 교인은 고작 120명에 지나지 않았다. 내가 모델로 삼고 싶은 그분, 예수 그리스도는 '역사상 최연소 초소형 교회 담임목사'였던 셈이다.

수천 명의 교인들을 돌보고 있는 '현실'과 수천 명에 이르는 추종자를 물리치신 것처럼 보이는 분을 사역의 모델로 삼으려는 '이상' 사이의 간격을 어떻게 메울 것인가? 수많은 인파가 밀려들 때마다 그분은 말씀하시곤 했다. "너희가 인자의 살을 먹지 아니하고, 또 인자의 피를 마시지 아니하면, 너희 속에는 생명이 없다"(요 6:53). 가파른 교회 성장 전략과는 거리가 먼 이야기이다. 불만에 찬 제자들의 표정이 어땠을지 눈에 선하다. "주님, 제발 피 타령 좀 그만하세요. 살을 먹어야 한다는 이야기 같은 걸 자꾸 하시면 죽었다 깨어나도 '가장 빨리 성장하는 교회' 명단에 올라갈 수 없습니다."

말씀이 끝날 즈음엔 그 많던 군중들도 하나둘 흩어지고 고작 열두 명만 남아 있었다(요 6:66-67). 예수님은 대중들의 시선을 끄는 일 따위에는 눈곱만큼의 관심도 없으셨다. 이건 명명백백한 사실이다. 그분의 초대를 받아들이자면 군중들이 흔히 받아들일 수 있었던 수준 이상의 대가를 치러야 했다. 그런 까닭에 많은 이들이 떠나갔지만 주님은 숫자에 연연하지 않으셨다. 대신 급진적인 메시지를 믿고 따르는 몇몇에게 집중하셨다. 그리고 철저하게 순종하는 그 소수를 사용하셔서 역사의 물줄기를 새로운 방향으로 바꾸셨다.

퍼뜩 정신을 차리고 보니, 출석 교인 수와 예산 규모, 예배당의 크기로 성공을 가늠하는 이 시대의 교회 문화 앞에 서 있었다. 교회가 으뜸으로 여기는 일들을 예수님은 쳐다보지도 않으셨다는 충격적인 사실에 직면한 것이다. 그렇다면 이제 어떻게 할 것인가? 두 가지 중요한 질문이 기다리고 있었다.

첫 번째는 상대적으로 간단한 물음이다. "예수님을 믿을 것인가?" 교인들이 다 도망갈 만큼 과격한 말씀을 하셔도 군말 없이 받아들일 것인가?

두 번째는 조금 더 까다로웠다. "예수님께 순종할 것인가?" 개인적으로는 주님의 말씀을 한 귀로 듣고 한 귀로 흘려버리는 상황이 가장 겁난다. 그것은 지금도 마찬가지다. 그분께 철저하게 순종하지 않고 적당한 수준에서 안주하지는 않을까 두렵고도 두렵다. 한마디로, 예수님과 동시대에 살며 그분을 직접 만났던 대다수의 군중이 보였던 것과 똑같은 반응을 나 역시 보이게 될까 봐 몹시 두렵고 떨린다.

이 책을 쓴 까닭이 바로 여기에 있다. 지금 나는 나그넷길을 가는 중이다. 이 길은 비단 목회자들만 가는 길은 아니다. 이러한 질문은 대형 교회의 교인 모두에게도 대단히 중요하다. 오늘날 그리스도를 좇아가는 많은 이들이 비성경적일 뿐만 아니라 스스로 전파하는 복음과도 정면으로 배치되는 가치관과 개념을 받아들이고 있다. 그리고 이제는 좌우간 선택해야 할 때가 되었다.

교회든 그리스도인이든 우리는 세상적인 기준을 토대로 성공을 추구하고 삶을 향유하면서 지금의 방식대로 살아갈 수 있다. 혹은 성경에 기록된 예수님의 삶을 정직한 시선으로 바라보며 그분을 진정으로 믿고 따를 때 어떤 일들이 일어날지 담대하게 묻는 쪽을 선택할 수도 있다.

여러분도 내가 가는 길에 동행이 되어 주면 좋겠다. 내가 모든 문제에 대한 해답을 가지고 있다는 뜻은 아니다. 굳이 따지자면 해결책보다는 도리어 문제점이 더 많은 편이다. 그러나 예수님이 친히 밝히신 대로 그분이 하나님이며 성경대로 주님의 약속에 한 점의 오류도 없음을 믿는다면, 예수님이 철저하게 외면하셨던 오늘날의 문화의 잣대들로 삶의 만족과 교회의 성공을 가늠할 수 없음을 깨닫게 될 것이다.

지하 교회를 방문하다

창이란 창은 죄다 두터운 커튼으로 가려져 있는 어둑어둑한 방을 머릿속에 그려 보라. 인근의 여러 교회에서 모여든 스무 명의 지도자들이 맨바닥에 둘러앉아 성경을 보고 있다. 어떤 이들은 몇 십 리씩 걸어온 탓에 이마에 송골송골 땀방울이 맺혔다. 아침 일찍 일어나 자전거를 타고 온종일 시골길을 달려오느라 온몸에 먼지를 잔뜩 뒤집어쓴 이도 보인다.

그것은 일종의 비밀 모임이었다. 모임이 있다는 사실을 눈치 채지 못하도록 도착 시간도 일부러 간격을 두었다. 이들이 사는 아시아 국가에서는 그런 성격의 모임 자체를 불법으로 규정하고 있다. 자칫 발각이라도 되었다가는 재산과 직업, 가족은 물론이고 생명을 잃을 수도 있다.

모임이 시작되고 저마다 하나님이 자신들의 교회에 어떤 역사를 일으키셨는지 나누기 시작했다. 문간에 앉은 남자가 먼저 입을 열었다. 단단한 몸집을 가진, 이른바 '보안 책임자'였다. 문을 두드리는 소리가 들리거나 창밖에 수상한 움직임이 감지되면 다들 긴장한 채 숨을 죽이곤 했는데, 그때마다 보안 담당이 나서서 상황을 확인하곤 했다. 우락부락하게 생긴 남자가 입을 여는 순간, 굳은 표정 뒤에 숨었던 따뜻한 마음이 고스란히 드러났다.

지금 나는 나그넷길을 가는 중이다. 하지만 그건 목회자들만 가는 길은 아니라고 믿는다.

"교인들 가운데 몇 사람이 이단에 붙잡혀 갔습니다." 형제가 말하는 이단 종파는 그리스도인들을 납치해서 외딴곳에 가둬 놓고 고문하기로 악명 높은 단체였다. 혀를 자르는 것쯤은 예삿일로 여기는 잔인한 사람들이었다.

교회 식구들에게 닥친 위험을 설명하는 남자의 눈에서 하염없는 눈물이 흘러내렸다. "마음이 너무 아픕니다. 부디 하나님이 은혜를 베푸셔서 이단의 공격에 맞서 어려움을 헤쳐 나갈 수 있도록 인도해 주시길 바랍니다."

다음에는 안쪽 구석에 있던 여자가 말했다. "며칠 전, 교인들 집에 정부 관리들이 들이닥쳤습니다. 그리고 가족들을 모두 모아 놓고는 성경 공부 모임을 그만두지 않으면 가진 것을 다 잃게 될 거라고 협박했습니다." 여자는 기도를 부탁하며 하소연했다. "하루아침에 낭떠러지 아래로 추락할 수도 있는 상황에서 어떻게 교회를 이끌어야 할지 모르겠습니다."

방 안을 둘러보니 너나없이 눈물을 뚝뚝 흘리고 있었다. 그들이 고백한 어려움들은 결코 남의 일이 아니었다. 모임에 참석한 지도자들은 서로를 돌아보며 말했다. "기도 외에는 달리 방법이 없습니다." 참석자들은 서둘러 무릎을 꿇고 얼굴을 바닥에 댄 채, 하나님께 부르짖기 시작했다. 과장된 신학적 수사(修辭) 따위는 찾아볼 수 없었다. 진심에서 우러나오는 찬양과 간구가 전부였다.

"오, 하나님! 저희를 사랑해 주셔서 감사합니다."

"오, 하나님! 주님이 필요합니다."

"예수님, 주님을 위해 우리 삶을 바칩니다."

"예수님, 주님만 믿고 의지합니다."

누군가 기도를 끝내면 다음 사람이 이어 갔다. 시간이 흐를수록 흐느낌이 짙어졌다. 그렇게 한 시간쯤 지나자 침묵이 찾아들었고 모두들 몸을 일으켰다. 그 모임을 지켜보면서 나의 마음은 한없이 낮아졌다. 형제자매들이 엎드렸던 자리에는 어김없이 눈물이 웅덩이져 있었다. 문자 그대로 눈물바다였다.

하나님이 기회를 주셔서, 그날 이후로도 여러 차례 아시아 지역의

지하 교회 모임에 참석할 수 있었다. 어디를 가든 목숨을 내놓고 그리스도를 좇는 그리스도인들을 무수히 만날 수 있었다.

지안(Jian) 형제는 '잘나가던' 병원을 정리하고 무의촌을 전전하면서 가난한 이들의 건강을 보살피는 한편, 남의 눈을 피해 가며 복음을 전하고 지하 교회 지도자들을 훈련시키고 있다. 자신은 물론이고 아내와 자식들의 목숨까지 담보로 걸고 일생일대의 모험을 벌이고 있는 셈이다.

대학에서 학생들을 가르치는 린(Lin) 자매는 복음 전도 자체가 불법화되어 있는 캠퍼스에서 은밀하게 제자들을 만나 그리스도의 가르침을 나누고 있다. 자칫하면 밥줄이 끊어질 일이지만 아랑곳하지 않는다.

샨(Shan)과 링(Ling)은 시골 가정 교회의 파송을 받아서 아직 교회가 없는 아시아 변두리 지역으로 들어갈 준비를 하고 있다. 링의 고백은 비장하기 그지없다. "가족들에게 다시는 고향 땅을 밟지 못할 수도 있다고 말했어요. 몹시 험악한 곳으로 복음을 전하러 갈 작정인데, 거기서 목숨을 잃을 가능성이 크거든요."

샨의 이야기는 더 기가 막히다. "식구들도 으레 그럴 줄 알고 있습니다. 아버지와 어머니 모두 오래도록 감옥살이를 해 가며 신앙을 지켰던 분들입니다. 예수님이야말로 무얼 드려도 아깝지 않은 분이라고 늘 가르치셨어요."

1 모든 걸 다 포기하고 따를 만한 분

다른 세상, 판이한 광경

아시아의 지하 교회들을 돌아보는 세 번째 여행을 마치고 미국에 돌아온 지 3주 뒤에 나는 담임목사로 부임해 첫 주일을 맞게 되었다. 눈앞에 펼쳐지는 광경은 사뭇 달랐다. 예배는 침침한 구석방이 아니라 오페라 극장 못지않은 조명 시설을 자랑하는 대강당에서 드려지고 있었다. 교인들은 먼 길을 걸어서, 또는 자전거를 타고 오는 대신 수천만 원씩 하는 차들을 타고 나타났다. 모두들 멋지게 차려 입은 채 푹신한 의자에 앉아서 모임을 가졌다.

솔직히 말해서, 위태롭고 절박한 분위기라고는 눈곱만큼도 감지할 수 없었다. 주일이면 늘 그렇듯이 습관적으로 교회에 발길을 옮기는 이들이 상당수였다. 더러는 목회자가 새로 왔으니까 선이나 보러 가자는 심정으로 참석한 눈치가 역력했다. 생명의 위협을 무릅쓰고 찾아온 이는 눈을 씻고 찾아봐도 없었다.

그날 오후, 엄청난 돈을 들여 지은 교회 주차장으로 교인들이 몰려들었다. 아이들은 에어바운스(공기를 주입해서 부풀린 놀이 기구)로 달려들었다. 예배당과 인접한 공터에는 최신식 놀이터와 각종 행사를 치를 수 있는 이벤트 홀을 짓자는 계획이 논의되고 있었다.

혹시 오해할까 싶어 다시 한 번 밝혀 둔다. 이것은 새로 부임한 목회자를 환영하며 서로 교제하고 싶어 하는 선한 그리스도인들의 이야기다. 여러분이나 나 마찬가지로 공동체를 꿈꾸며, 교회 일에 열심을 내며, 자신의 삶을 통틀어 하나님이 가장 소중하다고 믿는 이들이다. 하지만 그날 주변에서 펼쳐지는 상황과 여전히 생생하게 마음에 각인되어 있는 지구 반대 편 형제자매들의 모습을 비교하고 있는 신임 목회자로서는, 어디쯤에선가 신앙의 급진적인 요소들을 잃어버리고 그 빈자리를 안락한 내용들로 채워 버린 것은 아닌가 하는 생각을 떨칠 수가 없었다. 자기를 부인하는 것이 기독교의 핵심 메시지임에도 불구하고 오늘의 교회는 자신의 안위에만 연연하고 있지 않은가 하는 의구심이 들었다.

믿음은 절대적인 헌신을 요구한다

누가복음 9장의 후반부를 보면 제자가 되겠다며 예수님을 찾아온 세 사람이 등장한다. 그런데 놀랍게도 예수님은 애써 만류하시는 것 같은 모습을 보이셨다.

첫 번째 남자는 말했다. "선생님이 가시는 곳이면, 어디든지 따라가겠습니다."

주님은 이렇게 대답하셨다. "여우도 굴이 있고, 하늘을 나는 새도 보금자리가 있으나, 인자는 머리 둘 곳이 없다"(눅 9:57-58). 다시 말해서, "나를 따르다가는 노숙자 신세가 될 수도 있다"고 경고하신 것이다. 그리스도를 좇는 길은 '안정된 주거'라는 인간의 기본적인 욕구를 보장해 주지 않는다.

두 번째 남자는 방금 아버지가 세상을 떠났으므로 얼른 돌아가 장례를 치르고 나서 주님을 따르겠다고 했다. 이에 예수님은 "죽은 사람들을 장사하는 일은 죽은 사람들에게 맡겨 두고, 너는 가서 하나님 나라를 전파하여라"(눅 9:60)고 말씀하셨다.

나는 아버지가 심장마비로 돌연히 세상을 떠났던 순간을 또렷이 기억하고 있다. 초상을 치르는 기간이 얼마나 중요했는지, 그리고 장례식에서 고인을 기리고자 하는 마음이 얼마나 간절했는지를 생각하면, "아버지의 장례식에 가지 말아라. 더 중요한 일이 있다"는 말씀이 정말 주님의 입에서 나왔는지 의심스러울 정도다.

세 번째 남자는 예수님을 따르고 싶지만 먼저 가족들과 작별 인사를 나누고 싶다고 했다. 주님은 허락지 않으시며 말씀하셨다. "누구든지 손에 쟁기를 잡고 뒤를 돌아다보는 사람은 하나님 나라에 합당하지 않다"(눅 9:62). 한마디로, 그리스도와의 관계에는 전폭적이고, 최우선적이며, 절대적인 헌신이 필수적이라는 것이다.

'노숙자가 되어라. 아버지의 장례는 죽은 이들에게 맡겨라. 가족과 작별 인사조차 나누지 말라.'

놀랍지 않은가? 누가복음 9장 말씀에 따르면, 예수님은 자신을 따르지 말라고 설득하고 있는 것 같다. 그리고 충분히 그 뜻을 이루신 것처럼 보인다.

이 본문을 주제로 메시지를 처음 들은 것은 신학교에 들어갔을 때 설교학을 가르쳤던 짐 섀딕스(Jim Shaddix) 교수를 통해서였다. 실은 그 밑에서 공부하고 싶은 마음에 막 뉴올리언스로 이사한 참이었다. 만난 지 얼마 안 돼서, 그분의 초대를 받게 되었다. 어느 집회의 설교를 맡았는데 같이 가자는 것이었다. 수백 명이 꽉 들어찬 예배당의 맨 앞줄에 앉아서 메시지에 귀를 기울였다.

"오늘 밤, 저는 여러분을 뜯어말려서 예수님을 따르지 못하게 만들려고 이 자리에 섰습니다."

얼마나 놀랍고 헷갈리던지 정신이 번쩍 들었다. '도대체 무슨 수작이지? 그럼 난 뭐야? 그리스도를 따르지 말라고 설득하는 양반 밑에서 공부하겠다고 뉴올리언스까지 쫓아온 셈인 거야?'

섀딕스 박사는 누가복음 9장의 말씀을 정확하게 옮겨 가며 예수님을 좇아 그리스도의 제자가 되려면 어떤 어려움을 달게 받아야 하는지 이야기했다. 그리고는 그럼에도 불구하고 예수 그리스도를 좇고 싶은 사람들은 앞으로 나오라고 초청했다. 놀랍게도 수많은 이들이 벌떡 일어나더니 강단으로 걸어 나갔다. 얼떨떨한 상태로 자리에 앉아 생각했다. '아주 세련된 설교 전략이야. 신앙의 역설을 이용한 일종의 심리전이지. 어쩌다 그것이 잘 먹혔든 모양이군. 예수님처럼 살지 못하게 말리겠다니까 다들 그 반작용으로 우르르 몰려 나간 거겠지.'

좋은 걸 배웠으니 직접 써먹어 보기로 했다.

마침 한 주 뒤에 어느 청소년 모임에서 메시지를 전하기로 되어 있었다. 집회가 열리던 그날 밤, 수많은 학생들을 앞에 두고, 섀딕스 박사가 했던 대로 당당하게 선포했다. "오늘 저녁 저는 여러분을 뜯어말려서 예수님을 따르지 못하게 하려고 이 자리에 섰습니다." 행사를 주관하는 리더들의 눈이 휘둥그레지는 것이 보였다. 지난 몇 주 동안 신학교에 다니면서 비슷한 반응을 여러 차례 봤던 터라 특별할 것도 없었다. 그래서 자신 있게 설교를 마치고 나서 그리스도

1 모든 걸 다 포기하고 따를 만한 분

를 따르고 싶은 친구들은 앞으로 나오라고 초청했다.

분명히 말하지만, 메시지 자체는 섀딕스 박사의 것보다 훨씬 깔끔하고 훌륭했다. 그럼에도 불구하고 강단 근처엔 개미 새끼 하나 볼수 없었다. 보다 못한 집회 관계자가 그만하면 됐으니 어서 끝내라는 신호를 보냈다. 그날 이후로, 그 단체로부터 다시는 설교 요청을 받지 못했다.

하지만 예수님은 누가복음 9장에서 고도의 심리전을 펼치신 것이 아니었다. 그리스도는 당신의 뒤를 따르려면 개인적인 필요와 욕구, 더 나아가 가족까지 모든 것을 다 포기해야 한다는 사실을 처음부터 담담하게, 그리고 분명하게 말씀하셨을 따름이다.

주님을 따르려면…

예수님의 삶 곳곳에서 누가복음 9장과 비슷한 종류의 사건들을 찾아 볼 수 있다. 한번은 이런 일도 있었다. 뜨거운 열정을 가지고 당신을 좇으려는 이들을 돌려보내시면서 이렇게 말씀하신 것이다. "누구든지 내게로 오는 사람은, 자기 아버지나 어머니나, 아내나 자식이나, 형제나 자매뿐만 아니라, 심지어 자기 목숨까지도 미워하지 않으면, 내 제자가 될 수 없다"(눅 14:26, 새번역). 베일에 싸인 한 랍비가 그렇게 말하는 것을 직접 들었다고 상상해 보라. 열에 아홉은 그 말이 끝나기가 무섭게 등을 돌리고 말 것이다.

하지만 주님은 한술 더 뜨셨다. "누구든지 자기 십자가를 지고 나를 따라오지 않으면, 내 제자가 될 수 없다"(눅 14:27, 새번역). 이건 앞의 말씀과 또 차원이 다른 이야기다. 아예 형틀을 짊어지고 따라오라는 소리가 아닌가! 곱씹을수록 기괴하고 <u>으스스</u>하다. 요즘 식으로 말하자면, 웬 지도자가 나타나서 자기 제자가 되려면 전기의자를 짊어지고 뒤를 따르라고 외치는 꼴이다. 제정신이라면 누가 그 말에 따르겠는가?

그것도 모자라서 예수님은 '심금을 울리는 한마디'로 구도자들의 불타는 열정에 찬물을 끼얹으셨다. "너희 가운데서 누구라도, 자기 소유를 다 버리지 않으면, 내 제자가 될 수 없다"(눅 14:33). 가진 것을 다 버리고, 십자가를 짊어지고, 가족들까지 미워하라니 너무나 어처구니없는 이야기 아닌가? "고백하고, 믿고, 회개하고, 나를 따라 기도하라"는 메시지와는 비슷한 구석이 전혀 없는 것처럼 보인다.

> 나는 어디를 가든 목숨을 내놓고 그리스도를 좇는 그리스도인들을 무수히 만날 수 있었다.

하지만 그것이 전부가 아니다. 마가복음 10장을 펴서 제자가 되겠다고 나선 한 청년의 이야기를 살펴보라. 젊고 부유하며, 많이 배우고, 집안도 훌륭한 젊은이가 찾아왔다. 그야말로 수제자가 될 잠재적 가능성이 농후한 청년이었다. 게다가 열심까지 특심해서 언제든지 주님을 좇을 준비가 되어 있었다. 그렇게 멋진 젊은이가 예수님께 달려와서 무릎을 꿇고 물었다. "선하신 선생님, 내가 영원한 생명을 얻으려면, 무엇을 해야 합니까?"(17절, 새번역)

우리가 예수님의 입장이라면 내심 얼씨구나 했을 것이다. "자, 눈

1 모든 걸 다 포기하고 따를 만한 분

을 감고 함께 기도합시다. 먼저 기도할 테니 한 마디씩 따라서 해 보세요"라고 하면서 어떻게든 청년을 키워 내려고 했을 것이다. 영향력이 크고 명성까지 높은 젊은이였으니 얼마나 큰일을 할 수 있을지 짐작이 가고도 남는다. 방방곡곡을 돌며 강연회를 열 수도 있다. 간증을 하고, 책에 사인을 해 주고, 헌금을 받아서 선한 일에 쓴다면 얼마나 좋겠는가! 청년은 그야말로 '알짜배기' 성도였다. 당연히 붙잡아야 했다.

요즘 그리스도인들에게는 어떻게 줄을 당겨서 물고기를 낚는지 자세히 알려 주는 전도 관련 책자들이 널려 있지만, 안타깝게도 예수님의 수중에는 그런 책이 단 한 권도 없었다. 그래서였을까? 주님은 터무니없어 보이는 말씀을 불쑥 던지셨다. "가서 네게 있는 것을 다 팔아 가난한 자들에게 주라. 그리하면 하늘에서 보화가 네게 있으리라 그리고 와서 나를 따르라"(21절).

도대체 무슨 생각을 하고 계신 걸까? 다 잡은 월척을 그냥 놔 주시다니, 어떻게 그렇게 뼈아픈 실수를 저지를 수 있었을까?

하지만 예수님이 부자 청년에게 요구하신 포기는 복음서 전체에 걸쳐 주님이 누군가를 부르실 때마다 요구하신 핵심적인 원칙이었다. 마태복음 4장에서 예수님은 제자들에게 "나를 따르라"고 하셨다. 겉보기엔 짧막하고 단순한 말씀처럼 보이지만, 실제로는 삶을 뒤흔드는 급진적인 의미가 담겨 있었다. 주님은 안락한 환경과 익숙하고 자연스러운 상황을 완전히 포기할 것을 요구하셨다.

그뿐만이 아니다. 평생 해 온 일을 집어치우라고 명하기도 하셨다.

예수님을 좇는 제자의 길을 중심으로 삶의 판을 완전히 새로 짜라는 뜻이다. 제자들로서는 저마다 세워 놓았던 계획과 꿈과 소망을 접고 그 자리에 그리스도의 계획과 비전을 새로 깔아야 했다. 아울러 전 재산을 포기하라고도 말씀하셨다. 사실상 "그물을 내버리고 어부 노릇도 그만두거라"고 말씀하신 셈이다. 게다가 가족과 친구들까지 등지라고 명령하셨다. 야고보와 요한의 경우, 아버지를 남겨 두고 주님을 따라나섰다. 누가복음 14장에 기록된 그리스도의 말씀 그대로였다.

궁극적으로 예수님은 자신을 포기하라고 명령하셨다. 제자들은 확실성을 버리고 불확실성을, 안전을 버리고 위험을, 구차한 변명을 버리고 주님 따르기를 추구했다. 주님이 제시하는 홍보 문구를 한마디로 압축하면 스승을 따라 스스로 십자가를 지라는 얘기다. 제자들 가운데 대다수는 주님의 초대에 응했다가 목숨을 잃기도 했다.

우리의 모습은 어떠한가?

뜨거운 열정을 품고 예수님을 좇았던 1세기 제자들의 입장이 되어 보자. 그물을 버리고 스승을 좇으라는 명령을 직접 들었다면 어땠을까? 가족들과 작별 인사조차 나누지 못한다면 어떻게 반응하겠는가? 예수님의 제자가 되기 위해 가족들을 미워하고 가진 것을 모두 포기해야 한다면 어떤 기분이 들까?

여기가 바로 위험천만한 현실과 정면으로 충돌하는 지점이다. 예수님을 따르려면 그야말로 모든 것을 다 내려놓아야 한다. 세상에 둘도 없이 가까운 사람들마저도 미워하는 것처럼 보일 만큼 전폭적으로 주님을 사랑해야 한다. 그리스도는 "전 재산을 다 정리해서 가난한 이들에게 나눠 주라"고 명령하실 수 있는 분이다.

하지만 이러한 진실을 믿고 싶어 하는 사람은 많지 않다. 또한 예수님이 자신을 콕 집어서 그렇게 말씀하실까 봐 두려워한다. 그래서 어떤 식으로든 합리화시킬 방도를 찾아 헤매게 된다. "정말 아버지를 장사 지내지 말라거나 식구들과 작별조차 하지 말라는 말씀은 아닐 거야. 소유를 다 팔아서 가난한 백성들의 필요를 채워 주라는 가르침을 곧이곧대로 해석해서는 안 돼. 이 말씀의 속뜻은…."

이쯤에 이르게 되면 브레이크를 밟아야 한다. 기독교의 참뜻을 다시 정의하려는 조짐이 나타나기 시작했기 때문이다. 계속하게 되면 성경이 말하는 예수를 왜곡해서 편안하게 받아들일 수 있는 이상한 예수를 만들려는 아슬아슬한 유혹에 넘어갈 수 있기 때문이다.

그 예수는 잘사는 국가, 중산층의 기호에 딱 들어맞는 멋진 예수다. 물질주의에 대해 거부감이 없으며 뭘 팔아서 누굴 주라는 따위의 요구는 죽었다 깨어나도 하지 않는 예수다. 가장 가까운 가족들을 외면하라는 '억지'도 부리지 않아서 대중의 열렬한 사랑을 한 몸에 받을 수 있는 예수다. 안전지대를 넘어가지 않는 허울뿐인 헌신에도 개의치 않고 누구나 있는 모습 그대로 사랑하는 예수다. 수지타산을 정확하게 맞추며 위태로운 극단을 에돌아가길 원하는, 쉽게 말해서 위험이란 위험은 다 피하기를 바라는 예수다. 세속적인 욕망

과 야심을 추구하는 그리스도인들에게 안락한 삶과 번영을 가져다
주는 예수다.

하지만 지금 무슨 짓을 하고 있는지 아는가? 예수님을 자신이 만
든 틀에 억지로 끼워 맞추고 있는 것이다. 주님은 어느새 익숙하고
편안한 이웃과 흡사한 존재가 되어 가고 있다. 오늘날 그리스도인이
당면한 가장 큰 위험은 예배당에 모여서 두 손을 높이 들고 찬양하
지만 실제로는 성경이 가르치는 예수님을 경배하는 것이 아니라는
것이다. 많은 이들이 그리스도가 아닌 자기 자신을 경배하고 있다.

2천3백만 달러 vs. 5천 달러

나치가 득세했던 사회에서 그리스도를 따르기 위해 몸부림쳤던 독
일의 신학자, 디트리히 본회퍼는 20세기를 대표하는 위대한 책에서
그리스도인이라면 너나없이 경험하게 되는 첫 번째 부르심은 '세상
을 향한 집착을 버리라'는 명령이라고 말하고 있다. 그의 글을 한마
디로 함축하면 '그리스도는 와서 죽으라고 부르신다'[1]쯤 되지 않을
까? 지은이도 그런 점을 감안해서 책에「나를 따르라」는 제목을 붙였
을 것이다.

복음서에 나타난 예수님 말씀에 입각해서 생각하면 제자가 되기
위해서는 막대한 값을 치러야 한다는 사실을 인정하지 않을 수 없
다. 하지만 그 값이 아무리 크다 한들 제자가 되기를 거부하는 데 따
르는 대가에 비하면 '새 발의 피'가 아닐까 싶다. 그리스도인이 자기

를 부인하는 신앙을 외면하고 자기중심적인 신앙에 집착하는 세상에서 그리스도를 모르는 이들이 감당해야 할 손실은 참으로 엄청나다. 그리스도인들이 하나님 나라를 선포하는 일에 삶을 드리는 대신 세상에서 개인적인 욕심과 야망을 실현하는 데 평생을 바치는 바람에 문자 그대로 수십억 인구가 복음을 듣지 못한 채 흑암 속에서 허덕이고 있다.

브룩힐즈교회의 담임목사로 부임하기 불과 몇 달 전, 나는 인도의 하이데라바드(Hyderabad) 시내 한복판에 우뚝 솟은 산꼭대기에 서 있었다. 도시 전체가 한눈에 내려다보이는 정상부에는 힌두교 사원들이 자리 잡고 있었다. 나무로 만든 신상들을 등지고 섰는데도 그 앞에 바친 제물들의 냄새가 코를 찔렀다. 참배객들이 얼마나 많은지 말 그대로 발 디딜 틈이 없을 지경이었다. 동서남북, 어느 쪽으로 돌아서든지 시내를 오가는 수많은 인파가 눈에 들어왔다.

가슴이 답답했다. 이렇게 어마어마한 인구가 복음을 전혀 듣지 못한 채 살아가고 있다니! 그리스도가 온 인류를 위해 희생 제물이 되셨다는 사실을 아무도 알려 주지 않은 탓에, 이들은 아침저녁으로 헛된 신들에게 제물을 바친다. 하루하루 예수 없이 살다가 또한 예수 없이 죽어 가고 있는 것이다.

산 위에 머무는 내내 하나님은 내 심령을 단단히 사로잡으셨다. "정신 차려라!"라는 음성이 뇌리를 떠나지 않았다. 정신을 바짝 차려라! 세상에는 월드컵이나 퇴직 연금보다 훨씬 더 중요한 것이 많다는 사실을 잊지 말아야 한다. 한눈을 팔지 말아라! 지금 온 힘을 기울이고 있는 피상적이고 무의미한 '전투들'과는 생판 다른, 기필코 뛰어들어야 할 싸움다운 싸움이 있다는 것을 기억해야 한다. 눈을 똑바로 떠라! 예수 그리스도라는 이름을 들어 보지도 못한 채 영원한 사망에 이르는 이들이 수없이 많다는 사실을 명심하라!

그리스도인들이 제자의 삶을 살지 못한 결과로 그리스도를 모르는 이들이 이루 말할 수 없이 큰 값을 지불하고 있다. 그리스도인들이 자신의 소유를 가난한 자들과 나누라는 예수님의 명령을 무시하고 더 안락한 환경과 더 큰 집, 더 멋진 차, 더 많은 물질에 자원을 쏟아 부은 탓에 어떤 결과가 왔는지 생각해 보라. 그리고 교회라는 이름으로 한데 뭉쳐서 더 근사한 건물들과 더 널찍한 주차장, 더 푹신한 의자, 끼리끼리 즐길 만한 프로그램을 마련하는 데 수백만 달러(수백억 원)씩 낭비하는 동안 교회 밖의 사람들이 어떤 대가를 치르게 됐는지 돌아보라. 우리가 풍요를 만끽하고 있는 사이 구름처럼 많은 이들이 문밖에 밀려난 채 육적으로나 영적으로 굶주리고 있는 것이 지금의 현실이다.

2004년, 처음으로 아프리카 수단 방문을 준비했던 때가 생각난다. 현지에서는 아직 전쟁이 한창이었다. 수단 서부 다르푸르(Darfur) 지역의 참상이 수시로 신문 헤드라인에 오르내리기 시작하던 참이었다. 출발을 두 달쯤 앞두고 있을 무렵, 어느 교단에서 발행하는 신문이 우편으로 배달되어 왔다. 두 개의 헤드라인이 1면을 장식하고 있었다. 편집자가 일부러 두 기사를 나란히 배치했는지, 아니면 몹시 피곤한 나머지 실수로 두 제목이 한 면에 들어가게 되었는지는 알 수 없다.

아무튼 왼편에는 "제일교회 신축 예배당 봉헌, 총 공사비 2천3백만 달러(276억 원)"란 제목 아래 장문의 기사가 이어졌다. 교회가 엄청난 헌금을 투자해서 새로운 건물을 완공한 것을 축하하고 칭찬하는 내용 일색이었다. 아름다운 대리석과 정교한 디자인, 장엄한 스테인드글라스에 이르기까지 화려한 예배당의 모습을 자세하게 설명하고 있었다.

오른편에는 "교단 차원에서 수단 난민에게 지원 결정"이라는 자그마한 기사가 실렸다. 때마침 여행 준비를 하고 있던 터라 관심이 갈 수밖에 없었다. 서부 수단에서만 무려 35만 명의 난민이 영양실조로 죽어 가고 있으며 상당수는 그해를 넘기지 못하고 사망할 것으로 보인다는 소식이었다. 참혹한 형편과 현지인들이 당하고 있는 고통들이 설명되어 있었다. 그리고 기사 말미에 수단 사람들의 아픔을 더는 데 도움을 주기 위해 교단에서 구호 성금을 보내기로 했다고 소개했다. 반갑고 또 반가웠다. 최소한 액수를 보기 전까지는 그랬다.

"제일교회 신축 예배당 봉헌, 총 공사비 2천3백만 달러"란 제목이 기억에서 채 사라지기도 전에 오른편 기사의 마지막 줄에 시선이 꽂혔다. "교단 차원에서 모금한 5천 달러(6백만 원) 전액을 서부 수단의 난민들에게 보내기로 했다."

5천 달러라고? 그 정도라면 비행기 표를 사기에도 빠듯한 돈이었다. 벼랑 끝에 몰린 이들에게 물 한 모금조차 나눠 줄 수 없는 금액이었다. 화려한 예배당을 짓는 데 2천3백만 달러를 쓰는 판에 그리스도에 대해서 들어 보지도 못한 채 굶주려 죽어 가고 있는 남자들, 여자들, 아이들에게는 온 교단을 통틀어 고작 5천 달러를 보낸다는 것이다.

도대체 어디서부터 잘못된 것일까? 어떻게 해야 그럭저럭 봐줄 만한 수준이 될 수 있을까?

제자의 삶을 기피한 결과는 이처럼 참혹하다. 그리스도인들이 예수님의 가르침을 진지하게 받아들이지 않는 까닭에 그리스도를 모르는 무수한 이들이 가혹한 값을 치르고 있다. 지금 이 시간에도 세계 곳곳에는 상당히 많은 사람들이 기아와 고통에 시달리고 있다. 하지만 그들만이 제자의 길을 외면한 대가를 지불하고 있는 것은 아니다. 그리스도인들 역시 그 영향에서 결코 자유로울 수 없다.

세상 것에 대한 사랑을 버리라

예수님이 부자 청년에게 가진 것을 다 팔아서 가난한 이들에게 나눠 주라고 가르치신 이유는 무엇인가? 다시 한 번 주님이 보내신 초대장의 뒷부분을 유심히 보라. "가서 네게 있는 것을 다 팔아 가난한 자들에게 주라. 그리하면 하늘에서 보화가 네게 있으리라"(막 10:21). 예수님의 계획은 부자 청년을 발가벗겨서 거리로 내몰자는 것이 아니다. 영원한 보물을 손에 넣기 위해서는 세상과 세상 것에 대한 사랑을 버려야 한다는 뜻이다.

마태복음 13장에서도 비슷한 장면을 볼 수 있다. 주님은 제자들에게 이르셨다. "하늘나라는 밭에 숨겨 놓은 보물과 같다. 어떤 사람이 그것을 발견하면, 제자리에 숨겨 두고, 기뻐하며 집에 돌아가서는, 가진 것을 다 팔아서 그 밭을 산다"(마 13:44).

얼마나 근사한 그림인가! 들판을 거닐다가 보물 단지에 발이 걸려 넘어지는 장면을 마음에 그려 보라. 평생 일해서 얻을 수 있는 것들을 죄다 합친 것보다 더 값진 보화를 찾아낸 것이다. 지난날은 물론이고 앞으로도 절대 만져 볼 수 없을 만큼 소중한 보물들이다.

얼른 사방을 둘러본다. 다행히 거기에 보물이 묻혀 있다는 것을 아는 사람은 아무도 없는 것 같다. 서둘러 흙을 덮어 놓은 다음 시치미를 뚝 떼고 얼른 현장을 떠난다. 그리고는 집으로 돌아가기가 무섭게 그 밭을 구입할 자금이 마련될 때까지 닥치는 대로 재산을 처분한다. 남들은 넋 나간 짓이라고 손가락질할 것이 뻔하다. "도대체 왜 그러는 거야?" 가족과 친구들은 궁금해 할 것이다.

"저쪽에 있는 밭을 사려고 해."

하나같이 미심쩍은 얼굴로 손사래를 친다. "헛돈 쓰는 걸세. 쓸모없는 땅에 전 재산을 쏟아 부을 까닭이 뭐란 말인가?"

"어쩐지 예감이 좋아서." 이편에서는 애매한 미소를 지어 보이며 돌아선다.

무언가를 알고 있기에 웃을 수 있다. 무엇보다도 남들이 생각하는 것처럼 무가치한 일에 재물을 허비하는 것이 아님을 안다. 오히려 수지맞는 거래를 하고 있다는 것 또한 잘 알고 있다. 전 재산을 포기한 것은 사실이지만 그러지 않고는 결코 수중에 넣을 수 없는 값진 보화를 얻게 될 것이다. 그래서 기꺼이, 즐거운 마음으로 팔아 치운다. 왜냐고? 가진 것을 죄다 잃어버리고라도 구하고 싶을 만큼 소중한 것을 찾지 않았는가!

이것이 복음서에 나타난 예수님의 모습이다. 목숨이라도 내놓고 소유하고 싶지 않은가? 복음서가 말하는 예수님에게서 떨어지는 순간, 우리는 영원한 풍요로움에서 멀어질 수밖에 없다. 제자가 되기를 마다하는 데 따르는 대가는 제자로 살기 위해 치르는 값과는 비교할 수 없을 만큼 크다. 세상이 제공하는 싸구려 모조품을 팽개치고 예수님의 급진적인 초대를 받아들이기만 하면 그분을 알고 체험하는 엄청난 보화를 무한정 캐낼 수 있기 때문이다.

인생을 낭비하지 말라

스스로 예수님의 제자라고 믿거나 또는 그런 삶을 살아 볼 마음이 있는 이들이라면 이 질문을 깊이 생각해 보아야 할 것이다. 참으로 예수님이 모든 것을 다 내버리고 좇을 만큼 가치가 있는 분이신가? 너무도 선하고, 만족스럽고, 소중한 까닭에 그분 안에서 온전해지기 위해서라면 소유와 존재 전체를 내버려도 아깝지 않은가? 현대 문화(심지어 교회)가 가리키는 방향과 어긋난다 하더라도 과감히 그 말씀에 순종해서 그분이 이끄시는 대로 따라갈 수 있는가?

이 책을 통해서 오늘날의 그리스도인들이 실제로 예수님의 가르침에서 얼마나 동떨어진 생활을 하고 있는지 적나라하게 밝혀 보고자 한다. 불순한 의도는 없으며 오직 선의에서 비롯된 판단이다. 이른 바 그리스도인들까지도 현대 문화 가운데 만연되어 있지만 주님이 가르치신 복음과 정면으로 부딪히는 가치관과 사고방식을 맹목적이고 무차별적으로 받아들이고 있다. 신앙을 가진 이들마저 신분 상승, 자존감, 자기만족, 개인주의, 물질주의가 지배하는 욕구와 야망에 사로잡혀 산다. 한편으로는 예수님의 말씀으로 돌아가서 그 음성에 귀를 기울이며, 그 가르침을 믿고 따르는 게 얼마나 절박한 문제인지 선명하게 제시하려고 한다. 성경이 말하는 복음의 원형을 되찾는 일이야말로 그 무엇보다 시급한 과제다. 그러지 않으면 바람직하지 않은 파장이 저마다의 삶과 가정, 그리고 교회와 주변 세계에 미칠 수밖에 없기 때문이다.

앞에서도 이야기했지만, 내 수중에는 해답보다 문제의식이 월등히 많은 게 사실이다. 오늘날의 교회와 기독교의 모습은 성경이 말하는 그리스도인의 삶과 적잖은 괴리가 있음을 날이면 날마다 절감한다. 아직 가야 할 길이 멀다. 너나없이 다 마찬가지다.

하지만 주님을 알고 싶은 마음에는 변함이 없다. 그분을 온몸으로 체험하고 싶다. 가진 것이라고는 오직 예수 그리스도뿐인 아시아 지하 교회의 형제자매들처럼 주님 한 분만으로 행복해 하는 삶을 살 수 있다면 더 바랄 것이 없다. 예수님을 위해 죽음도 마다하지 않는 이들 틈에 끼기를 원한다.

아직 그리스도에 관해 들어 본 적이 없는 십억 인구를 위해 분연히 일어서고 싶다. 굶주림으로, 또는 얼마든지 예방할 수 있는 질병으로 날마다 2만 6천 명씩 죽어 나가는 어린이들을 위해 모든 것을 걸고 싶다. 현대 문화 속에서 영향력을 상실하고 나날이 벼랑 끝으로 밀려나고 있는 교회를 위해 모험에 나서고 싶다. 내 삶과 가족, 그리고 주변의 여러 사람들을 위해 열정을 불사르고 싶다.

나만 이런 마음을 품은 것은 아니다. 우리 교회의 믿음의 가족들 가운데도 나와 뜻을 함께하는 이들이 속속 나타나고 있다. 부유한 의사들은 집을 팔아 가난한 이들을 돕거나 의료 지원이 절실한 이들을 찾아 해외로 나갔다. 성공한 기업가들은 운영하던 회사를 통해 상처 입은 이들을 지원하고 있다. 젊은 부부들은 복음을 온몸으로 실천하기 위해 변두리 빈민가로 집을 옮겼다. 수많은 노인들과 가정 주부, 대학생, 십대들이 예수님을 위해 모든 것을 단호하게 포기하는 쪽으로 삶의 목표를 수정해 가는 중이다. 앞으로 이들의 사연도 자세히 소개할 작정이다.

그렇다고 이들이 특별한 인간이라는 것은 아니다. 다만 세속적 욕망과 야심에 이끌리는 보통 사람들도 급진적인 신앙인으로 변화될 수 있음을 보여 주는 증거일 따름이다. 자, 당신은 이 대열에 합류하고 싶지 않은가?

하지만 이 여정을 가기로 결심하기 위해서는 전제 조건이 있다. 내가 '초소형 교회 지도자'인 예수님을 좇으려고 안간힘을 쓰는 초대형 교회 담임목사라는 사실을 깨달았을 때 가졌던 두 가지 결정적인 질문을 여러분 자신에게 던져 보기를 바란다.

첫째로, 처음부터 마음을 단단히 먹고 예수님이 말씀하시는 것은 무엇이든 믿기로 헌신할 필요가 있다. 주님 앞에서 "일단 말씀해 보세요. 들어 보고 괜찮겠다 싶으면 따르겠습니다"라고 말하는 것은 한없이 어리석은 짓이다. 그런 식으로 접근했다가는 주님이 하시는 말씀을 결코 들을 수 없을 것이다. 이편에서는 주님이 말씀을 시작하시기도 전에 "예"라고 대답해야 한다.

둘째로, 말씀을 들은 뒤에는 무조건 순종해야 한다. 복음은 "한번 생각해 보라"고 말하지 않는다. 복음은 순종을 요구한다. 예수님 말씀에 귀를 기울이자면 어쩔 수 없이 스스로의 삶과 가족, 그리고 교회를 정직하게 돌아볼 수밖에 없다. 그러므로 "주님이 무엇이라고 말씀하시는가?"라고 묻는 동시에 "그러면 어떻게 할 것인가?"라고 질문해야 한다.

앞으로 인간이 만들어 낸 예수가 아니라 있는 그대로의 예수님을 받아들이는 데 목표를 두고 현대 문화가 제시하는 거짓 복음과 성경이 말하는 진정한 복음을 함께 살펴볼 예정이다. 하나님이 중심이 되시는 복음의 핵심을 짚어 보는 한편, 어떤 경로를 통해 인간 중심의 메시지로 바뀌었는지도 살펴볼 것이다.

그리고 국경과 문화를 초월하는 보편적인 삶의 목적을 점검해 보고 그 목표를 이루는 데 그분의 임재가 얼마나 절실한지 살펴볼 것이다. 공동체 가운데서 삶의 좌표를 설정하고 교회와 잃은 양, 가난한 백성들 사이에서 자신을 비워 나갈 때 비로소 삶의 의미를 찾을 수 있을 것이다. 이 세상 어디서 안전감과 피난처를 구할 수 있을지도 평가해 볼 것이다.

부디 이 글을 읽는 모든 이들이, 급진적인 모험으로 초대하시며 거기에 상응하는 상급을 약속하시는 은혜롭고 사랑이 많으신 구세주를 위해, 손에 쥔 모든 것들을 단호하고도 무조건적으로 내려놓음으로써 낭비 없는 인생을 살기로 결심하게 되기를 바란다.

Chapter 02

복음은
당신의 전부를 원한다

복음의 진리와 아름다움에 눈뜨는 길

앞 장에서 언급했던 지하 교회 이야기로 돌아가 보자. 첫날, 교회 식구들은 그저 성경 공부를 인도해 달라고만 했다. "내일 오후 2시에 모일 테니, 그때 와서 말씀을 가르쳐 주십시오."

다음 날, 간단한 성경 공부를 준비해서 지도자 20명이 기다리고 있는 약속 장소로 나갔다. 몇 시쯤 공부를 시작했는지는 생각나지 않는다. 다만 여덟 시간이 지난 뒤에도 누구 하나 지친 기색을 보이지 않았다는 것은 지금도 또렷이 기억난다. 본문 하나를 끝내기가 무섭게 다음 말씀을 가르쳐 달라고 재촉했다. 한 가지 문제를 설명하고 나면 곧바로 다음 주제로 넘어갔다. 그런 식으로 꿈과 환상에서부터 방언과 삼위일체에 이르기까지 수많은 이야기를 나누는 사이에 해가 지고 날이 저물었다.

시간이 지나 깊은 밤이 되었다. 다들 공부를 계속하고 싶어 했지만 집으로 돌아가야 했다. 식구들은 좌장 격인 두 지도자와 내게 물었다. "내일 한 번 더 모임을 가지면 어떨까요?"

마다할 이유가 없었다. "좋고말고요. 내일 같은 시간에 다시 만날까요?"

사람들이 펄쩍 뛰며 대답했다. "아니요. 아침 일찍 시작하면 좋겠어요!" 그리고는 한마디를 덧붙였다. "밤늦게까지, 하루 종일 공부합시다."

똑같은 과정이 열흘 동안 되풀이되었다. 하루에 짧게는 여덟 시간, 길게는 열두 시간까지 한자리에 모여 성경을 연구했다. 너나없이 말씀에 주려 있었다.

둘째 날에는 상대적으로 어린 지도자들을 대상으로 느헤미야서를 소개했다. 그 책의 배경과 역사를 간략히 설명하고 8장을 중심으로 하나님의 말씀이 중요함을 강조했다. 모임에 참석한 교회 지도자들은 잠깐 휴식을 한 뒤에, 소그룹으로 다시 모여 진지한 토론을 벌였다. 잠시 후 한 여성이 다가와서 말했다. "오늘 말씀해 주신 이야기는 난생처음 들어 보는 것입니다. 더 깊이 공부하고 싶습니다." 그러더니 다짜고짜 폭탄선언을 했다. "여기 계시는 동안 구약 전체를 훑어 주시면 좋겠습니다."

나도 모르게 웃음이 나왔다. 미소를 잔뜩 머금은 채 대답했다. "구약 전체라고요? 시간이 아주 많이 걸릴 텐데요?"

어느새 주위에 몰려든 지도자들까지 거들고 나섰다. "그럴 수만 있다면 뭐든지 감수하겠습니다. 저희는 대부분 농부들이어서 하루 종일 들판에서 일을 해야 합니다. 하지만 구약성경을 공부하기 위해서라면 두 주쯤 밭에 나가지 않아도 좋습니다."

차마 뿌리칠 수가 없었다. 다음 날부터 그들과 함께 구약의 역사를 두루 섭렵했다. 창세기에서 시작하여 하루하루 구약성경 각 권의 핵심과 주제를 낱낱이 살폈다. 그런 성경이 있는 줄도 모르는 아시아의 그리스도인들에게 아가서를 가르친다고 생각해 보라. 그저 질문이 나오지 않기를 간절히 바랄 따름이었다.

대장정을 마감하기 하루 전날, 마침내 말라기서 내용을 가르쳤다. 그동안 하루에 열두 시간씩 강의를 했다. 그날은 도대체 무슨 소리를 했는지 전혀 기억이 나지 않는다. 하박국서에 이르렀을 때 이미 아는 것을 모두 다 쏟아 놓았는데 더할 내용이 어디 있었겠는가?

그래서 마지막 날에는 머리에 떠오르는 주제를 닥치는 대로 설명하기 시작했다. 그렇게 한 시간쯤 지났을까? 리더들 가운데 한 사람이 손을 들고 질문을 했다. "문제가 있습니다."

잘못 가르친 것이 있나 싶어서 순간 긴장이 되었다. "무슨 일이죠?"

상대는 눈도 깜짝 않고 말했다. "구약은 참 잘 배웠는데 신약은 어떻게 하지요?"

방 안에 앉아 있던 교회 지도자들이 약속이나 한 것처럼 일제히 고개를 끄덕였다. 선택의 여지가 없었다. 그로부터 열한 시간 동안, 마태복음부터 요한계시록까지 그 먼 길을 미친 듯이 내달았다.

이러한 모임 가운데 한 곳에 가서 여러분 자신이 예배를 드린다고 상상해 보라. 온종일 말씀을 공부하는 집회는 아니다. 늦은 밤에 드리는 세 시간짜리 일상적인 모임이다. 길잡이를 맡은 현지인 형제는 주의를 준다. "어두운 색 바지와 외투를 입고 모자를 깊게 눌러쓰세요. 자동차 뒷자리에 태우고 갈 텐데, 마을에 진입하면 몸을 깊이 숙여 주세요."

한밤의 어둠을 틈타 동네에 들어서면 마중 나온 다른 그리스도인이 문을 열어 주며 낮은 목소리로 속삭인다. "따라오세요!"

모자를 뒤집어쓴 채 차에서 기어 나온 뒤에도 고개를 들어선 안 된다. 앞서 가는 이의 발뒤꿈치만 쳐다보며 손전등 불빛에 의지해서 구불구불한 오솔길을 한참 걸어간다. 언제부터인지 함께 걷는 이들의 발소리가 점점 더 커진다. 마침내 모퉁이를 돌아 조그만 방으로 들어간다.

좁다란 공간에 수많은 그리스도인들이 빼곡히 들어앉아 있다. 예쁘장하게 생긴 꼬맹이 여자 아이부터 칠십대 노인에 이르기까지 그야말로 남녀노소가 한자리에 모였다. 조그만 의자나 마룻바닥에 줄지어 앉은 참석자들은 무릎에 성경을 올려놓고 있다. 지붕은 야트막하고 조명이라고는 천장 한복판에 대롱대롱 매달린 알전구에서 나오는 불빛뿐이다.

음향 장치 같은 것은 없다.

찬양 팀도 없고 기타도 물론 없다.

주보도 없다.

푹신한 의자 역시 없다.

냉난방 장치가 확실하게 가동되는 건물도 없다.

하나님의 백성들과 하나님의 말씀이 있을 따름이다.

쉽게 납득하기 어려울지 모르겠지만, 그것만 있으면 그만이다.

그런 집회에서 모임을 갖는 수백만 그리스도인들에게는 하나님의 말씀 하나면 충분하다. 아프리카 밀림이나 굵은 빗줄기가 쏟아지는 숲 속, 중동의 도시 한 모퉁이에 쪼그리고 앉은 수백만 그리스도인들 역시 거룩한 말씀 하나만 있으면 충분히 만족한다.

하지만 우리는 어떠한가? 말씀만 있으면 더 바랄 것이 없다고 생각하는가?

시크릿 처치

우리 교회에 출석하는 수천 명의 그리스도인들 앞에 설 때마다 불쑥불쑥 떠올라 좀처럼 사라지지 않는 질문들이 있다. 멋진 음악이나 푹신한 의자를 치워 버리면 어떻게 될까? 스크린을 떼어 내고 무대 장식을 없애 버린다면 어떻게 될까? 에어컨을 끄고 편의 시설들을 모두 철거한다면 어떻게 될까? 그래도 성도들이 말씀을 사모하는 한결같은 마음으로 예배당에 몰려들까?

브룩힐즈교회는 이 질문에 대한 답을 찾아보기로 했다. 관심을 끄는 장치를 모두 떼어 버리고 한 번에 여러 시간을 투자해서 하나님의 말씀을 공부하는 모임을 마련한 뒤 교인들을 초청했다. 우리는 그 집회를 '시크릿 처치'(Secret Church)라고 부르기로 했다.

먼저 날짜를 정하기로 했다. 금요일 밤이 좋을 것 같았다. 저녁 여섯 시에 모여서 자정까지 오직 성경 공부와 기도로만 프로그램을 채웠다. 그리고 사이사이 세계 곳곳에서 비밀스럽게 집회를 가지고 있는 형제자매들을 위해 기도하기로 했다. 우리 역시 어렵게 신앙을 지키고 있는 그리스도인들처럼 말씀을 사모하는 법을 배울 수 있도록 간구하는 것도 잊지 않을 것이다.

광고를 하고 나서 첫 번째 모임에 과연 몇 명이나 참석하게 될지 무척 궁금하고 한편으로는 불안했다. 하지만 그날 밤, 무려 천여 명이 예배당에 몰려들었다. 성경 공부의 내용은 구약이었다. 한번 해 보고 나니 또 해야겠다는 생각이 들었다. 그렇게 시작한 집회가 이제는 참석자들을 다 수용할 수 없어서 보조 공간까지 마련하기에 이르렀다.

수많은 이들이 문자 그대로 입추의 여지 없이 들어찼다. 각자의 무릎에 성경을 올려놓고 하나님이 어떤 분이며 그분이 무엇이라고 말씀하는지 자정이 넘도록 배우려는 이들을 지켜보는 것은 한없이 감격스러운 경험이다. 물론 지금도 예배당에는 푹신한 의자들이 줄지어 배치되어 있다. 없애 보면 어떻겠냐는 논의도 있었지만 그냥 두기로 했다. 여전히 침례용 욕조까지 갖춘 안락하고 멋진 건물도 그대로 소유하고 있다. 그러나 하나님의 계시에 주리고 목마르다는 것이 무엇을 의미하는지 알아 가기 위한 첫발을 내딛은 것 또한 엄연한 사실이다.

어떻게 하면 하나님 말씀을 더 듣고 싶어 하는 허기와 갈증을 불러일으킬 수 있을까? 그저 귀를 기울이기만 하는 게 아니라 갈망하고, 연구하고, 암송하며, 그 가르침을 좇게 하려면 어떻게 해야 하는가? 어떻게 하면 온 세상에 퍼져 있는 그리스도의 제자들이 문자 그대로 목숨을 걸고 하나님의 말씀을 알아 가게 만들 수 있을까?

> 시크릿 처치에 쪼그리고 앉은 그리스도인들에게는 하나님의 말씀 하나면 충분했다.

이 질문에 답하려면 복음의 본질에 대해 살펴보아야 한다. 복음이란 하나님이 어떤 분이시며, 인간은 어떤 존재이고, 어떻게 해야 주님과 화목해질 수 있는지를 보여 주는 계시를 가리킨다. 하지만 자아가 왕좌에 앉아 통치하는 문화 속에 사는 현대인들은 자신이 만들어 낸 가설과 욕망을 채우기 위해 복음을 왜곡하고, 축소하며, 심지어 조작하는 위험천만한 성향을 보이고 있다. 결국 어디까지가 인간이 만든 복음이고 어디까지가 성경이 가르치는 원래의 복음인지 모호해지는 지경에까지 이르렀다. 그러므로 복음에 적절히 반응하는 방식에 대해 자신이 잘못 알고 있는 것은 없는지, 복음의 뿌리인 하나님을 놓치고 있는 것은 아닌지 늘 점검해야 한다.

하나님의 진면목

복음은 하나님의 영광을 드러낸다. 성경 말씀에 따르면 그분은 만물을 지으신 창조주이시며 모르는 것이 없으시고, 세상의 모든 피조물을 돌보고 계시는 우주의 주인이시다. 비할 데 없이 거룩하실 뿐 아니라 매사에 의로우시고, 악을 보고 불같이 진노하시며, 친히 지으신 것들을 모두 사랑하신다.[1]

그럼에도 불구하고, 가끔은 의도적으로, 또는 무지해서 하나님의 다양한 속성을 축소하고 제한하는 바람에 그분의 온전한 아름다움을 훼손하는 것은 아닌가 싶을 때가 있다. 기독교 시장을 돌아보면 하나님을 자상한 아버지로 묘사한 서적과 노래, 그림 등이 넘쳐 나는 것을 볼 수 있다. 물론 하나님은 그런 분이다. 하지만 사랑만 넘치는 분인 것은 아니다. 그런 모습으로만 주님을 그리게 되면 결국 현대 문화 속에서 하나님을 왜곡할 수밖에 없게 된다.

그렇다. 하나님은 사랑이 풍성한 아버지인 동시에 격노하고 심판하시는 분이다. 주님은 죄를 증오하고 악에 대해 진노를 쏟아 부으신다. 하박국 선지자는 "주님께서는 눈이 맑으시므로, 악을 보시고 참지 못하시며, 패역을 보고 그냥 계시지 못하시는 분입니다"(합 1:13, 새번역)라고 고백했다. 하나님은 죄인들을 미워하신다. "그렇다면 '죄는 미워하시되 죄인들은 사랑하시는 분'이라는 말은 어떻게 된 것입니까?"라고 묻고 싶을 것이다. 중요한 것은 성경이 어떻게 가르치느냐 하는 것이다. 시편 기자는 "교만한 자들 또한 감히 주님 앞에 나설 수 없습니다. 주님께서는 악한 일을 저지르는 자들을 누구든지 미워하시고"(시 5:5, 새번역)라고 노래했다. 시편 1편에서부터 50편 사이만 하더라도, 하나님이 죄인들을 혐오하시고 거짓말쟁이들에게 진노를 퍼부으신다는 말씀이 무려 열네 번이나 등장한다. 요한복음을 읽는 이들은 하나님의 사랑을 설명하는 유명한 구절에 시선을 빼앗긴 나머지 주님의 진노를 언급하는 대표적인 말씀은 놓쳐 버리기 일쑤다(요 3:16, 36).

복음은 경우에 따라서 직면하고 싶지 않은 하나님의 영원한 속성을 있는 그대로 보여 준다. 사람들은 십중팔구 한 걸음 뒤로 물러나서 죄인을 저주하고 심판하시는 하나님의 모습을 외면한 채, 사랑이 많으신 아버지로 그려 내는 진부한 글귀나 그림에 집착하기를 더 좋아한다. 하지만 우리가 기존의 것들을 잠시 유보하고 말씀 가운데 드러난 하나님의 모습을 제대로 직시하기로 결심하면, 그분에 대한 엄청난 경외감을 느끼게 되어 지금보다 훨씬 차원 높은 수준의 예배를 드릴 수도 있게 될 것이다.

하지만 문제가 있다. 대다수 그리스도인들은 아직 하나님이 원하시는 것을 드릴 준비를 갖추지 못한 상태다. 주님을 거스르는 마음가짐을 가지고 있기 때문이다.

인간의 실상

연로하신 어느 설교학 교수님은 새로운 학기가 돌아올 때마다 학생들을 데리고 공동묘지를 찾곤 했다. 수십 개의 비석이 세워진 그곳에 서서 그분은 학생들에게 무덤을 바라보고 땅에 묻힌 이들이 살아서 벌떡 일어날 만큼 진심을 담아 메시지를 전해 보라고 요구한다. 처음에는 당황스러워서 어색한 웃음을 짓던 학생들도 잠시 후 마음을 가다듬고 설교를 시작한다. 물론 성공적인 설교를 하는 학생은 없다. 하나하나 실패의 기록을 이어 갈 뿐이다. 스승은 제자들을 돌아보며 복음의 핵심을 짚어 준다. 묘지에 누운 시신들이 육체적으로 죽어 있는 것처럼, 인간은 영적으로 이미 사망한 상태이며, 하나님의 입에서 나오는 말씀을 통해서만 심령의 생기를 회복할 수 있다는 진리를 상기시키는 것이다.

이것이 인간의 실체다. 우리는 너나없이 죄악을 끌어안은 채 태어난다. 애당초 하나님을 싫어하는 마음을 품고 이 땅에 도착하는 것이다. 창세기 8장 21절은 인간의 마음에는 어려서부터 악한 성향이 깃들어 있다고 말한다. 누가복음 11장 13절에서도 예수님은 누구나 스스로 악하다는 사실을 인식하고 있음을 전제로 말씀을 선포하셨다. "하나님을 언제나 사랑했어요"라고 고백하지만 실상은 전혀 다르다. 스스로가 만들어 낸 신을 사랑했던 것이지 성경이 말하는 하나님을 사랑한 것은 아니었다.

악에 사로잡힌 인간들은 필연적으로 하나님께 거역할 수밖에 없다. 성경은 물론이거니와 마음 판에 새겨진 하나님의 법에도 순종하지 않는다. 이런 현실을 한눈에 보여 주는 전형적인 사례가 바로 창세기 3장에 나타난 첫 번째 범죄다. 하나님이 선악을 알게 하는 나무의 열매를 따먹지 말라고 분명히 경고하셨음에도 아담과 하와는 그 경고를 무시했다. 창조주의 권위를 짓밟은 것이다.

하나님이 부르시면 폭풍과 구름도 그 권위에 순종한다. 명이 내려지면 비와 바람도 즉시 그친다. 산에게 "저리 가라"고 말씀하시거나 파도에게 "여기서 멈춰라"고 말씀하시면 군말 없이 따를 것이다. 세상 어떤 피조물도 창조주를 거스르는 법이 없다. 예외가 있다면 사람들뿐이다. 인간들은 뻔뻔스럽게도 고개를 빳빳이 쳐들고 말한다. "싫어요!"

예수님은 누구든지 죄를 지으면 죄의 노예가 된다고 말씀하셨다. 바울은 한 걸음 더 나아가서 사람들이 마귀에게 사로잡혀서 그 뜻을 따르게 된다고 했다(요 8:34, 딤후 2:26). 인간이 죄의 종으로 사는 한, 하나님의 진리에 눈이 멀 수밖에 없다. 에베소서 4장 18절은 마음의 완고함 때문에 우리의 지각이 어두워졌다고 말한다. 고린도후서 4장 4절에 따르면 영적인 무지가 너무도 커서 그리스도를 바라보는 것조차 불가능하다고 한다.

> 복음은 인간 존재와 소유 전체를 하나님의 실존 앞에 내려놓지 않고는 견딜 수 없게 몰아간다.

성경은 이런 인간을 하나님의 원수이자 진노의 대상이라고 한다. 너나없이 영적으로 죽어 있으며 주님과 영원히 분리된 상태다(롬 5:10-12, 6:23, 8:10, 엡 2:1, 3; 5:14, 약 4:4). 더 심각한 것은 자력으로는 그런 처지에서 벗어날 길이 없다는 것이다. 도덕적으로 악한 인간이 어떻게 선을 택하겠는가? 그 누구도 제힘으로는 노예 신분에서 벗어날 수가 없다. 앞을 보지 못하는 이가 스스로 노력해서 눈을 뜰 수 있겠는가? 진노의 대상은 하나님의 극심한 노여움을 가라앉힐 방도가 없다. 이미 죽은 시신은 제아무리 안간힘을 써도 생명을 되찾을 수 없다.

복음은 죄에 감염되어 소망이 없는 인간의 현실을 코앞에 들이댄다. 하지만 사람들은 복음에 비추어 자신을 들여다보고 싶어 하지 않기에 냉큼 고개를 돌리고 외면해 버린다. 현대인들은 자신을 갈고 닦으면 구원에 이를 수 있다고 굳게 믿는 세상에서 살고 있다. 차곡차곡 단계를 밟아 가노라면 더 나은 모습으로 발전할 수 있으리라고 확신하는 것이다. 복음의 메시지도 그 틀에 맞추어 살짝 수정한다.

인간은 악하지 않으며 영적으로 죽은 상태가 아니라고 생각한다. '긍정적인 사고의 힘' 운운하는 이야기를 들어 봤는가? 마음만 먹으면 언제라도 더 나은 인간이 되어 더 멋진 인생을 살 수 있다는 주장이다. 하나님의 존재 이유도 거기에 있다. 내가 마음먹은 대로 실현되도록 돕는 것이 창조주의 역할이라는 것이다. 지금은 인생이 잘 풀리지 않지만 하나님의 사랑은 변함이 없으므로 내 삶을 바로잡아 주시리라고 믿는 것이다. 이편에서 할 일은 정해진 단계에 따라 정해진 일들을 하고, 점검표에 꼬박꼬박 체크만 하면 만사 오케이다.

상황 판단과 해법이 모두 자부심과 자존감, 자신감을 으뜸으로 여기는 오늘날의 문화와 잘 맞아떨어진다. 저마다 자신의 도덕성을 이미 높이 평가하고 있으므로, 거기에 미신적인 기도와 꾸준한 예배 출석, 몇 가지 성경 말씀에 대한 순종 등이 보태지면 대단히 잘 살 수 있고 앞으로 범사에 잘될 것이라는 강렬한 확신을 갖는 것이다.

현대판 복음은 말한다. "하나님은 당신을 사랑하시며 당신을 위한 놀라운 계획을 가지고 계십니다. 그러므로 다음 몇 단계만 밟으면 구원을 받을 수 있습니다." 반면에 성경이 가르치는 복음은 이렇게 말한다. "당신은 하나님의 원수입니다. 죄 가운데 생명이 끊어졌으며, 현재 주님께 반역하고 있는 상태입니다. 스스로 소생하기는커녕 생명이 필요하다는 사실을 깨닫는 것조차 불가능합니다. 그러므로 하나님께 의지하지 않고는 삶에 변화가 일어나길 기대할 수 없습니다. 자기 힘으로는 그런 역사가 절대로 일어나지 않습니다."

현대판 복음은 군중을 끌어 모으고 환심을 산다. 성경적인 복음은 영혼을 구원한다. 어느 쪽이 더 옳다고 생각하는가?

하나님은 복음을 통해서 인간에게 주님이 얼마나 필요한지 보여 주신다. 하나님 앞에 나가기 위해 인간이 할 수 있는 일은 전혀 없다. 구원을 흉내낼 능력도 없다. 구원 프로그램을 짤 힘도 없다. 구원을 생산해 낼 수도 없다. 구원에 접근할 기회조차 없다. 하나님이 눈을 열어 주시고, 자유롭게 하시고, 악을 짓밟으시고, 불 같은 진노를 가라앉히시지 않는 한, 인간으로서는 아무런 대책이 없다.

가장 절실한 존재

한번은 인도네시아에 있는 어느 불교 사원을 방문하게 되었다. 경내에 앉아 있으니 날마다 열리는 종교 의례로 앞마당에 수많은 인파가 북적였다. 우연히 현지의 불교 지도자, 그리고 무슬림 공동체 리더와 이야기를 나누게 됐다. 모든 종교는 근본적으로 비슷하며 표면적인 차이가 있을 따름이라는 것이 두 사람의 견해였다. "사소한 점에서는 시각 차이가 있을 수 있겠죠. 하지만 본질적인 차원에 이르면 어느 종교나 다 마찬가지입니다."

열띤 토론을 벌이는 것을 잠자코 지켜보았다. 이윽고 나의 의견을 묻기에 이렇게 되물었다. "두 분은 산꼭대기에 계시는 하나님(또는 신)을 염두에 두고 있는 듯합니다. 우리는 모두 산 기슭에 있고요. 제가 이쪽 길을 통해 정상에 오르고 있다면 여러분은 다른 루트를 타고 있어서 언젠가는 다 만나게 될 것이라는 말씀이죠?"

두 사람은 환하게 웃으며 맞장구를 쳤다. "바로 그겁니다. 잘 아시네요."

나는 정색을 하고 그들에게 물었다. "한 가지 질문이 있습니다. 산꼭대기에 계시던 하나님이 지금 이곳까지 내려오셨다면 어떨 것 같습니까? 인간들이 저마다 길을 찾아 그분께 다가오길 기다리지 않고 직접 한 사람 한 사람을 찾아오셨다면 어떻게 될까요?"

둘은 잠시 생각하더니 입을 모아 대답했다. "정말 멋질 것 같은데요."

기회를 놓치지 않고 말했다. "그렇게 하신 예수님을 소개해 드릴까요?"

이것이 복음이다. 구원이라는 것을 점검표에 체크를 해 가며 한 단계씩 하나님께 가까워지는 과정쯤으로 생각한다면, 절대자에게 도달할 능력이 인간에게 있다고 가르치는 셈이다. 이는 사실상 인류를 죄에 몰아넣고 있는 무의미한 세상 종교의 바다에서 같이 허우적대라는 것과 다를 바 없다. 인간은 도덕적으로 악하며 죄 가운데 죽은 상태이다. 우리 스스로가 탈출구를 찾을 능력이 없고 그래서 결국 하나님의 진노를 받을 수밖에 없는 존재임을 깊이 깨닫는다면, 그리스도가 절실하게 필요하다는 현실에 눈을 뜨기 시작할 것이다.

하나님의 진면목과 인간의 실상을 어떻게 이해하느냐는 그리스도가 어떤 분이며 왜 필요한지 이해하는 데 결정적인 영향을 미친다. 가령 하나님을 단지 '거룩한 백성들을 도와주고 싶어 하는 사랑이 넘치는 아버지'로만 인식한다면, '그리스도는 하나님의 사랑을 입증하는 본보기'로 전락하게 된다. 십자가 역시 하나님의 사랑을 보여 주는 상징일 뿐이다. 외아들을 로마 병사들의 손에 내주어서 그 형틀에서 죽게 하신 것이 죄 많은 인간들로 하여금 하나님이 얼마나 자신들을 사랑하는지 깨닫게 하는 도구에 지나지 않게 된다는 뜻이다.

하지만 그리스도와 십자가를 그렇게 묘사하는 것은 복음의 핵심 전체를 놓쳐 버린, 그야말로 어처구니없는 사고방식이다. 예수님이 유대와 로마 관리들의 고발로 부당한 재판에 부쳐져서 결국 빌라도로부터 사형 언도를 받은 것은 대단히 중요한 사건이지만 그 사실 때문에 온 인류가 구원을 받는 것은 아니다. 로마 병사들이 그리스도의 손과 발에 망치질을 해서 십자가에 못 박았지만 거기서 구원이 비롯되는 것도 아니다.

정말 인간이 그리스도에게 내린 그릇된 판결의 대가로 전 인류의 죗값이 치러졌다고 생각하는가? 가시관과 채찍질, 못과 나무 형틀을 비롯해서 그리스도인들이 그토록 온갖 색깔을 덧입히고 싶어 하는 십자가 처형을 둘러싼 여러 측면들이 인간을 넉넉히 구원하고도 남을 만큼 강력한 힘을 가졌다고 믿는가?

겟세마네 동산의 예수님을 떠올려 보라. 하늘 아버지 앞에 무릎을 꿇고 기도하는 사이 주님의 얼굴에서는 땀과 피가 뚝뚝 떨어졌다. 어째서 그분은 그토록 고뇌하고 고통스러워하셨던 것일까? 십자가에서 죽음을 맞는 것이 두려워서였을까? 주님은 십자가의 고통과 처형이 겁이 나서 떨었던 것이 아니다.

그날로부터 기독교 역사가 계속되는 동안 이루 헤아릴 수 없는 이들이 신앙을 지키다가 목숨을 잃었다. 어떤 이들은 주님처럼 십자가에 달렸고, 더러는 불에 타 죽었다. 허다한 이들이 찬양을 부르며 숨져 갔다. 산 채로 살가죽을 벗기는 형을 받았던 인도의 어느 그리스도인은 집행관에게 다음과 같이 말했다고 한다.

"낡고 오래된 옷을 벗겨 주시니 고맙습니다. 이제 곧 그리스도의 의를 덧입겠군요."

크리스토퍼 러브(Christopher Love)는 처형대에 오를 준비를 하는 사이에 아내에게 간단한 글을 남겼다. "오늘 저들은 내 육신의 머리를 자르겠지만, 내 영혼의 머리이신 그리스도로부터 끊어 내지는 못할 거요." 주님의 영광을 찬양하며 죽음을 맞는 남편을 지켜보며 그 아내는 갈채를 보냈다.

교회사의 면면을 장식하고 있는 이 순교자들이 예수님보다 더 용감해서 죽음을 이처럼 편안하게 받아들였다고 생각하는가? 겟세마네 동산의 그리스도는 어째서 그토록 괴로워하며 고뇌에 사로잡혀 눈물을 쏟았던 것일까? 로마 병사들과 마주하는 것을 두려워해서가 아니라는 것은 두말할 필요가 없다. 그분은 구세주로서 장차 하나님의 진노를 견뎌 내야 한다는 것을 힘들어 하셨던 것이다.

예수님의 말씀을 귀 기울여 보자. "내 아버지여 만일 할 만하시거든 이 잔을 내게서 지나가게 하옵소서." 여기서 '잔'은 나무로 짠 십자가가 아니라 하나님의 심판을 가리킨다. 그 잔은 하나님의 진노가 가득한 잔이었다(마 26:39. 참조 : 시 75:8, 사 51:22, 렘 25:15, 계 14:10).

이것이 겟세마네 동산에서 주님을 눌렀던 압박감의 본질이다. 태초부터 차곡차곡 쌓여 왔던 죄와 죄인들을 향한 하늘 아버지의 신성한 분노와 미움이 자신을 향해 쏟아지려 하는 상황을 지켜보며 땀과 피를 흘려 가며 기도하셨던 것이다.

십자가 사건도 마찬가지다. 쇠못이 예수님의 손과 발을 뚫고 들어가는 참혹한 처형이 아니라, 인간의 죄에서 비롯된 하나님의 진노가 주님의 심령을 파고드는 장면이었던 것이다. 바로 그 거룩한 순간에 인간을 향한 의로우신 하나님의 분노와 심판이 폭포수처럼 그리스도 위에 쏟아졌다. 더러 "병사들이 예수님께 참혹한 형벌을 가하는 걸 차마 볼 수 없으셨던 하늘 아버지는 결국 고개를 돌리고 마셨다"라고 이야기하는 이들이 있다. 그건 사실이 아니다. 하나님이 골고다를 외면하셨다면 독생자 예수님이 짊어지신 인류의 죄를 지켜보는 것이 끔찍해서였을 것이다.

어떤 설교자는 어마어마하게 크고 넓은 댐에서 불과 백 미터 남짓 떨어진 곳에 서 있는 장면을 상상해 보라고 한다. 만약 둑이 터지게 되면 그 안에 있던 엄청난 물들이 모든 것을 집어삼킬 듯이 쏟아져 나올 것이다. 그런데 물살에 휩쓸리기 직전, 발 앞에서 땅이 쩍 갈라지면서 급류를 죄다 집어삼킨다. 십자가에서 예수님은 하나님의 진노가 가득한 잔을 받아 마셨다. 마침내 마지막 한 방울까지 다 삼키시고 잔을 뒤집어 보이며 외치셨다. "다 이루었다!"

이것이 복음이다. 우주 만물을 지으신 공의와 사랑의 창조주는 죄에 물들어 더 이상 가망이 없는 인간들을 보다 못해 독생자, 곧 육신을 입은 하나님을 보내셔서 십자가를 지고 하나님의 진노를 당하게 하셨다. 그리고 죄의 권세를 이기고 부활하셔서 그분을 믿는 자들이 하늘 아버지와 영원히 화해할 수 있도록 길을 여셨다.

복음을 받아들이는 합당한 태도

그렇다면 복음에 어떻게 반응할 것인가? 언제부터인가 기독교는 정품이 아닌 유사품을 팔기 시작했다. "예수님이 마음에 들어오시기를 요청하십시오. 주님이 삶에 개입해 주시도록 초청하십시오. 그렇게 기도하고 등록 카드에 이름과 주소를 적어 내십시오. 그리고 강대상 앞으로 나와서 그리스도를 구세주로 받아들이십시오."

흔히들 이런 방식으로 다른 사람이 제시하는 바에 따라 고백하거나 기도함으로써 그리스도인이라는 이름을 얻는다. 하지만 복음을 압축 포장해서 제공하는 이런 시도는 바람직하지 않다. 게다가 성경 어디에서도 인간이 만들어 낸 그런 식의 캐치프레이즈를 찾아볼 수 없다.

"머리를 숙이고, 눈을 감고, 한 마디씩 따라 하세요"라고 가르치는 구절을 본 적이 있는가? 그처럼 미신적인 기도가 언급된 경우는 단 한 군데도 없다. 심지어 예수님을 영접하기를 강조하는 본문도 발견할 수 없을 것이다.[2] 자칫하면 한없이 영광스러운 하나님의 아들, 무시무시한 하나님의 진노를 견디시고 지금은 만인의 주님으로 통치하고 계시는 그분을 끌어다가 인간이 자신을 영접해 주기를 애걸하는 변변찮은 존재로 변질시키는 잘못을 범하게 될 수도 있다.

주님을 영접한다고? 정말로 주님에게 인간의 영접이 꼭 필요할 것이라고 생각하는가? 우리 편에서 예수님이 필요한 것이 아니고?

복음에 어떻게 반응하는 것이 적절한지 함께 생각해 보자. 틀림없이 특정한 기도문을 따라 하는 행위 이상의 무언가가 있을 것이다. 종교적인 집회에 출석하는 것을 넘어서는 무언가가 있을 것이다.

복음은 인간의 존재와 소유 전체를 하나님의 실존 앞에 조건 없이 내려놓지 않고는 견딜 수 없게 몰아간다. 깊이 생각해 보라. 진정으로, 그리고 분명하게 그리스도를 믿고 구원을 받았는가? 여기에 비추어 돌아보면 산상수훈 말미에 예수님이 하셨던 말씀은 성경 전체를 통틀어 마음을 가장 겸손하게 만드는 구절이다.

> 나더러 주여 주여 하는 자마다 다 천국에 들어갈 것이 아니요 다만 하늘에 계신 내 아버지의 뜻대로 행하는 자라야 들어가리라 그날에 많은 사람이 나더러 이르되 주여 주여 우리가 주의 이름으로 선

지자 노릇 하며 주의 이름으로 귀신을 쫓아내며 주의 이름으로 많은 권능을 행하지 아니하였나이까 하리니 그때에 내가 그들에게 밝히 말하되 내가 너희를 도무지 알지 못하니 불법을 행하는 자들아 내게서 떠나가라 하리라(마 7:21-23).

예수님은 지금 반종교적인 이들이나 무신론자, 또는 불가지론자들을 대상으로 이야기하시는 것이 아니다. 이방인이나 이단 종파 추종자들에게 설교하신 것도 아니다. 실제로는 지옥으로 통하는 넓은 길을 따라가고 있으면서도 스스로는 천국에 이르는 좁은 길을 걷고 있다고 착각하는 독실한 신앙인들에게 말씀하고 계신 것이다. 예수님 말씀대로라면, 언젠가는 한두 명이 아닌 무수히 많은 이들이 하나님 나라와 상관이 없다는 판정을 듣고 충격을 받게 될 것이다.

영적인 기만의 위험성은 지극히 현실적이다. 목회를 하는 입장에서 주일 아침 예배 시간에 예배당을 가득 채우고 있는 교인들 가운데 상당수가 실제로는 구원을 받지 못했음에도 불구하고 자신은 구원을 받았다고 철석같이 믿고 있을지도 모른다는 생각을 하면 소름이 끼치면서 잠이 천리만리 달아난다. 최소한의 대가로 엄청난 축복을 약속하는 신앙 노선을 따르는 그리스도인들이 적지 않기 때문이다.

흔히들 예수를 믿는 데 필요한 것은 단 한 번의 결단이나 지적인 동의뿐이며, 거기에 따르는 주님의 명령이나 기준, 영광은 크게 신경 쓸 필요가 없는 것처럼 이야기한다. 이미 하늘나라로 가는 티켓을 거머쥐었으니 이 세상에서 내키는 대로 살아도 괜찮다는 투다.

살아가는 과정에서 저지른 웬만한 죄악들은 하나님이 다 눈감아 주실 것이라고 믿는다. 오늘날 전도 방법 가운데 상당수는 이런 길로 사람들을 이끌고 있으며 그렇게 해서 적잖은 이들을 끌어 모으고 있는 것도 사실이다. 하지만 그 방식은 모래 위에 집을 짓는 것이나 다름없으며 수많은 영혼들을 환멸에 빠트릴 위험이 다분하다.

성경이 말하는 복음의 선포는 그와는 다른 반응을 요구하며 그것을 믿는 자들을 다른 길로 인도한다. 복음은 죄에서 돌이키고, 저마다 제 몫의 십자가를 지며, 자기를 부인하고 예수님을 따르기를 요구하고 또 가능하게 한다. 이것들은 모두 성경에 기록된 말씀이다. 구원은 심령 안에 있는 사악한 마음이나 심각한 타락과 치열한 전투를 하게 한다. 예수님은 인간들이 초대해 주길 기다리는 분이 아니라 오히려 우리가 그분 앞에 즉각적이고 전폭적으로 무릎을 꿇어야 마땅한 분이다.

철저한 순종을 토대로 예수님께 나아갈 길을 스스로 개척해야 한다는 뜻으로 받아들일 수도 있겠지만 그것은 사실이 아니다. "너희는 그 은혜에 의하여 믿음으로 말미암아 구원을 받았으니 이것은 너희에게서 난 것이 아니요 하나님의 선물이라 행위에서 난 것이 아니니 이는 누구든지 자랑하지 못하게 함이라"(엡 2:8-9)라는 말씀은 한 점 오류가 없는 진리다. 우리는 은혜라는 선물에 힘입어 죄에서 거저 구원을 받았다. 은혜를 베풀어 주실 수 있는 분은 오직 하나님뿐이다. 인간이 스스로 만들어 낼 수 없다는 뜻이다.

은혜라는 선물에는 새로운 마음, 새로운 욕구, 새로운 갈망이라는 부록이 포함되어 있다. 은혜를 입은 이들은 난생처음 하나님을 원하게 된다. 주님이 필요함을 절감하고 그분을 사랑한다. 그리스도를 좇아가려고 안간힘을 쓰고 결국 찾아낸다. 예수님이야말로 구원에 따르는 가장 큰 상급임을 알게 한다. 죄를 용서하시거나 하늘나라에서 영원히 살게 되리라는 확신을 주는 것만이 아니라 하나님을 아는 것이 구원의 목적임을 깨닫게 한다. 당연히 하나님을 동경하고 열망할 수밖에 없다. 사모하는 마음이 간절해져서 가진 것을 다 포기하고라도 주님을 경험하고 싶어 한다. 복음에 드러난 하나님의 계시에 대해 인간이 보일 수 있는 적절한 반응은 이것이 유일하다.

세계 곳곳에서 수많은 그리스도인들이 목숨을 걸고 하나님을 더 깊이 알아 가려고 발버둥 치고 있다. 바로 이런 이유 때문이다. 말씀에 계시된 하나님이 아니라 우스꽝스럽게 변질시킨 싸구려 기독교를 배격해야 할 이유도 여기에 있다. 하나님을 중심으로 삼고, 그리스도를 드러내며, 자기를 부정하는 복음이 아니라면 그 무엇도 받아들일 수 없다고 주장하는 근거도 마찬가지다.

열정으로 가득 찬 3통의 이메일

나는 하나님이 맡겨 주신 브룩힐즈교회뿐 아니라 세상의 모든 교회에 그런 갈급함이 가득해지기를 항상 기도한다. 말씀이라는 영원한 보화를 찾아서 넉넉히 누리고 그 때문에 이 세상이 주는 말초적인 쾌락으로 자신의 영혼을 채우지 않게 되기를 간구한다. 우리 마음을 깨우셔서 하나님이 어떤 분인지 알고, 복음을 향한 열정이 내면에 가득해지기를 기도한다.

오늘 이메일 몇 통을 받고 몹시 흐뭇했다. 한 통은 라스베이거스에 산다는 어느 낯선 여성이 보낸 편지였다. 비행기를 탔다가 우연히 버밍엄으로 가는 우리 교회 성도를 만난 모양이다. 제약 회사 영업 사원으로 일하는 그 성도는 자리에 앉자마자 성경을 꺼내서 열심히 읽더라고 했다. 얼굴만 봐도 얼마나 몰입해서 말씀을 보는지 알 수 있었다고 한다. 여인은 대화를 나누면서 한 번 더 놀랐다고 했다. 그리스도를 향한 열정과 그분을 더 알고 싶어 하는 갈망을 이야기하는 그의 눈에 눈물이 그득했기 때문이다. 어느 교회에 다니냐고 묻고 담임목사인 내게 편지를 보낸 것이다. 참으로 힘이 되는 이메일이었다.

다른 한 통은 어느 대중 집회에 참석했던 여대생에게서 온 메일이었다. 표현은 정중했지만 내용은 신랄했다. 설교자가 수많은 군중을 모아 놓고 하나님 말씀과 동떨어진 얘기만 늘어놓는 데 몹시 실망했다고 했다. 청중 동원을 비롯해서 무엇 하나 부족함이 없어 보이는 집회였지만, 남은 건 공허감뿐이었다고 했다. 젊은이는 이런 말로 편지를 마무리했다.

"감동적인 연설을 하지 못할 바에는 설교 대신 하나님 말씀을 있는 그대로 낭독하는 편이 더 나을 것이라고 생각합니다. 그러면 성령님께서 그 말씀을 통해 역사하시리라고 믿습니다." 스스로 훌륭한 설교자라고 확신할 수도 없거니와 교인들이 다른 사역자들의 설교를 두고 이러니저러니 하도록 부추길 마음은 없지만, 편지를 보낸 이가 하나님을 밝히 드러내는 말씀을 진정으로 사모하고 있는 것을 보며 무척 기뻤다.

세 번째는 얼마 전에 시크릿 처치에 참석했던 한 성도가 보낸 메일이었다. 그는 "하나님은 어떤 분이신가?"라는 주제를 가지고 하나님의 속성과 그 영광을 두루 살피는 모임에서 큰 깨달음을 얻었다고 했다. 하나님을 깊이 알고 나니 그렇게 멋진 말씀을 혼자 간직하기에는 너무 아깝다는 생각이 들었노라고 했다. 그래서 우간다로 날아가 그곳의 교인들과 교회 지도자들에게 그 교리를 전하고 있다며 소식을 전해 온 것이다. 그 성도는 부교역자도 아니고 교회에서 월급을 받는 직원도 아니었다. 그저 하나님의 말씀을 사랑하는 평범한 그리스도인이었을 뿐이다. 그는 편지에서 이렇게 말했다.

"목사님, 하나님의 은혜에 기대서 하루에 열 시간씩 온 마음을 다해 메시지를 전하고 있습니다. 네 시간 동안 꼼짝 않고 앉아서 말씀을 연구합니다. 하나님이 강한 손을 펼쳐 진리를 보여 주셨습니다. 여기 적어 보내는 것은 지금 일어나고 있는 놀라운 일들 가운데 지극히 일부분에 지나지 않습니다. 그리스도의 영광스러운 이름을 찬양합니다. 주님은 멀리 떨어진 이곳에서도 똑같은 역사를 일으키셨습니다."

복음에 담긴 하나님에 대한 계시에는 힘이 있다. 그리고 나는 누구나 계시를 진심으로 받아들이기를 바란다. 복음이 말하는 그리스도를 믿는다는 것은 무엇보다도 새로운 마음을 받아들이는 것을 말한다. 죄에서 깨끗해졌을 뿐만 아니라 하나님을 갈망하는 심령을 갖게 되는 것이다. 또는 하나님의 말씀(주님 자신에 대한 완전한 계시)을 향한 열정을 회복하고 그분을 알고 체험하는 것이 얼마나 소중한 일인지 깨닫게 되는 사건이 될 수도 있다.

2 복음은 당신의 전부를 원한다

Chapter **03**

'나'를 버리는 데서
시작하라

하나님의 권능에 의지하는 마음가짐의 중요성

세계 최대의 무슬림 국가, 인도네시아에 있는 신학생들에게 말씀을 전한 적이 있었다. 그곳에서는 졸업을 하려면 반드시 이슬람 공동체 안에 교회를 세워야 했다. 그것도 새로 예수를 믿고 세례를 받은 교인이 30명이 넘어야 개척을 인정받을 수 있었다. 메시지가 끝나고 졸업생들이 하나하나 무대에 올라 학위증을 받았다. 겸손하지만 결연한 표정을 하고 있는 젊은 목회자들을 보면서 나는 깊은 감동을 받았다. 모두가 교회 개척이라는 졸업 요건을 충족시킨 용사들이었다. 특히 무슬림 박해자들의 손에 목숨을 잃은 신학생 두 명을 위한 묵념 시간은 졸업식 전체를 통틀어 가장 엄숙한 순간이었다.

이 학생들을 만나서 저마다의 사연을 듣게 된 것은 나에게는 대단한 특권이었다. 라덴(Raden)이란 형제가 먼저 입을 열었다. 이글거리는 눈빛으로 좌중을 둘러보며 강렬한 목소리로 이야기했다. "저는 그리스도인이 되기 전에는 싸움꾼이었습니다. 호신술과 유도를 포함해서 상대를 제압하는 기술을 꽤 익혔습니다."

고개를 끄덕이며 속으로 생각했다. '잘못 건드렸다간 큰일 나겠군.'

라덴이 말을 이었다. "하루는 예수라는 이름조차 들어 본 적이 없는 마을에 가서 복음을 전하게 됐습니다. 어느 집에 들어가 그리스도에 관해 이야기하고 있는데 때마침 그 마을의 주술사가 들이닥쳤습니다." 시골 마을에서는 아직도 주술사나 무당들이 저주와 주문 따위를 내세워 공동체 전체를 주무르는 것을 쉽게 볼 수 있다.

"주술사가 거칠게 시비를 걸었습니다. 한판 붙어 보자는 얘기였습니다." 라덴이 미소를 머금고 말했다. "마음 같아서는 당장이라도 뛰어나가 단숨에 때려눕히고 싶었습니다. 하지만 문고리를 막 잡는 순간 주님이 싸우지 말라고 말씀하셨습니다. 하나님이 나를 위해 친히 나서시겠다는 겁니다."

라덴은 밖으로 나갔다. 의자 하나를 가져다 주술사의 정면에 놓고 앉으며 말했다. "나는 손가락 하나 까딱하지 않겠소. 하나님이 날 대신해서 싸우실 거요."

과연 무슨 일이 일어났을까? 라덴은 당시의 상황을 이렇게 설명했다. "그 주술사가 대꾸를 하려고 입을 달싹이는 순간, 갑자기 컥컥대기 시작했습니다. 기도가 막혀서 숨조차 제대로 쉬지 못하더군요.

급작스레 벌어진 사태에 사람들이 몰려들었습니다. 채 몇 분이 지나지 않아 주술사는 바닥을 구르다 숨지고 말았습니다."

온 동네 사람들이 그 장면을 똑똑히 지켜보았다. 라덴은 고백했다. "난생처음 당하는 일이라 뭘 어찌해야 좋을지 모르겠더군요. 퍼뜩 '지금이야말로 복음을 전하기에 더없이 좋은 기회다!'라는 생각이 머리를 스쳤습니다. 그래서 예수님을 소개했습니다. 그날 수많은 마을 사람들이 그리스도를 믿기로 결단했습니다."

교회 성장을 돕는 좋은 방법으로 이 사연을 소개하는 것은 아니다. 복음을 선포할 때마다 누군가 죽어 나가야 한다면 그것은 최상의 방법이 아닐 것이다. 하지만 라덴의 이야기는 2천 년 전, 그리스도인들이 예수님의 이름을 선포할 때마다 일어났던 사건들을 기억에서 상기시켜 준다. 눈먼 이들이 보았고, 다리를 절던 이들이 멀쩡하게 걸었으며, 죽었던 이들이 벌떡 일어났다. 예수님의 이름에는 악한 영을 내쫓고, 하나님을 향한 마음을 더할 나위 없이 굳세게 다져 주는 능력이 있다. 그로부터 2천여 년이란 세월이 흐른 지금도 주님의 이름에 담긴 권세는 여전히 막강하다.

그 권능을 신뢰하느냐 그렇지 않느냐 하는 것이 관건일 뿐이다. 문제는 현대 문화 가운데 살아가는 우리들이 중요한 고비마다 주님 대신 자신의 능력을 신뢰해야 할 것만 같은 유혹을 받는다는 점이다. 그러므로 오직 하나님만이 주실 수 있는 능력에 전폭적으로 의지하며 전심으로 갈구하는 마음가짐이야말로 오늘을 사는 그리스도인들이 당면한 커다란 도전이 아닐 수 없다.

아메리칸 드림의 교묘한 함정

물질적인 번영을 추구하는 현대인의 꿈과 야심은 예수님의 부르심이나 복음의 핵심과는 너무나도 동떨어져 있다. 하나님의 권능에 의지하는 자세와 자신의 능력을 믿는 태도를 대조해 보면 그 차이가 한결 두드러진다.

우리 시대의 문화는 '하면 된다'고 가르친다. 독창성과 상상력, 혁신적인 사고방식을 결합하고 거기에 기술과 노력을 보태면 못할 일이 없다고 주장한다. 어떤 학위도 딸 수 있고, 무슨 사업이든 시작할 수 있고, 사다리 꼭대기까지 기어오를 수 있으며, 상이란 상은 다 받을 수 있고, 까마득한 목표도 성취할 수 있다는 것이다. 제임스 애덤스는 1931년에 '아메리칸 드림'(American dream)이라는 말을 처음으로 사용하면서 그 의미를 "남자든 여자든 누구나 타고난 재능을 충만하게 실현할 수 있으며, 그 사람의 출생 신분이나 지위에 상관없이 사람 됨 자체로서 대접 받는 것"[1]이라고 정의했다.

언뜻 보면 문제 될 것이 전혀 없다. 큰 꿈을 꾸면서 열심히 노력하는 것이 잘못일 리가 있겠는가! 큰 목표를 추구할 자유는 오히려 높이 평가되고 확실하게 보장해 주어야 할 덕목이다. 그러나 아메리칸 드림의 이면에는 위험스러운 추정이 깔려 있다. 따라서 주의를 기울이지 않으면 자신도 모르는 사이에 '영혼을 죽이는 목표'를 받아들일 수 있으며 조심하지 않으면 그 길에 앞장서게 될 지도 모른다.

아메리칸 드림을 통해서 무의식적으로 받아들이게 되는 위험스러운 가정 가운데 하나는 '인간의 가장 큰 자산은 재능'이라는 생각이다. 아메리칸 드림은 자신을 믿고 의지해서 무언가를 이루어 간다는 개념을 무척이나 소중하게 생각하며 대중들 역시 그런 사고에 쉽게 매료된다. 하지만 복음의 우선순위는 다르다. 복음은 자신을 죽이고 하나님을 믿으며 그분의 권능에 의지하라고 주문한다. 인간이란 하나님을 떠나 독자적으로 의미 있는 일을 할 능력이 전혀 없는 존재임을 복음을 통해 직면하게 하시는 것이다. "나는 포도나무요 너희는 가지라 그가 내 안에, 내가 그 안에 거하면 사람이 열매를 많이 맺나니 나를 떠나서는 너희가 아무것도 할 수 없음이라"(요 15:5)는 말씀의 속뜻이 거기에 있다.

하지만 그보다 더 중요한 것은 아메리칸 드림을 좇는 과정에서 빠지기 십상인 교묘하고도 치명적인 함정이다. 제힘으로 목표를 달성하게 되면 누구든 자신에게 영광을 돌리기 쉽다. 애덤스의 말을 빌자면 '개인이 성취한 것으로 인정받게' 되는 셈이다. 아메리칸 드림은 인간의 존재와 능력을 중요하게 생각한다. 바로 그 지점에서 복음과 아메리칸 드림은 명확하고도 결정적으로 충돌한다. 아메리칸 드림의 목표는 인간을 으뜸으로 여기는 것이지만 복음이 지향하는 것은 하나님을 높이는 데 있다.

내가 연약할수록 도드라지는 하나님의 능력

아메리칸 드림과 정반대로, 하나님은 실제로 자신의 무능력함을 자랑하는 자들을 기뻐하신다. 일부러 거룩한 백성들을 하나님의 도

우심 외에는 기댈 것이 없는 막다른 상황으로 이끌어 가기도 하신다. 그런 과정을 통해서 주님은 인간으로서는 동원해 본 적이 없는, 아니 상상조차 하지 못한 특별한 방식으로 당신의 능력을 확연히 보여 주신다. 결과적으로 그분의 거룩한 이름이 높이 드러나게 하시는 것이다(고후 12:7-9).

거대하고 견고한 성곽으로 둘러싸인 여리고를 공략했던 여호수아의 이야기를 면밀하게 분석해 보라. 사령관의 신분으로서 하나님의 백성을 이끌고 벌이는 첫 전투가 결코 녹록하지는 않았을 것이다. 눈앞에 놓인 과제를 생각하면 스스로 자격 미달이라는 생각에 잠을 설치기도 했을 것이다.

그러기에 여호수아는 눈앞에 닥친 전투를 두고 홀로 고민할 수밖에 없었다(수 5장 참조). 그런데 불쑥 하나님이 나타나셔서 싸움에서 이기게 해 주실 뿐만 아니라 구체적인 전술까지 알려 주겠다고 약속하셨다.

여호수아는 귀를 쫑긋 세우고 다음 말씀을 기다리며 생각했을 것이다. '어떤 작전일까? 정면 공격일까? 일종의 기만 전술일까? 아니면 겹겹이 포위해서 보급을 끊는 전략일까?'

그런데 하나님은 이렇게 말씀하셨다.

> 너희 모든 군사는 그 성을 둘러 성 주위를 매일 한 번씩 돌되 엿새 동안을 그리하라 제사장 일곱은 일곱 양각 나팔을 잡고 언약궤 앞에서 나아갈 것이요 일곱째 날에는 그 성을 일곱 번 돌며 그 제사장들

은 나팔을 불 것이며 제사장들이 양각 나팔을 길게 불어 그 나팔 소리가 너희에게 들릴 때에는 백성은 다 큰 소리로 외쳐 부를 것이라 그리하면 그 성벽이 무너져 내리리니 백성은 각기 앞으로 올라갈지니라(수 6:3-5).

우리가 만약 여호수아의 입장이었다면 어떤 생각이 들었겠는가? 솔직히 말해 보라. 괴상하지 않은가? 그의 처지라면 누구라도 다른 방안은 없는지 물었을 것이다.

약속의 땅에 들어서서 첫 번째 도시를 공략하는데 주님은 왜 그런 작전을 제시하셨을까? 하나님이 행하신 일을 똑바로 보라. 오직 주님만 영광을 받으실 수 있도록 백성들의 싸움을 손수 지휘하셨다. 여호수아 6장을 끝까지 읽으면 이스라엘 군대가 하나님의 전략에 따라 여리고성을 정복하는 과정을 따라갈 수 있다. 눈에 보이지 않는 부분에까지 주의를 기울이라. 백성들이 나팔수들에게 달려가서 오늘 대단한 일을 했다고 칭찬하는 것을 보았는가? "아비새, 연주 실력이 굉장하던걸?"이라거나 "니므롯, 어쩌면 고음 처리를 그렇게 능숙하게 할 수 있지?"라고 묻는 장면이 있었는가? 단 한 군데도 없다. 대신에 오직 하나님이 그 모든 역사를 일으키셨음을 깊이 깨닫는 모습뿐이다.

하나님은 이렇게 일하신다. 절박하게 주님의 권능을 구할 수밖에

> 물질적인 번영을 추구하는 현대인의 꿈과 야심은 예수님의 부르심이나 복음의 핵심과는 너무나도 동떨어져 있다.

없는 자리로 몰아넣은 뒤에 필요를 채워 주심으로써 그분의 위대하심을 펼쳐 보이신다.

누구에게 매달려야 하나

목회자로서 가장 마음에 걸리는 것이 바로 이 부분이다. 하나님으로부터 오는 능력을 거의 필요로 하지 않는 교회 운영 계획과 전략, 수단과 방법들을 생산하는 시스템의 일부분이 되어 있기 때문이다. 그러나 목회자들만 이런 모습을 보이는 것은 아니다. 걱정스러운 것은 믿는다고 하는 성도들 모두(현대의 모든 목회자와 교인들)가 인간의 능력을 강조하고 자기 이름을 드높이라는 시대적인 요구를 여러 가지 방식을 통해 맹목적으로 받아들이고 있다는 것이다.

창의적인 목회자를 중심으로 성공적인 직장인들과 비즈니스맨, 재주 있는 기업가와 열심히 일하는 참모들, 상황 판단이 빠른 원로들과 이상적인 사고를 하는 학생들이 힘을 합쳐 '성공적인 교회'를 가꿔 내는 데 필요한 조건들을 꼽아 보라. 오늘날의 문화를 감안하면, 반드시 하나님의 권능에 힘입어야 사람들의 관심을 끌어 모을 수 있는 것은 분명히 아니다. 인간이 만들어 낼 수 있는 몇 가지 핵심 요소만 갖추면 충분히 가능한 일이다.

우선 멋진 퍼포먼스가 필요하다. 흥밋거리를 좇는 현대 문화의 특성상, 군중을 사로잡을 만한 스타가 있어야 한다. 카리스마 넘치는 전달자가 없다면 비참한 종말을 피할 수 없다. 비디오로 상영하는 한이 있더라도 뛰어난 설교자를 확보하는 것이 급선무다. 기량이 뛰어난 찬양 팀이 밴드와 함께 뒤를 받쳐 주면 더 바랄 것이 없다.

다음은 찾아오는 군중들을 수용할 만한 공간이 있어야 한다. 그래서 너도나도 수십, 수백억 원씩 쏟아 부으면서까지 퍼포먼스를 진행할 건물을 짓는 것이다. 예배당은 어느 각도에서 보든지 매력적이고 환상적이어야 한다. 그러지 않고서는 사람들의 문화적인 기대를 충족시킬 수 없다. 솔직히 말하면 그것이 우리의 바람이기도 하다.

마지막으로, 일단 사람들을 불러들였으면 다시는 떠나지 않게 붙잡아 두는 것이 중요하다. 연령과 상황별로 어린이, 청소년, 가족을 비롯해서 누구나 참석할 수 있는 최상급, 최고급 프로그램들을 마련하는 것이다. 우수한 프로그램을 돌리자면 거기에 어울리는 전문가가 반드시 있어야 한다. 예를 들어, 부모가 자녀들을 교회 정문까지 데려다 주면 나머지는 어린이 사역 전문가들이 알아서 해주는 식이다. 우리는 사람들이 가정에서 직접 이런 교육을 시도하는 것을 원하지 않는다.

생략과 과장이 심하다는 것은 알지만, 오늘날 성장하고 역동적이며 성공적인 교회들을 생각할 때 가장 먼저 떠올리게 되는 요소가 바로 이런 것들이 아닌가? 독창적인 메시지, 최고급 시설, 남다른 프로그램, 조직적인 교회 운영의 비법을 전수해 준다는 집회의 홍보물들이 날마다 날아와서 책상에 수북이 쌓인다. 오늘날의 그리스도인들은 신앙 공동체를 배경으로 현대 문화의 꿈과 야망을 실현해 가고 있다. 인생의 다른 영역과 마찬가지로 교회에서도 주어진 자원을 적절히 활용하고 우수한 전략을 세우기만 하면 무엇이든 마음먹은 바를 이뤄 낼 수 있다고 믿는 것이다.

그러나 그처럼 퍼포먼스와 프로그램, 전문가들을 총동원한 전략에는 결정적인 하자가 있다. 하나님의 권능을 간절히 기다리는 자세가 빠진 것이다. 주님의 권세는 있으면 좋고 없어도 그만인 사은품 정도다. 개인적으로는 지금 이끌고 있는 교회가 하나님의 거룩한 영이 그 안에 존재하지 않는다는 사실을 새카맣게 모른 채, 여러 가지 활동들을 매끄럽게, 효과적으로, 더 나아가 아주 성공적으로 전개해 나가게 될까 봐 겁이 난다. 우리는 쉽게 우리 자신을 속일 수 있다. 겉으로 많은 사람들이 무리 지어 앉은 것을 보고 공동체 가운데 영적인 생명이 살아 움직이고 있다고 착각하는 것이다.

다른 그림, 다른 모습

그러나 사도행전을 펼쳐서 거기에 나타난 교회들을 살펴보면 전혀 다른 모습을 만나게 된다. 먼저는 몇 안 되는 겁 많은 제자들이 다락방에 웅성그리고 앉은 것이 눈에 띈다. 다들 하나님의 권능이 필요하다는 것을 절감하고 있다. 하나같이 갈릴리 시골 출신에다가 예루살렘 상류층의 멸시를 받는 하층민들이고 제대로 교육을 받지 못한 평민들이어서 누구하나 변변한 인물이 없다. 이것이 기독교를 전파하고 확산시키는 책임을 맡은 이들의 면면이다.

그렇다면 제자들은 무엇을 하고 있는가? 그들은 전략을 짜지 않았다. "마음을 같이하여 오로지 기도에"(행 1:14) 힘썼을 따름이다. 제힘을 믿거나 자신의 능력을 의지하지 않았다. 대신 전능하신 하나님이 임하시길 간구했다. 주님이 힘을 주지 않으면 그 무엇도 성취할 수 없음을 확실히 알았다.

그러자 성령이 임하여 새 권세를 덧입혀 주셨고 그때부터 상황이 완전히 달라졌다. 무식했던 갈릴리 어부들은 누구나 알아들을 수 있도록 여러 나라의 방언으로 복음을 전하기 시작했다. 군중들은 충격을 받았다. 베드로는 자리에서 일어나 그리스도에 관한 메시지를 선포했다. 불과 몇 주 전만 하더라도 스승을 세 번이나 부인했던 인물이 하나님의 권세에 사로잡혀 수천 명에 이르는 군중 앞에서 목청껏 예수의 이름을 외치게 된 것이다. 그날 3천 명이 넘는 이들이 구원을 받았다.

교회가 성장하는 문제도 짚고 넘어가자. 사도행전 1장에서 고작 120명에 불과하던 그리스도인의 숫자는 2장에 들어서자마자 3천 명으로 불어났다. 계산기를 두들겨 보면 1일 성장률이 무려 2천 5백 퍼센트에 이른다.

이야기는 계속된다. 시시각각 수많은 이들이 그리스도께 나아왔다. 사도행전 3장에서 베드로와 요한이 예수님의 이름으로 명령하자 날 때부터 다리를 쓰지 못하던 40대 남자가 벌떡 일어나 걷는 기적이 일어났다. 4장에서 그리스도인들은 모임을 갖던 건물이 심하게 흔들리기 시작할 때까지 함께 기도했다. 당시의 상황을 설명하면서 누가는 이렇게 토를 달았다. "그들은 베드로와 요한이 본래 배운 것이 없는 보잘것없는 사람인 줄 알았는데, 이렇게 담대하게 말하는 것을 보고 놀랐다. 그리고 그들은 그 두 사람이 예수와 함께 다녔다는 사실을 알았지만, 병 고침을 받은 사람이 그들 곁에 서 있는 것을 보고는, 아무 트집도 잡을 수 없었다"(행 4:13-14, 새번역).

하지만 이것은 서막에 불과했다. 사도행전 5장에서는 "사도들의 손을 거쳐서 많은 표징과 놀라운 일이 백성 가운데서 일어"(행 5:12, 새번역)났다. 환자들의 병이 낫고 악한 영들이 쫓겨 나갔다. 6장과 7장에 이르면 제자들이 위험한 일에 맞닥뜨리는 빈도가 점점 더 높아졌지만 하나님의 권능이 나타나는 사례도 그만큼 잦아졌다. 8장에서 교회는 유다와 사마리아까지 흩어졌고 제자들은 가는 곳마다 복음을 전했다. 성령님은 에티오피아 내시를 그리스도께 인도하기 위해 빌립을 한 곳에서 다른 곳으로 순식간에 이동시키기도 하셨다. 9장에서는 그리스도인들을 박해하던 사울이 그리스도의 제자 바울이 되었다. 10장에서는 인종과 민족의 장벽이 무너지기 시작하면서 복음이 더 널리 퍼져 나가게 되었으며 11장에서는 장차 이방에 예수님의 사랑을 전할 전초 기지가 될 안디옥 교회가 세워졌다. 사도행전 12장에서 감옥에 갇혀 죽을 날만 기다리는 베드로를 위해 온 교회가 한마음으로 기도하자 사도의 발목을 옥죄고 있던 쇠사슬이 끊어져 나갔고, 그는 마치 몽유병자처럼 감옥을 빠져나왔다. 사도행전 13장에서 바울은 여러 도시들을 순례하며 복음을 전하고, 병자들을 고치며, 귀신을 쫓아내고, 심지어 죽은 사람을 살려 내기까지 하는 사역을 했다.

사도행전의 장면들을 두루 살펴볼 때마다 어김없이 감동을 느끼게 된다. 그 이유는 글을 쓴 누가가 무슨 이야기를 하든 의도적으로 하나님을 높이고 있다는 점이다. 사도행전 2장에서 오순절 베드로의 설교가 일으킨 파장을 기록하면서 글쓴이가 어떤 표현들을 쓰고 있는지 보라. 누가는 "그 말을 받은 사람들은 세례를 받으매 이 날에 신도의 수가 삼천이나 더하더라"고 적었다(41절). 문장이 수동태를 취하고 있음에 주목하라. "더하더라." 자연히 "누가 더하게 했을까?"라는 질문이 나올 수밖에 없는 구조다. 이제 47절로 내려가 보자. 누가는 거기에 답을 적어 놓았다. "주께서 구원 받는 사람을 날마다 더하게 하시니라."

이런 흐름은 시종일관 계속된다. 사도행전 5장 14절은 "믿고 주께로 나아오는 자가 더 많으니 남녀의 큰 무리더라"고 했다. 바나바가 안디옥에서 복음을 전하자 "많은 사람이 주님께로 나아왔다"(행 11:24, 새번역). 이어서 비시디아 안디옥에서도 "이방인들이 듣고 기뻐하여 하나님의 말씀을 찬송하며 영생을 주시기로 작정된 자는 다"(행 13:48) 믿게 되었다.

> 우리 힘으로 어찌해 보려고 안간힘을 쓸 이유가 없다. 밤낮으로 기도하며 상상을 불허하는 하나님의 권능에 의지하라.

하나님은 거룩한 백성들 가운데서 이런 역사가 일어나도록 설계하셨다. 보잘것없어 보이는 인물들에게 권능을 주셔서 놀라운 일들이 벌어졌을 때 누가 그 영광을 받기에 합당한 분인지 뚜렷이 알 수 있게 하신 것이다.

3 '나'를 버리는 데서 시작하라

교회가 세워지는 이런 이야기들은 신약성경이 끝날 때까지 계속 이어진다. 읽으면 읽을수록 오늘날에도 그런 장면이 연출되고 거기에 한몫 할 수 있기를 바라는 마음을 주체할 수 없다. 제힘으로 무언가를 이룰 수 있다는 마음가짐이 끼어들 여지가 없는 장면, 보잘것없는 인간들에게 누구도 예상치 못했던 자원을 무한정 부어 주셔서 거룩한 이름이 높이 드러나게 하시는 하나님의 위대하신 능력에 교회가 전폭적으로 의지하는 현장에 동참하고 싶다. 기꺼이 그 꿈의 일부가 되길 소원한다.

더 크고 뛰어난 능력

브룩힐즈교회의 담임목사로 부임하게 되었을 때, 깊이 고민하면서 가까운 이들과 나누었던 이야기가 있다. "이 교회는 가진 것이 너무 많습니다. 은사도 많고, 달란트도 많고, 리더도 많고, 재정도 넉넉합니다. 그렇게 넉넉한 자원을 세상적인 목표를 달성하는 데 남용하지만 않는다면 하나님을 위해 열방을 뒤흔들 수 있을 것입니다."

하지만 돌아보면 그때의 생각은 아찔할 만큼 잘못된 사고방식이었다. 알고 보면 교회가 가진 자원 따위는 중요한 것이 아니다. 무엇 하나 부족한 것이 없을 만큼 풍요롭지만 성령님의 능력에 힘입지 않으면 하나님의 영광을 위해 굵직굵직한 일을 해낼 힘이 전혀 없다고 해도 지나친 말이 아니다.

솔직히 말해서 이제는 생각이 완전히 달라졌다. 재능과 은사가 많은 인물이 없고, 재정이 터무니없이 모자라도, 성령님의 권능에 사로잡혀 있다면, 주님의 영광을 위해 세상을 뒤엎을 수 있다고 믿는다. 성령님의 능력에 기대기만 한다면 단 한 달 사이에도 제힘으로 백년에 걸쳐 쌓아 올린 것보다 훨씬 많은 일들을 이루어 낼 수 있을 것이다. 하나님의 권능은 인간의 힘과 비교할 수 없을 만큼 크고 위대하다.

평범한 그리스도인, 탁월하신 하나님

이런 사실이 현대 기독교에는 어떤 의미를 가지는지 생각해 보자. 가령 하나님이 주님을 절박하게 구하는 대신 마음만 먹으면 무엇이든 다 이룰 힘이 있다는 인생철학에 기대어 사는 이들을 안타까워하시며 그분의 거룩한 능력을 보여 주실 순간을 마냥 기다리고 계신다면 어떨까? 혹은 은혜가 넘치는 하나님이 주님을 간절히 구하며 삶의 최고의 원리로 삼기를 원하는 자녀들에게 거룩한 임재를 강하게 드러내는 데 온 힘을 기울이신다면 어떻게 될까?

조지 뮬러(1805-98, 교회사를 이야기할 때마다 빠지지 않고 등장하는 인물이다)의 경우를 살펴보자. 뮬러는 영국 브리스톨에 있는 교회를 맡아 60년이 넘도록 돌보았던 목회자다. 우리에게는 고아원 사역으로 더 널리 알려져 있기도 하다. 평생 만 명이 넘는 고아들을 보살폈으니 그럴 만도 하다. 놀랍게도(그러나 의도적으로) 뮬러는 시설운영 자금을 보태 달라고 여기저기 부탁을 하러 다니지 않았다. 대신 오로

지 기도에 집중하면서 하나님이 공급해 주실 것을 믿었다. 조지 뮬러의 전기를 읽다가 고아원을 시작하게 된 동기를 알고 충격을 받았다. 시설을 세운 첫 번째 목적은 부모 없는 아이들을 돌보는 것이 아니었다. 뮬러는 일기에 이렇게 적었다.

> 가난하기 짝이 없는 내가 누구에게도 도움을 청하지 않고 오직 기도와 믿음으로 고아원을 설립해서 이끌어 간다면, 주님의 은총에 힘입어 아직 회심하지 않은 이들의 양심에 거룩한 역사의 실체를 보여주는 증거를 제시할 수 있을 것이다. 게다가 하나님의 자녀들에게는 신앙을 굳세게 하는 도구가 될 수 있다. 이것이 고아원을 세우려는 가장 큰 목적이다. … 이 사역의 가장 중요한 목표는 나를 비롯하여 나와 함께 일하는 이들이 누군가의 도움을 구하지 않고 오직 기도와 믿음만으로 아이들의 모든 필요를 채우시는 하나님을 경험하고 이를 통해 그분이 여전히 신실하게 우리의 기도를 들어주신다는 사실을 널리 알리는 데 있다.[2]

뮬러는 자신의 삶을 지켜보는 모든 이들(그리스도인이든 비그리스도인이든)에게 하나님이 자녀들의 필요를 신실하게 채우신다는 증거를 제시하는 방식으로 살기로 작정했다. 목숨을 걸고 위대하신 하나님께 의지했으며 결국 그분의 영광을 드높이는 삶을 살았다.

하나님은 속수무책으로 주님의 탁월한 섭리에 기대는 평범한 그리스도인들을 즐겨 쓰신다. 하나님은 철저하게 그분을 의지하며 그 이름을 높이는 데 헌신한 이들에게 언제든지 거룩한 능력을 베풀어 줄 채비를 갖추고 계신다.

하나님, 우리 아버지

아이들에게는 뭐든지 주고 싶은 게 부모의 마음이다. 지금 나는 인도의 어느 기차 안에서 이 글을 쓰고 있다. 기차에서 내리면 곧바로 비행기를 타고 귀국할 예정이지만 그때까지 기다리는 것이 힘들다. 어서 아이들을 만나 하나하나 꼭 안아 주고, 마룻바닥을 뒹굴며 놀아 주고, 여기서 본 일들을 자세히 들려 주고 싶다. 물론 바다 건너에서 가져온 선물 보따리도 얼른 안겨 줄 것이다.

아이들 역시 아빠에 대한 기대가 많을 것이 틀림없다. 선물만이 아니라 아빠가 보여 줄 사랑과 관심을 바라고 있을 것이다. 아이들은 부모에 대해 기대할 뿐만 아니라 갈구한다. 건전하지 못한 의존을 말하는 것이 아니라 단지 내가 그 애들의 아버지라는 이야기를 하고 싶은 것이다. 나는 아버지로서 아들딸이 구하는 것을 채워 준다. 아이들 입장에서는 그렇게 베풀어 주는 것들을 통해서 아빠가 얼마나 자신들을 사랑하는지 알게 된다. 그런 사랑을 기대하고 또 충족 받을수록 더 깊이 아버지를 의지할 것이다.

이런 아버지와 아들의 관계는 누가복음 11장을 이해하는 데 큰 도움이 된다. 예수님은 이렇게 말씀하셨다. "너희 중에 아버지 된 자로서 누가 아들이 생선을 달라 하는데 생선 대신에 뱀을 주며 알을 달라 하는데 전갈을 주겠느냐 너희가 악할지라도 좋은 것을 자식에게 줄 줄 알거든 하물며 너희 하늘 아버지께서 구하는 자에게 성령을 주시지 않겠느냐"(눅 11:11-13). 누가복음 11장은 기도에 관한 예수님의 교훈이 실려 있는 본문이다. 주님은 누구든지 아버지께 필요를 채워 달라고 기도하면 그분의 예비하심이 얼마나 훌륭한지 알게 된다고 말씀하신다. 더 많이 공급해 주실수록 하나님을 아버지로 더 깊이 의지하게 될 것이라고 가르치신다.

예수님은 마태복음 7장에서도 비슷한 말씀을 하셨다. "너희가 악한 자라도 좋은 것으로 자식에게 줄 줄 알거든 하물며 하늘에 계신 너희 아버지께서 구하는 자에게 좋은 것으로 주시지 않겠느냐"(마 7:11). 두 본문의 말미가 어떻게 다른지 파악했는가? 누가복음은 "하늘 아버지께서 구하는 자에게 성령을 주시지 않겠느냐"라고 말하는 반면, 마태복음에서는 "하늘에 계신 너희 아버지께서 구하는 자에게 좋은 것으로 주시지 않겠느냐"라고 묻는다. 개인적으로는 마태복음 쪽이 알아듣기가 훨씬 쉽다. 세상 아버지가 자식에게 좋은 선물을 주듯, 하나님도 기도할 때마다 필요를 넉넉히 채워 주신다는 말씀이 아니겠는가!

그렇다면 어째서 누가복음 11장은 하늘 아버지가 성령을 주신다고 이야기하는가? 성령님을 구하지 않으면 어떻게 되는가? 무언가 다른 것을 구한다면 어떻게 될 것인가? 예수님은 무슨 뜻에서 기도의 응답으로 하늘 아버지가 성령을 주신다고 하셨는가?

여기에 대한 대답은 우리 삶 가운데 역사하시는 하나님의 영이 우리에게 얼마나 절실하게 필요하며 얼마나 위대한지 생각해 보면 된다.

이렇게 생각해 보라. 삶의 가파른 고비를 만나서 힘겨운 씨름을 벌이고 있다고 하자. 자신이나 가까운 이들에게 비극적인 사건이 벌어지는 바람에 깊은 상처를 입었다. 그래서 하나님께 기도하며 위로를 구한다. 주님이 어떻게 하실 것 같은가? 주님은 단순히 위로를 베풀지 않으신다. 대신 위로하시는 성령님을 보내신다(요 14:15-19). 문자 그대로 내면에 들어와 머무시면서 아픔이 다 가실 때까지 그리스도의 위로를 쏟아 부어 주시는 것이다.

이번에는 일생일대의 중대한 결정을 앞에 두고 도움이 필요하다고 생각해 보자. 전혀 다른 쪽으로 가는 두 갈래 길이 나타나서 어느 편을 택하는 것이 최선인지 결정할 지침이 필요하다. 그래서 하나님께 도움을 구한다. 주님은 이래라저래라 말씀하시지 않는다. 대신 인도자가 되시는 성령님을 보내신다(요 16:13). 그분은 그리스도인의 중심에 거하시면서 어떤 결정을 내려야 할지 알려 주실 뿐만 아니라 그럴 수 있는 힘까지 공급해 주시는 것이다.

분별이 필요할 때는 지혜의 성령님을 보내 주신다. 힘이 필요하면 능력의 성령을 부어 주신다. 사랑, 희락, 화평, 오래참음, 자비, 양선, 충성, 온유, 절제를 간구할 때도 성령님을 보내셔서 그 모든 열매가 생활에 나타나게 하신다.[3]

성령님은 위로자이시고, 도우미이시며, 우리의 내면에 살아계신 하나님의 임재 그 자체다.

이것이 기도하는 이들에게 베푸시겠다고 하신 주님의 엄청난 약속이다. 기도로 선물을 구하면 하나님은 아예 선물을 주는 분을 보내신다. 보급품을 요청하면 생산자를 직접 파견하신다. 돈을 달라고 간청하면 현찰이 아니라 은행을 통째로 주신다.

가만히 생각해 보면 참 뻔뻔스러운 일이다. 그렇지 않은가? 하나님께 가서 이렇게 말씀 드린다고 생각해 보라. "하나님, 세상을 움직이시고 수많은 피조물들을 먹여 살리느라 분주하신 줄 압니다. 하지만 제 인생에 이러저러한 문제가 생겼습니다. 그리고 죄송하지만 잠시 머물다 사라지는 위로는 달갑지 않습니다. 잠시 도움을 주다 사라지는 인도하심도 원치 않습니다. 음, 그러니까 … 하나님이 친히 오셔서 제 안에 살면서 저와 동행해 주시지 않겠습니까?" 우주의 하나님께 직접 오셔서 인간의 내면에 자리하시라고 부탁하다니, 너무 심한 게 아닐까?

그러나 예수님의 말씀에 따르면 하늘 아버지는 그런 우리의 기도를 반가워하시며 자신을 주시길 기뻐하신다. 주님은 거룩한 권능을 베푸셔서 이 세상을 사는 동안 그분의 뜻을 이루는 데 필요한 모든 자원을 우리에게 허락하신다. 예수님이 요한복음 14장에서 성령을 보내시겠다는 말씀을 하시기 전에 제자들에게 주셨던 약속의 핵심이 바로 여기에 있다. "내가 진실로 진실로 너희에게 이르노니 나를 믿는 자는 내가 하는 일을 그도 할 것이요 또한 그보다 큰일도 하리니 이는 내가 아버지께로 감이라 너희가 내 이름으로 무엇을 구하든지 내가 행하리니 이는 아버지로 하여금 아들로 말미암아 영광을 받으시게 하려 함이라 내 이름으로 무엇이든지 내게 구하면 내가 행하리라"(요 14:12-14).

예수님의 말씀이 정말이라고 생각하는가? 우리가 심지어 그리스도보다 더 큰일을 하리라고 믿는가? 구하기만 하면 그럴 수 있다고 생각하는가?

예수님은 분명히 그렇게 하겠다고 말씀하셨다. 하나님을 무슨 소원이든 다 들어주는 도깨비방망이쯤으로 여기라는 이야기가 아니다. 그렇지만 세상에서 하나님을 높이길 원하는 이들에게 즉시 공급할 수 있도록 하늘나라의 자원들을 완벽하게 준비해 놓고 기다리시겠다는 것은 반석처럼 확고한 약속이다. 분명히 하나님은 당신의 권능이 역사하는 것을 보기 원하며 거룩한 목표가 이뤄지는 장면을 목격하고 싶어 하는 이들에게 주님의 임재가 드러나는 데 필요한 모든 것을 공급하신다.

무릎을 꿇고

세심하게 신경을 쓰지 않으면, 이런 약속들을 놓쳐 버리고 하나님의 임재에서 오는 능력을 전혀 감지하지 못할 수도 있다. 마음만 먹으면 뭐든지 다 할 수 있다고 믿는 현대 문화 속에서 살아가노라면 자신이 위대한 일을 성취하는 데 필요한 조건을 모두 갖추고 있다고 자부하기 쉽다. 교회 역시 세상의 추세를 쫓아가기에 급급하다. 계획을 세우고, 프로그램을 만들고, 조직을 구성하고, 전략을 짜고, 창안하고, 쇄신하는 등 제힘으로 무언가를 성취할 수 있음을 과시하기 위해 발버둥을 친다. 애덤스의 말처럼 "남자든 여자든 누구나 타고난 재능을 충만하게 실현하여 그 성취에 따라 인정받는 꿈"을 꾸고 있는 것이다. 하지만 여기 또 다른 길이 있다.

바로 그리스도의 길이다. 자신을 주장하지 않고 대신 십자가에 못 박는 길이다. 만사는 마음먹기 나름이라고 말하지 않고 오직 하나님만 하실 수 있는 일들을 이뤄 주시길 요청하는 길이다. 물론 열심히 일하고 계획하고 조직하고 만들어 내지만, 금식하고 기도하고 끊임없이 주님의 예비하심을 구하기를 잊지 않는다. 자기 재주에 의지하기보다 성령님의 능력이 절박하게 필요함을 고백하고 표현한다. 하늘 아버지를 세상에 널리 알리고 높일 수 있도록 예수님이 거룩한 자녀들이 구하는 모든 것을 채워 주시리라고 믿는다.

스스로 자신을 돌아보라. 지금 하나님의 영을 간절히 구하는 삶을 살고 있는가? 당신이 출석하는 교회에서 그런 절박함을 찾아 볼 수 있는가?

어째서 인간의 능력에 비추어 기독교를 생각하는가? 어째서 스스로 가진 자원을 토대로 교회를 바라보는가? 예수님을 죽음에서 다시 살리신 분의 권능이 그리스도인의 중심에 그대로 살아 움직이고 있지 않은가? 제힘으로 어찌 해 보려고 안간힘을 쓸 이유가 없다는 말이다. 무엇보다 시급한 것은 밤낮없이 전능하신 하늘 아버지 앞에 무릎을 꿇고 감히 상상조차 할 수 없는 일들을 이루게 하셔서 주님의 영광을 높일 수 있도록, 우리 안에서 그리고 우리를 통해 성령님의 능력이 나타나게 해 주시길 간구하는 일이다. 그럴 때 비로소 저마다 스스로 생각하는 것보다 훨씬 큰 목적, 다시 말해 오직 성령님의 권능에 힘입어야만 이룩할 수 있는 목적을 위해 지음 받았다는 사실을 깊이 깨닫게 될 것이다.

Chapter **04**

하나님의
원대한 목표

세상을 지으신 하나님의 목적, 태초부터 지금까지

그때 그 자리가 지금까지도 뚜렷하게 기억난다.

가정집 서재였는데 나는 어느 교회의 지도자들과 함께 모임을 가지고 있었다. 평소에 우리 부부를 극진히 아껴 주고 기도해 주고 후원금까지 보내 주던(내 쪽에서는 입도 뻥긋하지 않았다) 교회여서 아주 친숙한 분위기였다. 내 옆에는 담임목사가, 맞은편에는 집사 두 명이 앉아 있었다. 그날은 토요일 저녁이었는데 다음날 아침 주일 예배에서 설교를 해 달라는 요청을 받은 상태였다.

편안히 앉아 대화를 나누던 도중에 누군가 우리 부부의 근황을 물었다. 자연히 당시에 살고 있던 뉴올리언스에서 도시 목회를 하고 있다는 얘기가 나왔다. 빈곤과 조직 폭력에 시달리는 빈민가의 상황을 전하고 갖가지 중독 증상과 힘겨운 씨름을 벌이고 있는 노숙자들의 처지를 설명했다. 아울러 요즘 들어 하나님이 세계 곳곳에서 사역할 기회도 주셨다고 말했다. 전통적으로 기독교에 대해 적대적이었던 지역 주민들이 복음에 대해 마음을 열기 시작했다고 전했다. 그리고 도시 목회가 됐든 해외 선교가 됐든, 하나님이 가장 어렵고 까다로운 곳에서 그분의 백성들을 불러모으고 계시는 것이 아닌가 싶다고 말했다.

잠시 말을 멈추고 반응을 살폈다. 다들 나만큼 감격스러워할 줄 알았다. 얼마간 어색한 침묵이 흐른 뒤에, 집사 가운데 한 명이 내게 시선을 고정시킨 채 의자 등받이에 몸을 깊이 묻으며 말했다. "어려운 곳에서 대단한 일을 하시는 것은 알겠습니다만, 굳이 제 의견을 물으신다면, 차라리 하나님이 그런 인간들을 싹 쓸어다가 지옥에 처넣어 버리시면 좋겠습니다."

귀를 의심했지만 분명히 그렇게 말했다. 얼마나 충격을 받았던지 입이 떨어지지 않았다. 어떻게 대꾸해야 할지 알 수가 없었다. 무슨 말이든 해야겠는데 할 이야기가 없었다. 싹 쓸어버린다? 그것도 모자라 지옥에 처넣는다? 잠깐 정적이 감돌았지만 마치 아무 일도 없었다는 듯 이내 대화가 이어졌다. 계속되는 이야기들은 점입가경이었다.

다음날 교회로 가서 예배에 참석했다. 담임목사가 일어나서 환영 인사를 했다. 다짜고짜 미국에 살고 있다는 것이 얼마나 감사한

지 모르겠다는 말로 이야기를 시작했다. 애국심을 강조하는 열정적인 연설이 한참이나 계속됐다. 도대체 왜 예배 시간에 그런 말을 하는지 알 수 없었다. 다음 몇 분 동안은 미국이 아니라면 세상 어디에 가서도 살고 싶지 않다는 말이 이어졌다. 여기저기서 "아멘!"을 외치는 소리가 터져 나왔다. 국수주의적인 열기가 예배당을 뜨겁게 달궜다. 혹시 다음 순서가 국가 제창이 아닌지 걱정스러울 지경이었다.

마침내 내 차례가 되었다. 나는 강단에 올라서서 복음을 들고 열방을 향해 나가라는 메시지를 전했다. 설교를 마치고 내려오자 담임목사가 회중 앞에 서서 예배를 마무리하며 말했다. "데이비드 목사님이 뉴올리언스와 세계 곳곳에서 하고 계신 일에 우리 모두 깊이 감동을 받았습니다. 그처럼 참담한 지역에서 섬기는 모습을 보니 우리들 역시 고무되는 것 같습니다. 그리고 앞으로도 계속 후원금을 보내 드리겠습니다. 우리들까지 그런 곳에 갈 수는 없는 노릇이니까요."

그것이 끝이 아니었다.

"이전 교회에서 목회할 때, 일본에서 일하던 선교사님이 오셨던 것이 생각납니다. 광고 시간에 제가 성도들에게 말했습니다. 이분께 선교 헌금을 보내지 않는 분은 잘 기억해 두었다가 그 자녀를 일본 선교사로 보내 주시길 간구하겠다고요."

맙소사! 그렇다면 '복음을 들고 뭇 나라와 백성들을 향해 나가는 징벌'을 받게 하겠다고 교인들을 협박했다는 말인가?

담임목사가 말을 이었다. "그랬더니 헌금이 많이 나와서 넉넉한 후원금에 노트북컴퓨터까지 사 드릴 수 있었습니다."

공갈이 제대로 먹혀든 모양이었다.

예배가 끝나기 무섭게 아내와 함께 차를 몰고 집으로 돌아왔다. 방금 전에 일어난 일이지만 도무지 믿을 수가 없었다. 분노와 서글픔, 실망과 혼란이 뒤섞여 용솟음쳤다. 하지만 지난 스물네 시간 동안 일어났던 일을 차근차근 정리하기 시작하면서 충격적이리만치 두려운 사실에 직면하게 되었다.

그 집사와 목사는 오늘날 교회 안에 존재하는 대다수 그리스도인들이 생각하고 있지만 감히 표현하지 못하는 이야기를 과감하게 드러냈을 수도 있지 않은가? 그들의 말이 다소 거칠게 들렸을지라도 현실을 있는 그대로 반영하고 있는지도 모른다. 복음이 들어가야 할 소외된 지역의 현실을 외면하고 더 안락한 환경을 가꾸고 누리는 데 골몰하는 거짓 그리스도인이 얼마나 많은가? 현재의 상황에 안주해서 하나님이 제삼세계에 가서 살라고 명령하실 수도 있다는 가능성을 단 한 번도 심각하게 고려해 보지 않는 이들은 또 얼마나 많은가? 그리고 얼마나 자주 자신이 갈 필요가 없는 조건이 열악한 나라에서 나 대신 사역하는 선교사들에게 즐거이 후원금을 보내고 있는가? 하나님이 자녀들을 잘 키워 주셔서 설령 영원히 돌아오지 못할지라도 과감히 고향을 떠나 선교지로 나가게 해 달라고 기도하는 부모가 몇 명이나 되겠는가? 복음을 들고 기독교에 적대적인 나라의 백성들을 찾아가는 일에 삶을 드린 이들이 얼마나 되는가? "차라리 하나님이 그런 인간들을 싹 쓸어다가 지옥에 처넣어 버리시면 좋겠다"는 이야기를 대놓고 할 만큼 뻔뻔스러운 그리스도인은 많지 않겠지만, 그리스도를 모르는 이들에게 복음을 전하지 않는다면 그들은 결국 어디로 가겠는가?

예수님은 우리더러 가라고 명령하신다. 창조주께서는 땅 끝까지 복음을 전하게 하시려고 한 사람 한 사람을 지으셨다. 하나님이 세우신 이런 목적에 철저하게 헌신하지 않는다면 우리가 믿고 있는 기독교는 성경이 가르치는 기독교가 아니다.

인간을 지으신 하나님의 원대한 목적

창조주가 인간을 지으신 까닭이 무엇이었을까 깊이 생각해 보라. 하나님은 스스로 존재하는 우주 만물의 주인이시므로 당연히 조금도 부족한 것이 없으셨다. 그렇다면 어째서 인간을 만드신 것일까? 하나님의 마음과 동기를 완벽하게 파악할 수 있다는 착각에 빠지고 싶지는 않지만 주님의 길을 지나치게 단순화시킬 마음도 없다. 하지만 인간을 지으신 까닭만큼은 하나님이 비교적 뚜렷하게 말씀해 주신 듯하다. 하나님은 인류사가 시작되는 순간부터 이중적인 목적을 가지고 있었음에 틀림없다.

우선, 하나님은 그분의 은혜를 만끽하고 누리도록 인간을 지으셨다. 주님이 빚어낸 다른 피조물들과 달리 인간은 그분의 형상대로 창조되었다(창 1:26-27). 하나님과 친밀한 관계를 맺고 그것을 누릴 능력을 가진 것은 사람뿐이다. 그런 관계를 묘사하기 위해 성경이

처음으로 동원하는 단어는 '복'이다. 하나님은 인간에게 복을 주셔서 그분의 은혜를 마음껏 누리게 하셨다.

하지만 이야기는 거기서 끝나지 않는다. 복을 주시고 나서 곧바로 "생육하고 번성하여 땅에 충만하라, 땅을 정복하라, 바다의 물고기와 하늘의 새와 땅에 움직이는 모든 생물을 다스리라(창 1:28)"는 명령을 내리셨다. 하나님은 특별한 뜻을 가지고 당신의 형상을 따라 인간을 창조하셨다. 그리고 그런 인간으로 이 세상 가득 채우기를 바라셨던 것이다. 이처럼 하나님은 인간을 지으시면서 관계 가운데서 거룩한 은혜를 만끽할 뿐만 아니라 그분의 영광을 땅 끝까지 알리기를 기대하셨다.

복잡할 것 없다. 은혜를 누리고 그분의 영광을 널리 펼치는 것이 인간의 존재 이유다. 이것이 인류의 창조 과정을 기록한 창세기 1장에 들어 있는 두 가지 목적이다. 아울러 성경 전체의 토대가 놓인 셈이다. 성경 문학의 장르마다 그리고 성경 역사의 장면마다 거룩한 백성들에게 은혜를 쏟아 부어서 그분의 영광을 뭇 민족들 가운데 드러나게 하시는 하나님의 모습을 볼 수 있다.

창세기 12장에서, 하나님은 아브라함에게 "내가 너로 큰 민족을 이루고 네게 복을 주어 네 이름을 창대하게 하리니 너는 복이 될지라"고 말씀하셨다. 거룩한 백성을 조성하신 것이다. 그리고는 아브라함에게 주신 언약을 더 심오한 목적과 연계시키신다. "땅의 모든 족속이 너로 말미암아 복을 얻을 것이라"(창 12:2-3).

하나님은 아브라함에게 풍성한 복을 주셨지만 그것은 어느 한 개인을 위한 선물이 아니었다. 아브라함에게 복을 베푸신 것은 그로 하여금 세상 모든 민족들에게 주의 축복이 전해지는 통로가 되게 하신 것이다. 주님은 아브라함에게 하나님의 영광을 널리 펼치면서 그 은혜를 마음껏 즐기라고 말씀하셨다.

이스라엘 백성들을 이집트의 종살이에서 해방시키시는 과정에서 하나님이 어떻게 영광을 받으셨는지 돌아보라. 출애굽에 나서자마자 하나님은 백성들을 홍해 쪽으로 이끄셨다. 이집트 군대가 추격해 오자 그들은 달리 피할 데가 없었다. 그렇게 인도하신 하나님의 속뜻을 살펴보자. "내가 그와 그의 온 군대로 말미암아 영광을 얻어 애굽 사람들이 나를 여호와인 줄 알게 하리라"(출 14:4). 하나님

> '네게 준 선물들을 가지고 무엇을 할 작정이냐? 세상을 위해 네 영향력과 리더십, 재산을 어떻게 사용할 셈이냐?'

은 이 목적을 이루시기 위해 바다를 가르시고 백성들이 마른땅을 밟고 지나게 하셨다. 그리고 다시 물을 합쳐 뒤따라 들어온 이집트 병사들을 삼켜 버리게 하셨다. 이스라엘 백성을 추격했던 이집트인들뿐만 아니라 뭇 나라의 백성들이 모두 여호와가 주님이시며 그분은 자기 백성을 구원하신다는 사실을 깨닫게 되었다. 하나님은 기적적인 방법으로 백성들을 인도하셔서 손수 이루신 구원의 역사를 온 천하에 두루 알리셨다.

이번에는 다른 본문을 살펴보자. 구약성경에 나오는 사드락과 메삭과 아벳느고의 이야기다. 사랑의 하나님은 어째서 세 히브리 청년들이 맹렬하게 타오르는 불구덩이에 던져지는 것을 보고만 계셨을

까? 주님은 목숨을 걸고 당신을 섬기는 자녀들을 이렇게 대하셔도 되는 것인가? 결과가 이래서야 어떻게 하나님 편에 설 수 있겠는가? 그리스도인이라면 누구나 이 본문을 읽고 감동을 받지만 정작 핵심을 놓치는 경우가 많다.

> 느부갓네살이 말하여 이르되 사드락과 메삭과 아벳느고의 하나님을 찬송할지로다 그가 그의 천사를 보내사 자기를 의뢰하고 그들의 몸을 바쳐 왕의 명령을 거역하고 그 하나님 밖에는 다른 신을 섬기지 아니하며 그에게 절하지 아니한 종들을 구원하셨도다 그러므로 내가 이제 조서를 내리노니 각 백성과 각 나라와 각 언어를 말하는 자가 모두 사드락과 메삭과 아벳느고의 하나님께 경솔히 말하거든 그 몸을 쪼개고 그 집을 거름 터로 삼을지니 이같이 사람을 구원할 다른 신이 없음이니라 하더라(단 3:28–29).

누구든 자신에게 절을 해야 한다고 선포했던 그 왕이 이제는 하나님께 거역하는 말을 하는 자는 몸을 쪼개겠노라고 선언하고 있다. 세 젊은이가 맹렬히 타는 불구덩이에 던져지도록 내버려 두신 까닭은 이마에 땀 한 방울 맺히지 않은 채 다시 건져 낼 계획을 세워 두셨기 때문이었다. 뿐만 아니라 이 일을 통해 이방 왕조차 사드락과 메삭과 아벳느고의 하나님이야말로 세상의 모든 언어로 찬양 받으시기에 합당한 분이심을 알게 되었다. 하나님의 목적은 거룩한 백성들을 축복하셔서 그분의 선하심과 위대하심이 온 천지에 널리 드러나게 하는 데 있다.

이러한 본문은 구약성경 전반에 걸쳐 수없이 되풀이된다. 시편만
하더라도, 하나님이 그 이름을 위하여 거룩한 백성들을 인도하시며
복을 내려 주셔서 주님의 구원을 모든 민족들에게 알리셨다고 노래
한다. 선지자들의 글도 마찬가지다. 하나님이 백성들에게 자비를 베
푸셔서 그분이 참된 주님이심을 세상이 알게 하신다는 것을 아름답
게 묘사하고 있다(시 23:3 ; 67:1-7 ; 사 43:1-13).

에스겔서 36장은 깜짝 놀랄 만한 내용을 담고 있다. 하나님은 친히
이스라엘 백성들 사이에서 행하시는 일들을 말씀하셨다. 우선 저들
이 주님을 거역하여 지은 죄를 지적하시고 그럼에도 불구하고 그 가
운데 역사하시는 이유를 설명하셨다.

> 그러므로 너는 이스라엘 족속에게 이르기를 주 여호와께서 이같
> 이 말씀하시기를 이스라엘 족속아 내가 이렇게 행함은 너희를 위함
> 이 아니요 너희가 들어간 그 여러 나라에서 더럽힌 나의 거룩한 이
> 름을 위함이라 여러 나라 가운데에서 더럽혀진 이름 곧 너희가 그들
> 가운데에서 더럽힌 나의 큰 이름을 내가 거룩하게 할지라 내가 그들
> 의 눈앞에서 너희로 말미암아 나의 거룩함을 나타내리니 내가 여호
> 와인 줄을 여러 나라 사람이 알리라(겔 36:22-23).

얼마나 놀라운 말씀인가! 하나님이 일하시는 이유는 그분의 백성
들에게 은혜와 자비와 공의를 드러내기 위해서가 아니라 주님의 거

룩한 이름을 열방에 알리기 위해서라는 것이다. 역사를 통해, 수많은 글들을 통해, 그리고 구약성경을 통해 나타난 하나님의 보편적인 목적은 신약성경으로 면면히 이어진다. 예수님은 지상에서의 삶을 마무리하면서 제자들에게 복음을 들고 땅 끝까지 가라고 명령하고 계신다(마 28:18-20; 막 16:15; 눅 24:47-49; 행 1:8). 바울, 베드로, 야고보, 요한과 같은 사도들이 교회에 보낸 편지에서도 하나님의 영광을 온 세계, 뭇 백성들에게 드러내기 위해 박해와 고통을 헤쳐 나아가야 한다는 것을 강조하는 내용이 가득하다.

지금까지 살펴본 바에 비추어 생각해 보면 성경이 마지막 장에 이르기까지 줄곧 하나님의 목적에 집중하는 것은 지극히 당연한 일이다. 요한이 서술한 장면을 마음에 그려 보라.

> 이 일 후에 내가 보니 각 나라와 족속과 백성과 방언에서 아무도 능히 셀 수 없는 큰 무리가 나와 흰옷을 입고 손에 종려 가지를 들고 보좌 앞과 어린양 앞에 서서 큰 소리로 외쳐 이르되 구원하심이 보좌에 앉으신 우리 하나님과 어린양에게 있도다(계 7:9-10).

우주의 역사가 시작된 순간부터 하나님의 목적은 단 하나, 거룩한 백성을 축복하셔서 모든 민족들이 그분의 구원을 보고 영광을 돌리게 하려는 것이었다. 그리고 결국 그 목적은 달성될 것이다. 나라와 부족, 민족, 언어권을 가리지 않고 무수한 이들이 하나님의 보좌를 둘러싸고 엎드려 경배하며 구원의 은총을 베풀어 주신 주님을 찬양하고 있다. 이것이 성경에 나타난 최종적이며, 궁극적이고, 전폭적이고, 영광스럽고, 확실하고, 분명하다 못해 압도적인 하나님의 목적이다.

하나님은 거룩한 백성들에게 아낌없이 은혜를 베푸셔서 그들이 주님의 영광을 땅 위에 사는 모든 민족들에게 확장시키도록 하셨다. 성경의 첫 장부터 마지막 장까지, 이 기본적이고 근본적인 진리가 두루 스며들어 있다. 그럼에도 불구하고 이 시대의 그리스도인들은 하나님의 그 커다란 목적을 무의식적으로 외면하고 있는 것이 아닌가 하는 의구심이 든다.

예수님은 '나'만을 사랑하신 것이 아니다

요즘 그리스도인들은 하나님의 은혜와 그분의 영광을 분리시켜서 생각하는 교회 문화 속에 살고 있다. 너나없이 은총을 누린다는 것에 더 마음이 끌린다. 저마다 자신이 받은 은혜를 찬양하는 데 바빠서 그 선물을 주신 목적은 잊어버리고 하나님의 마음은 간과해 버린다. 그래서 나온 서글픈 결과가 '자기중심적인 기독교'다.

주일 예배에 출석한 평균적인 그리스도인에게 기독교의 메시지를 한마디로 요약해 보라고 부탁하면 십중팔구 "하나님은 나를 사랑하신다"라는 대답을 듣게 된다. 기껏해야 "하나님은 독생자 예수 그리스도를 보내서 대신 돌아가시게 할 만큼 나를 사랑하신다"는 정도일 것이다.

듣기에는 멋진데, 그것이 과연 성경적일까? 말씀에 비추어 불완전하다고 생각하지 않는가? "하나님은 나를 사랑하신다"라는 가르침은 성경이 말하는 기독교의 핵심이 아니다. "하나님은 나를 사랑하신다"가 기독교의 중심 메시지라면 그 기독교의 지향점은 무엇일까?

하나님은 '나'를 사랑하신다. 목적어는 '나'다. 기독교가 추구하는 목표가 다름 아닌 내가 되는 것이다.

그래서 교회를 찾을 때 음악이 내 취향과 같은지, 프로그램이 나와 내 가족의 입맛에 딱 맞아떨어지는지 생각하게 된다. 어떤 직업을 가지고 어떻게 살 것인지 계획을 세울 때 무엇이 나와 내 식구들에게 가장 유리한지 점검한다. 살 집과 탈 차, 입을 옷, 살아갈 방도를 결정할 때 무엇이 '나'에게 가장 잘 맞는지를 기준으로 선택한다. 이것이 현대 문화에 깊이 물든 기독교의 현주소다.

그러나 이것은 결코 성경에 나타난 기독교가 아니다.

마치 인간이 신앙의 대상이 되기라도 하듯 "하나님은 나를 사랑하신다"로 끝나는 것은 성경적인 기독교의 메시지가 아니다. 말씀이 지향하는 기독교의 진정한 메시지는 "하나님은 나를 사랑하셔서 주님(그분의 길과 구원, 영광과 위대하심)을 열방에 널리 알리게 하셨다"는 것이다. 그래야 하나님이 신앙의 지향점이 되며 그분을 중심으로 한 기독교의 모습이 갖춰진다. 인간은 목표가 될 수 없다. 그 자리는 하나님의 몫이기 때문이다.

하나님은 스스로 중심이 되신다. 구원 사역에서도 마찬가지다. 에스겔서의 말씀을 잊지 말라. 주님은 구원을 베푸시지만 인간이 아니라 그분의 거룩한 이름을 위해서 역사하신다. 우리를 구원하심으로써 그 이름을 만방에 널리 선포하고자 하시는 것이다. 사랑도 마찬가지다. 하나님은 세상에 사는 수많은 자기 백성들을 사랑하신다.

충격적인가? 선물의 이면에 숨은 동기가 있었는지, 은혜를 베푸시는 최종 목적이 우리가 아니라는 뜻인지 묻고 싶은가? 성경의 답변은 분명하다. 인간은 우주의 중심이 아니다. 모든 것은 오직 하나님을 중심으로 돌아갈 뿐이다.

이쯤에서 자연스럽게 떠오르는 의문이 있다. 하나님을 너무 이기적인 분으로 몰아가는 것이 아닌가 하는 것이다. 어떻게 자기 자신을 높이는 것이 목적이 될 수 있는가? 좋은 질문이다. 그럼 이런 점들을 먼저 짚어 보는 것이 좋겠다. 하나님 외에 도대체 누구를 찬양하겠는가? 누군가 또는 무언가를 찬양하는 바로 그 순간, 주님은 더 이상 온 우주의 영광을 받으실 만큼 위대한 분이 될 수 없다. 그것이 하나님 본연의 모습임에도 불구하고 말이다.

오해나 착각에 빠지지 않도록 조심해야 한다. 하나님이 인간을 사랑하지 않으신다는 이야기를 하는 것이 아니다. 우리는 성경 어디를 펴든, 거룩한 백성을 향한 하나님의 친밀하고 특별하고 놀라운 열정을 찾아 볼 수 있다. 하지만 그 사랑은 주님의 위대하심과 온 천하 만백성에게 두루 드러나야 할 그분의 영광에 중심을 두고 있다. 하나님의 목적과 주님이 베푸시는 은총을 분리해서 생각하다 보면 결국은 은혜의 핵심이 빠진 비성경적이고 자아도취적인 기독교에 빠지게 된다.

하나님이 보편적이고 포괄적인 목적을 위해 한 사람 한 사람을 창조하시고 구원하셨다는 것은 가장 기초적인 진리에 속한다. 그러나 조심하고 주의를 기울이지 않으면 예외 규정을 만들고 싶은 유혹에 시달리게 될 것이다. 영적인 연막을 치고 인간적인 위안을 찾아서 그리스도의 우주적인 전략을 제쳐 두는 오류 말이다. 그리스도인과 교회를 둘러싸고 있는 문화가 제시하는 함량 미달의 전략들(상대적으로 받아들일 만하고, 더 감당하기 쉽고, 편안해 보이는)에 안주하게 된다.

부름을 받지 않았다고?

인간들은 의도적으로 또는 무의식적으로 하나님이 인류를 향해 가지고 계신 보편적인 목적에 맞서 일종의 방어선을 치곤 한다. 대다수의 그리스도인들이 "하나님이 모든 그리스도인들에게 해외 선교에 나서야 한다고 명하시는 것은 아니니까요"라든지, 더 구체적으로 "난 선교의 소명이 없어"라고 이야기하는 것이다. 이런 말을 한다는 것은 해외 선교를 명백히 부르심을 받은 몇몇 신실한 이들을 위한 선택적인 프로그램으로 생각하는 개념을 가지고 있다는 뜻이다. 선교가 교회가 벌이는 활동 가운데 하나이며 택함 받은 이들이나 감당할 수 있는 것이라고 믿는 마음가짐이다. 파송 선교사가 와서 보여 주는 슬라이드를 감상하는 것은 좋지만 주님이 누구나 같은 일을 해내길 바라신다고는 꿈에도 생각하지 않는다.

하지만 도대체 성경 어느 구석에 선교가 교회의 선택 프로그램이라고 되어 있는가? 아무리 뒤져 봐도 하나님이 인류를 지으셨으며, 죄에서 구원하셨고, 은혜를 베푸셔서 그 영광을 열방에 두루 나타내라는 말씀뿐이다. 예수님은 모든 족속에게 나아갈 몇몇 사람을 모집하신 것이 아니다. 징집(그저 몇몇 특별한 이들에게나 해당되는) 정도로 깎아내리고 싶어 하는 이들이 수두룩하겠지만 실제로는 그리스도인이라면 누구나 이 명령을 받았다.

흥미롭게도 그리스도의 다른 말씀들은 곧이곧대로 받아들이면서 이 영역만큼은 다르게 해석하는 이들이 적지 않다. 많은 이들이 예수님이 제자들에게 온 천하로 가라고 명령하신 마태복음 28장 말씀을 보면서 "나는 예외!"라고 중얼거린다. 하지만 "수고하고 무거운 짐 진 자들아 다 내게로 오라 내가 너희를 쉬게 하리라"(마 11:28)는 구절을 읽으면서는 "딱 내 이야기네"라며 무릎을 친다. 성령님이 땅끝까지 인도하신다는 예수님의 약속(행 1:8)에 맞닥뜨려서는 얼른 다른 이들의 얼굴을 떠올리면서, 풍성한 삶을 베푸시겠다는 요한복음 10장 10절을 볼 때는 즉시 "아멘!"으로 화답한다.

그러다 보니 불필요한(또는 비성경적인) 구분선을 긋게 된다. 기독교 신앙의 특권은 단단히 붙잡은 채, 의무는 은근슬쩍 소수의 특별한 그리스도인들에게 떠넘기는 식이다. 세상을 향한 하나님의 목적을 이뤄 가는 일을 전담할 사람들을 파송해 놓고 '부르심을 받지 않았다'는 핑계를 대며 느긋하게 뒤로 물러나 구경만 하는 셈이다.

저마다 은사가 다르고, 재주가 다르고, 열정이 다르고, 하나님의 부르심이 다르다는 것은 누구나 다 아는 사실이다. 주님은 각자에게 다른 선물을 주셨다. 제자들만 해도 그렇다. 베드로의 소명과 바울의 부르심은 명백히 다르다. 야고보와 요한도 마찬가지다. 그러나 신약성경에 등장하는 그리스도의 제자들은 자신의 부르심과 상관없이 땅 끝까지 이르러 복음을 선포하는 역할을 서슴없이 받아들였다. 이것이 주님이 제자들 하나하나에게 성령을 부어 주신 이유이고 모든 민족을 제자 삼으라는 동일한 전략을 주신 까닭이다.

지금도 마찬가지가 아닐까? 믿음 안에서 한 식구가 된 비즈니스맨 스티브(Steve)와 나란히 앉아 점심을 먹는다. 각자의 삶을 향한 하나님의 부르심은 분명히 다르다. 스티브는 회계사이고 나는 목회자다. 한쪽은 셈하는 은사를 받았지만 나의 경우는 숫자만 봐도 속이 울렁거린다. 그러나 하나님이 세상을 향한 거룩한 목적을 위해서 우리에게 은사와 소명을 주셨다는 사실만큼은 둘 다 정확하게 헤아리고 있다. 그래서 형제는 묻는다. "어떻게 하면 내 삶과 가정, 그리고 내가 운영하는 회계 사무실을 통해서 버밍엄과 온 세상에 하나님의 영광을 드러낼 수 있을까요?" 스티브는 그리스도의 중요한 동역자다. 동료 회계사들의 마음을 움직여서 가난한 이들을 섬긴다. 복음으로 라틴아메리카와 아프리카, 그리고 동유럽을 변화시키는 삶을 살고 있는 것이다.

스티브와 같은 그리스도인들은 모든 민족을 제자로 삼으라는 그리스도의 명령을 소수의 특별한 사람들에게 주신 사명으로 받아들이지 않기로 작정했다. 특수 계층처럼 보이는 일부 그리스도인들이 세상을 향한 하나님의 목적을 성취해 가는 것을 곁에 서서 구경만 하지는 않겠다고 결심한 것이다. 그는 창조주께서 열방 가운데 거룩한 영광을 드러내시기 위해 자신을 창조하셨다는 사실을 믿어 의심치 않는다.

로마서 1장 14-15절에서 바울은 자신을 '빚진 자'로 규정했다. 유대인에게나 이방인에게나 모두 빚을 졌다고 고백했다. 심오한 개념이다. 사도는 지금 지구상에 존재하는 하나님의 잃어버린 양 전체에게 갚아야 할 채무가 있다고 말한다. 그리스도의 소유가 되었으므로 그분을 세상에 전해야 할 책임이 있다는 뜻이다.

하늘나라 쪽에 서 있는 이들은 너나없이 지옥의 문턱을 향해 가고 있는 잃어버린 영혼들에게 복음을 전해야 한다. 그리스도인은 예수님으로 말미암아 온 세상에(미미한 이들부터 명망가들에 이르기까지, 극빈층에서부터 최상류층에 이르기까지, 더할 나위 없이 고상한 이들부터 지극히 무식한 이들에 이르기까지) 빚을 지게 되었다. 모든 민족에게 채무가 생긴

> 하나님 나라에서 성공하는 길은 오르막이 아니라 한없이 내려가는 길임을 깨달았다.

것이다. 부채가 이렇게 산더미 같은데도 허다한 그리스도인들이 인간적인 선교관에 사로잡혀 세상의 무게를 감당하지 않으려 요리조리 발버둥 치거나 손바닥을 비비며 "미안합니다. 부르심이 달라서"라며 꽁무니를 빼는 것이 지금의 현실이다.

결과는 비극적이다. 복음을 받아들이고 영원한 저주에서 벗어났다고 고백하는 이들의 절대다수가 소명을 받지 않았다는 핑계를 대며 뒷짐을 지고 서서 세상에 기쁜 소식을 전하는 일에 머뭇거리고 있다.

그러나 한발 물러나 부름을 받을 때까지 기다릴 필요가 없다면 어찌할 것인가? 살아 숨 쉬는 이유가 바로 세계 선교에 있다면 어찌할 것인가? 땅 끝까지 복음을 전하는 데 열정적으로 뛰어들지 않는 태도야말로 인간을 지으신 창조 목적을 가로막고 하나님을 만홀히 여기는 처사라면 어찌할 것인가?

가까운 곳에도 가난한 이가 허다하다?

세상을 향한 하나님의 목적과 관련해서 그리스도인들이 가장 흔하게 보이는 반응은 "국내에도 할 일이 많은데…"라는 것이다. "여기도 예수를 믿지 않는 가난한 심령들이 허다한데 굳이 다른 민족들까지 신경을 쓸 필요가 있을까?"

현재 목회를 하고 있는 버밍엄 지역의 그리스도인들에게서 이런 이야기를 자주 듣는다. "하나님이 우리 민족을 섬기라는 뜨거운 마음을 주셨으므로 해외로 갈 마음이 없습니다." 더러는 "우리 동네부터 먼저 복음화하는 게 하나님의 뜻이라고 생각해요"라고 말한다. 상당히 거룩하게 들리지만 한 꺼풀 들추고 들여다 보면 연막을 친 것에 불과하다는 사실이 금방 드러난다. 실제로 주위의 필요에 조금의 관심조차 없으면서 입술로만 그런 이야기를 하는 사람들이 많다는 뜻이다.

진정으로 복음을 나누고자 하는 그리스도인은 흔치 않다. 아울러 대다수 그리스도인들이 다음과 같은 일을 못할 만큼 분주한 일정에

쫓겨 사는 것은 아니다. 다시 말해 주린 이들을 먹이고, 몸이 아픈 이들을 돕고, 도움이 절실한 곳에서 사역하는 교회에 힘을 실어 주지 못할 만큼 일정이 빠듯한 것은 아니라는 것이다.

설령 그들의 말이 사실일지라도, "내 나라부터 먼저 돌보자"라고 할 때 우리는 성경의 기본적인 진리를 놓치고 있는 것이다. 성경을 두루 살펴보면, 하나님의 마음은 언제나 온 세상에 가 있는 것을 알 수 있다. 그러므로 "우리 나라부터!"라고 외치는 것은 주님의 마음 중 지극히 일부만 헤아리면서 마치 전체를 채워 드리기라도 한 것처럼 뿌듯해하는 꼴이다. "내가 사는 도시부터 우선!"이라는 구호는 그분 마음의 1퍼센트도 모른다는 자백을 하는 것이나 다름없다.

물론 우리 주변에도 크나큰 요구들이 있다. 하지만 지상명령을 꼭 양자택일의 문제로 몰아갈 필요는 없다. 누군가 우리에게 온 세상을 품을지, 아니면 자기 나라만 품을지 선택하라고 요구하는 것은 아니기 때문이다. 성경이 가르치는 거룩한 목적을 토대로 판단한다면, 하나님의 영광을 온 세상에 알리는 일에 온 마음과 정성을 다 바쳐야 하는 것이 정상이 아닐까?

대략 6,783,421,727명. 이 글을 쓰고 있는 지금의 세계 인구다. 67억을 넘어가고 있다. 적게 잡아도 이 가운데 약 33퍼센트는 그리스도인들이다. 신앙적으로든, 사회적으로든, 정치적으로든 스스로 그리스도를 믿는다고 고백하는 이들의 숫자다. 모두가 그리스도의 실질적인 제자는 아닐지 모르겠지만 그것을 감안한다 하더라도 45억 인구가 예수를 모르는 상태로 남아 있다. 복음이 사실이라면, 지금이 순간도 죄에 빠져 하나님과 분리된 채로 살아가고 있으며 장차 지옥에서 영원히 고통 받게 될 인구가 그렇게 많다는 뜻이다.

다시 한 번 말하지만 45억 명이다. 그리고 그들의 대부분은 미국의 국경 너머에 있다.

지금까지 성경에서 살펴본 바에 비추어 보면, 하나님이 우리에게 은혜를 주셔서 국내뿐만 아니라 온 세계의 가난한 영혼들에게 그 영광을 널리 펼치도록 하신다는 데는 의문의 여지가 없을 것이다. 우리는 안팎을 따질 것이 아니라 안팎 모두를 아울러야 한다.

이런 선교론을 들으면서 '그러니까 누구나 해외로 나가야 한다는 말은 아니로군!'이라고 생각할지도 모르겠다. 나 역시 모두가 해외 선교를 해야 한다고 제안하고 싶은 것은 아니다. 그런데 바로 여기에 문제가 있다. "해외 선교에 대한 열정이 있다면 외국으로 가겠지만, 국내에 뜻이 있고 국외에 관심이 가지 않는다면 여기에서 그들을 지원하라"는 것은 인간이 만들어 낸 생각이다. 이런 사고방식은 국내와 국외, 어디에서 살든지 하나님의 영광을 뭇 민족들에게 알리는 데 온 힘을 다하라는 성경의 가르침에 크게 어긋난다.

어쩌면 지금 돌보는 교인들 가운데도 내가 교회를 떠나 해외로 나가면 좋겠다고 생각하는 이들이 있는지도 모른다. 웃자고 하는 얘기지만(그래도 정말 그럴 수 있으면 좋겠다), 어쨌든 정말 세계를 품은 그리스도인이 있어야 할 곳은 결국 그곳이 아니겠는가? 성경은 첫 장에서 마지막 장까지 모든 교회(특별히 선택된 어느 개인이 아니라 온 교회)가 주님의 영광을 온 세상에 비치게 하기 위해 창조되었다고 가르치고 있다. 남녀노소를 가리지 않고 우리 교회에 출석하는 한 사람 한 사람은 그리스도의 영광을 열방에 전하기 위해 존재한다. 아울러 하나님은 그리스도를 모르는 세상 모든 이들을 위해 저마다 삶을 통해, 또는 교회를 통해 할 수 있는 독특한 방안들을 고안해 두셨다.

과연 주님은 어떤 생활 방식을 설계해 놓으셨을까? 세상을 품는 일과 관련된 이런 담론은 상투적이고 공허한 느낌을 주기 쉽다. 그렇다면 정말 열방 가운데 삶으로 그리스도의 영광을 드러낸다는 것은 실질적으로 무엇을 의미하는가? 예수님의 말씀을 지속적으로 공부하고 묵상할수록 이 질문에 대한 구체적인 해답을 얻을 수 있을 것이다. 여기서는 다만 성공 지향적인 욕구를 국경과 문화를 초월하는 더 큰 꿈과 맞바꾼 이들의 몇 가지 사례를 제시하는 것으로 답변을 대신하고자 한다.

더 크고 위대한 꿈

성공 신화를 추구하는 과정들을 더듬어 보자.

가령 여기에 사회생활을 준비하는 대학생이 있다고 하자. 그는 어려서부터 사람들로부터 열심히 공부해서 대학에 입학하고, 학위를 받고, 직장에 들어가 경력을 쌓으라는 말을 귀에 못이 박히게 들으면서 자랐다. 의지와 열심, 훈련이 잘 어우러지면 반드시 뜻을 이룰 수 있다는 가르침이다. 이에 그는 열심히 목표를 향해 전진한다.

또 다른 예로 자신의 꿈을 성취한 유능한 비즈니스맨을 떠올려 보

자. 그는 가장 낮은 밑바닥에서 출발하여 험난한 시련과 역경에 맞서 전진해 왔다. 오랜 세월 동안 늦게까지 사무실에서 일하고 밤에나 잠깐 집에 얼굴을 비치는 생활을 했다. 그리고 마침내 자신이 꿈꾸던 정상의 자리에 오르게 되었다. 과정이 순조롭지는 않았지만 예상보다 빨리 높은 자리를 차지했으며 나름대로 고생한 보람이 있다고 생각했다. 지금은 식구들과 더불어 최고급 주택단지에 살고 있다. 자수성가해서 부족함 없이 지내게 된 것이다.

한편, 막 은퇴해서 노후 생활을 즐기기 시작한 부부도 있다. 오랜 세월을 기다린 끝에 이것저것 마음대로 해 볼 수 있는 시기가 온 것이다. 한적하고 조용한 곳에서 휴식을 취할 수도 있고 그동안 꿈꾸었던 세계 일주를 떠날 수도 있다. 살던 집을 뜯어고치거나 산골에 별장을 마련할 수도 있다. 낚싯배 한 척을 구해서 강태공처럼 여생을 보낼 수도 있고 본격적으로 골프 연습에 돌입할 수도 있다. 지금 이렇게 유유자적한 생활을 즐기게 된 것은 여러 해 동안 수고하고 고생한 덕분이다.

주변에서 흔히 보는 이런 시나리오들을 염두에 두고 스스로에게 물어 보라. "이보다 더 나은 무언가를 만들어 낼 수는 없을까?"

대니얼(Daniel)이란 친구를 소개하고 싶다. 우리 교회의 성도로 첫 번째 시나리오의 주인공처럼 앞날이 유망한 대학생이다. 그는 최근에 가까운 대학의 기계공학과를 우수한 성적으로 졸업했다. 그의 앞에는 두 가지 매력적인 제안이 놓여 있었다. 그중 하나는 엄청난 연봉을 제시하며 그에게 입사를 권유한 원자력발전소의 제안이고, 다른 하나는 석사와 박사 과정을 마칠 때까지 전액 장학금을 제공하겠다며 입학을 종용하는 대학원의 제안이다.

어느 쪽을 택해도 괜찮을 것 같았다. 하지만 대니얼은 두 해 전부터 그리스도를 믿고 있었다. 따라서 그의 관심은 온통 주님이 베풀어 주신 은혜를 활용해서 그분께 영광을 돌리는 일에 쏠려 있었다. 결국 두 가지 제안을 모두 거절하고 공학적인 지식을 가지고 세계 곳곳의 가난한 지역을 지원하는 프로그램에 참여하기로 했다.

이 결정이 난 직후 그의 부친이 이메일을 보내왔다. "대니얼은 오랫동안 지켜 왔던 전통적인 가치 체계에서 급격하게 이탈했습니다. 그동안 확고한 기독교 가치관으로 자녀들을 키워 왔던 만큼 당연히 아이가 세상에 나가 성공을 거두고 화목한 가정을 이루어 잘살 거라고 기대했습니다." 하지만 그는 세상을 좇지 않고 '주님을 알지 못하는 지역과 그 백성들에게 복음을 전하기 위해' 과감한 선택을 한 아들이 자랑스럽다는 이야기를 길게 적었다. 하나님은 대니얼을 신실하게 인도하셨다. 몇 주 전 사무실에서 그를 만났는데, 예전에 가졌던 것보다 더 큰 꿈을 꾸기 시작했다고 말했다. 그는 하나님이 자신에게 아메리카에서 아프리카로, 다시 아시아를 연결하는 엄청난 기회를 주셨다며 한껏 고무되어 있었다.

제프(Jeff)의 예도 있다. 두 번째 시나리오의 주인공처럼 성공의 사다리를 차근차근 올라왔지만 하나님 나라에서 성공하는 길은 오르막이 아니라 한없이 내려가는 길임을 깨달았던 비즈니스맨이다. 젊은 전문경영인으로서 현대 문화 속에서 생각할 수 있는 모든 면에서 정점에 올랐던 제프다. 다음은 그가 사내 연수에서 계열사의 임직원들에게 했던 강연의 일부다. 제프의 사연을 본인의 목소리로 직접 들어 보자.

개인적으로는 스스로 생각했던 것 이상으로 빠른 승진으로 지금 이 자리에 올랐습니다. 그리고 예상했던 것보다 훨씬 많은 소득세를 내고 있습니다. 저는 지금까지 이루 말할 수 없을 만큼 큰 축복을 받았습니다. 경제적으로도 아내가 일하지 않아도 충분히 먹고살 만큼 되었습니다. 늘 동경하던 곳에 보금자리도 꾸렸고요. 그리고는 큼지막한 승용차를 구입했습니다. 바닷가에 별장도 사들였습니다. 게다가 세계 곳곳을 돌아다니며 멋진 휴가를 보냈습니다. 최고 경영자로서 꼭 해 보고 싶었던 비즈니스들도 열정적으로 키워 갔습니다. 가끔씩 무언가 텅 빈 구석이 있는 것 같기는 했지만 그것이 정확히 무엇인지는 알 수 없었습니다. 일곱 살 때부터 교회에 다녔고 스스로 그리스도인이라고 생각했지만 사업을 벌이고 출세를 하면서 차츰 주님을 좇는 대신 물질과 성공을 따라갔습니다.

그런데 작년에 삶이 완전히 바뀌는 일생일대의 경험을 하게 되었습니다. 온두라스 테구시갈파(Tegucigalpa)의 매립장에 갔을 때였습니다. 산처럼 쌓인 쓰레기 더미에 움막을 치고 살면서 폐기물을 뒤져서 먹을 만한 것을 찾는 남자와 여자, 어린이들을 보았습니다. 쓰레기 더미 속에서 자식을 키우는 부모들의 비참한 현실을 보며 낮아질 대로 낮아진 마음은 임신 8개월쯤 돼 보이는 여인이 다가와서 먹을 것을 구걸하는 순간 폭삭 무너져 내리고 말았습니다. 그보다 더 참담한 일이 있을까 싶었습니다. 쓰레기 더미에서 아기를 낳을 것이 분명했습니다. 그때 하나님이 물으셨습니다. '네게 준 선물들을 가지고 무엇을 할 작정이냐? 세상을 위해 네 영향력과 리더십, 재산을 어떻게 사용할 셈이냐?'

제프는 난생처음 하나님이 자신의 삶을 향해 좀 더 큰 사업을 벌이는 것보다 더 크고 위대한 목적을 가지고 계신다는 것을 깨달았다. 그는 그날로 성공에 대한 집착을 버렸다. 지금도 왕성하게 비즈니스를 펼치고 큰돈을 벌지만 그것을 자신을 위해서만 쓰지는 않는다. 그는 다른 교인 두 명과 함께 선교 단체를 세우고 충분히 예방할 수 있는 수인성 전염병으로 하루에도 수천 명씩 죽어 가는 지역에서 교회를 중심으로 맑은 물을 공급하는 사역을 시작했다. 이들은 거룩한 목적을 추구하며 사는 이들을 지원하기 위해 하나님이 필요한 자원을 풍성하게 쏟아 부어 주신다는 사실을 날마다 깨달으며 살고 있다. 그 이야기는 이 책의 말미에서 다시 하기로 하자.

마지막으로 에드(Ed)와 패티(Patty)의 경우를 살펴보자. 갓 칠십에 접어든 이 부부는 함께 은퇴 생활을 즐길 온갖 방법을 두고 행복한 고민에 빠졌다. 하지만 이들은 쉽지 않은 길을 선택했다. 금년 7월부터 10월 사이에 부부가 집에 머문 기간은 통틀어 열하루에 불과했다. 미국의 홍수 피해 지역을 누비며 구호 활동을 하느라 정신없이 분주했기 때문이다. 나란히 나이지리아에도 다녀왔다. 에드는 다시

스리랑카로 날아가 반군 활동 지역 한복판에서 무상 급식 활동을 벌였다. 항상 붙어 다녔지만 이번에는 혼자였다. 패티는 정부군과 반군의 전투가 언제 벌어질지 모르는 상황에서 트럭 밑에서 자는 것이 싫어서 동행을 포기했다. 한번은 에드가 이런 말을 했다. "은퇴 생활을 이보다 더 잘 즐길 수 있는 방법이 어디 있겠습니까? 힘닿는 데까지 많은 이들에게 복음을 전하고 싶습니다."

만나 보면 알겠지만 대니얼, 제프, 에드, 패티는 특별한 데라고는 눈곱만큼도 없는 평범한 그리스도인들이다. 세상에서 나름대로 성공을 거두었지만 조금도 으스댈 줄 모른다. 하지만 이들에게는 공통분모가 있다. 자신들이 어떤 존재로 지음 받았는지 알고 있다는 점이다. 저마다 자신의 삶을 향한 하나님의 목적이 단지 좋은 직장을 갖고, 화목한 가정을 꾸리고, 안락한 삶을 살고, 일주일에 한 번씩 주일 예배에 참석하는 신앙 생활을 이어 가는 정도가 아니라는 것을 굳게 믿고 있다. 그들은 예수님이 훨씬 수준 높은 삶으로 자신들을 부르셨으며 더 크고 위대한 꿈을 주셨음을 의심치 않는다. 하나님이 큰 은혜를 주시고 그것을 십분 활용하여 영원하고 으뜸가는 목적, 다시 말해 영광스럽고 우주적이며 하나님을 드높이는 목적을 이루게 하셨다고 믿는다. 뿐만 아니라 그 일을 위해서라면 모든 것을 포기하는 것도 당연하게 여긴다.

세상 가치와 맞서 싸우라

이 책이 삶에 어떤 의미를 가지게 될지 생각해 보라. 개인적으로는 독자들이 그리스도께 철저히 의탁한다는 것이 무슨 뜻인지 탐구해 가면서 하나님이 한 사람 한 사람을 위해 고안해 두신 지극히 광대한 목적에 온 마음을 집중하게 되길 바란다. 거룩한 목적이 성취되는 것을 가로막는 비복음적인 견해들을 내던져 버리길 바란다. 하나님께 모든 영광을 돌리기 위해 세상 뭇 민족들 속에서 일생을 드린다는 것이 자신에게(목회자와 교인, 비즈니스맨, 변호사와 의사, 컨설턴트와 건설 현장 노동자, 교사와 학생, 정신없이 바쁜 전문직 종사자와 전업 주부, 그밖에 누가 됐든지) 무엇을 뜻하는지 곱씹어 보길 바란다.

세상 가치와 맞서 싸우라. 이상주의적으로 들리는가? 안다. 하지만 그것이 정말 성경적인 것이라고 생각하지 않는가? 하나님은 인간을 창조하시고 그들을 통해 지극히 광대하며 한없이 높은 목적을 이루길 원하신다. 사전적으로 충돌이란 "두 물체 사이의 강제적인 접촉"을 말한다. 하나님은 그리스도인이 세상과 맞서 싸우기를 원하신다.

그런 삶은 성경적일 뿐만 아니라 우리가 얼마든지 살아 낼 수 있다면 어떻게 되겠는가? "안 된다는 말부터 꺼내는 벗과는 같이 길을 가지 말라"는 옛말이 있다. 세계를 품고 하나님께 영광을 돌리며 열정을 지닌 이상주의자야말로 오늘날 우리가 꼭 되어야 할 사람들이라면 어찌하겠는가? 이처럼 급진적인 그리스도인들이 태초부터 줄곧 최고의 가치였던 하나님의 목적을 좇아 교회라는 신앙 공동체에 모여든다면 또 어떻게 되겠는가? 아마 그 목적이 이뤄지는 것을 두 눈으로 목격하게 될 것이다.

이제 제이미(Jamie)라는 아이어머니가 보낸 이메일로 제4장을 맺으려 한다. 얼마 전에 과테말라에서 돌아온 우리 교회 성도다. 다른 교회에서 경험을 나눠 달라는 초청을 받았는데 이 글은 그 원고 가운데 일부다.

모든 민족으로 제자를 삼으라고 하신 예수님의 말씀을 따라 과테말라로 가기로 작정했습니다. 선교의 열정이 있었다거나 과테말라의 백성들을 사랑해서가 아니라 그저 말씀에 순종해서 내린 결정이었습니다. 분명히 말해 두지만, 저는 선교사나 목회자가 아니라 한 남자의 아내이고, 아이들의 엄마이며, 파트타임으로 일하는 정신과 의사입니다. 하나님이 하라고 하시는 일에 아주 조금 순종했을 뿐입니다. 그럼에도 불구하고 주님은 이루 말할 수 없을 만큼 신실하셨으며 저에게 커다란 은혜를 주셨습니다.

죽 한 컵으로 하루를 버티는 아이들 틈에 둘러싸여 일주일을 보내고 버밍엄으로 돌아오면서 어째서 저들은 그토록 가난하게 살게 하시고 내게는 넘치게 부어 주셨는지 여쭤 보았습니다. 주님은 마음 중심에 말씀하셨습니다. '네게 복을 준 것은 내 영광을 위해서다. 커다란 집에서 멋진 차를 굴리며 편안하게 살라는 것이 아니다. 휴가를 보내고, 아이들을 가르치고, 옷을 사 입는 데 돈을 쓰라는 것이 아니다. 그런 일들이 나쁘다는 것이 아니라 다만 너에게 축복을 베

풀어 세상이 내 영광을 보고 알게 하는 것이 내 뜻이라는 말이다.'

하나님의 축복과 그분의 목적을 연결시킬 줄 모르는 상태로 평생을 살았지만, 이제 지난날 보지 못했던 것들을 깨달았습니다. 하나님은 도밍고(Domingo, 과테말라에 있는 동안 주님을 만난 노인)가 사랑을 입는 장면을 목격하게 하셨습니다. 과테말라 어린이들에게 자비와 은혜를 쏟아 부으시는 모습을 지켜 보게 하셨습니다. 주님이 일정한 수입을 주시고, 적절한 교육을 받게 하시며, 갖가지 자원들을 허락하신 까닭이 거기에 있었습니다. 나를 구원하셔서 모든 민족이 주님을 알게 하셨습니다. 복을 주셔서 온 땅이 그분의 영광을 보게 하셨습니다.

Chapter 05

세상 속에 뛰어들어 제자 삼는 공동체

모두가 힘을 모아 하나님의 원대한 목적을 이루어 가는 길

폭염이 기승을 부리던 11월의 어느 날, 나는 친구 불렌(Bullen)과 나란히 앉아 뜨거운 차를 마시며 광활한 아프리카 대지를 바라보고 있었다. 어느 쪽으로 시선을 돌리든 20년에 걸친 내전으로 황폐해질 대로 황폐해진 땅에는 건물의 잔해들만 흉물스럽게 늘어서 있었다. 한때 수단에서 손꼽힐 만큼 번성하던 공동체는 어느새 사라져 버렸고 시커멓게 그을린 자국과 서글픔만이 남아 있었다. 불렌과 같은 신앙을 가진 형제자매들은 무슬림 군사 정권의 손에 수천, 수만 명씩 목숨을 잃었다. 그들은 세상 모든 그리스도인들의 형제자매이기도 하다.

불렌은 어려서 부모를 잃고 수단의 참담한 현실 속에서 혼자 힘으로 성장했다. 하지만 그의 바짝 여윈 검은 얼굴에는 그늘진 구석이라곤 찾아 볼 수 없다. 그가 입을 열 때마다 한가득 미소가 번져 나가는 것을 보며 나는 가슴이 뭉클했다.

그는 아무것도 믿을 수 없는 상황에서 하나님이 자신의 삶에 역사하셔서 그리스도를 더욱 신뢰하게 하셨다는 이야기를 나누었다. 한참 대화에 열중하던 불렌은 문득 찻잔을 내려놓더니 말했다. "데이비드 목사님, 난 세상을 바꿔 놓을 거예요."

흥미로운 이야기였다. 아프리카의 궁벽한 한구석, 그것도 가진 것이 맨주먹뿐인 사내에게는 도무지 어울리지 않는 말이었다. 가까운 촌락들 너머에 나가 본 적이 있기라도 한 건지 의심스러웠다. 얼핏 봐서는 자기 몫의 삶조차 변화시키기 어려워 보이는 친구의 선언이 엉뚱하다 못해 황당했다.

"그래, 어떻게 세상을 변화시킬 작정이죠?" 내가 물었다.

"모든 민족을 제자로 삼을 거예요." 그가 대답했다.

"온 세상 사람들을 제자로 삼아서 세상을 바꿀 생각이라고요?"

다시 한 번 그 환한 미소가 얼굴 위로 확 퍼졌다. "안 될 것 없잖아요?" 그리곤 다시 찻잔을 집어 들었다.

죽었다 깨어나도 그 말을 잊을 수가 없을 것 같다.

"안 될 것 없잖아요?"

그날 밤, 짚을 얹은 토담집에 누워 밤새 뒤척였다. 불렌의 반문을 마음에서 지워 낼 수 없었기 때문이다. 순수하고 때 묻지 않은 열정에서 나온 말이었다. 그는 세상을 변화시킬 수 있다는 것에 대해 한 점 의구심이 없었고 그 방법에 대해서도 확신을 품고 있었다. 제자를 삼으라는 예수님의 명령에 순종하면 세상을 바꿀 수 있다고 굳게 믿었던 것이다.

예수님은 그리스도인들이 저마다 자신의 삶 가운데서 불렌이 세웠던 것과 똑같은 전략을 수립해서 실천하기를 원하신다. 이것이 제 5장에서 전하려는 메시지의 핵심이다. 예수님은 우리가 사는 곳이나 능력, 교육 정도, 연봉 따위와 상관없이 그리스도인 하나하나를 향해 제자를 삼으라고 명령하셨다. 그리고 그것이 곧 세상을 바꾸는 방법이기도 하다. 예수님은 이웃의 유익과 하나님의 영광을 추구하는 일을 통해 모든 민족에게 복음을 전하는 이 단순한 길을 함께 걷자고 지속적으로 부르고 계신다.

그 다음에는 무엇을 할 것인가?

하나님의 축복을 그분의 커다란 목적과 연결시킬 줄 알아야 한다는 것은 4장에서 이미 살펴보았다. 개인적으로는 세계를 아우르는 하나님의 섭리와 영광스러운 주님의 성품을 알려 주었던 멘토와 동료, 목회자와 수많은 저술가들에게 참으로 감사한다.

그러나 다른 한편으로는 다음 단계와 관련해 현대 기독교에 아무런 대책이 없다는 사실에 깊은 우려를 품고 있다. 앞에서 살펴본 바와 마찬가지로 하나님은 그리스도인들에게 축복을 주셔서 모든 민족에게 영광을 드러내게 하신다. 하지만 정말 중요한 문제가 아직 남아 있다. 어떻게 그분의 영광을 열방에 전할 것인가 하는 것이다.

주님은 그리스도인들에게 은혜를 베푸셔서 복음을 들고 땅 끝까지 나가게 하셨다. 그렇다면 어떻게 그 일을 감당할 것인가? 거리를 다니면서 하나님의 영광을 선포하기 시작할 것인가? 다른 나라로 가야 하는가? 가서 무엇을 어떻게 할 것인가? 어떻게 하면 일상생활 속에서 거룩한 영광을 나타낼 수 있는가?

복음을 들고 세상을 향해 나가는 사명을 제힘으로 감당할 작정이라면 즉시 혁신적인 전략을 짜고 정교한 전략을 세워야 한다. 모임을 개최하고, 프로그램을 개발하며, 재정을 모금해야 한다. 대형 집회를 열고 많은 군중을 동원하려면 유명한 인사들도 섭외해서 앞에 내세워야 한다. 어떻게든 교회의 몸집을 불리고 대규모 행사들을 줄지어 마련해야 한다. 그것이 바로 오늘날 우리가 하고 있는, 아니 썩 잘해 내고 있는 일들이다.

하지만 그리스도는 전혀 다른 방식으로 움직이셨다. 세상에 복음을 전하는 사명을 완수하시기 위해 이스라엘의 큰길과 샛길을 골고루 누비시면서 소수의 사람을 찾아다니셨다. 말뜻을 오해하지 않길 바란다. 주님이 사명을 가볍게 여기셨다는 이야기가 아니다. 거대한 혁명을 주도하셨지만 '대형'이나 '다수'를 추구하지 않으셨다는 말이다. 오히려 주님의 혁명적인 사역은 소수를 중심으로 돌아갔다. 지체 높은 이들을 끌어들이는 일에 관심을 두지 않고 몇몇 사람들을 선택하는 데 초점을 맞추셨다는 것이다. 역사의 흐름을 바꾸는 작업을 하면서 의도적으로 지위, 신분, 갈채, 인기 따위를 멀리하셨다. 주님이 원하신 것은 그분처럼 생각하고, 그분처럼 사랑하며, 그분처럼 보고, 그분처럼 가르치고, 그분처럼 섬기는 자질을 갖춘 소수뿐이었다. 작은 무리의 심령을 혁명적으로 변화시켜서 온 세상을 뒤바꾸려 하신 것이다.

예수님의 위대한 전략

십자가를 지러 갈 준비를 하시는 예수님의 모습을 살펴 보자. 주님은 세상에서 행하신 일들을 정리하는 기도를 드리셨는데, 그 첫마디는 "아버지께서 내게 하라고 주신 일을 내가 이루어 아버지를 이 세상에서 영화롭게 하였사오니"(요 17:4)라는 고백이었다. 그러고 나서 여러 사역들을 열거하셨다.

놀랍게도 주님은 공생애를 요약하시면서 그동안 전하셨던 위대한 설교들이나 메시지를 들으러 모여들었던 군중 이야기는 아예 꺼내지도 않으셨다. 눈먼 이를 보게 하고, 저는 이를 걷게 하고, 오병이어로 수천 명을 먹이는 등 친히 행하셨던 엄청난 기적들에 관해서도 함구하셨다. 심지어 이미 죽은 이를 되살려 냈던 일도 전혀 언급하지 않으셨다. 대신 하나님이 세상에서 허락하신 작은 무리들에 대해서만 거듭 말씀하셨다.

요한복음 17장을 읽노라면 예수님이 그 작은 무리를 향해 보여 주신 애정의 깊이와 평생 쏟아 부으신 투자의 폭을 여실히 볼 수 있다.

그러한 사실은 제자들을 두고 주님이 아버지께 드렸던 기도의 몇 구절만 살펴봐도 또렷이 드러난다.

- 세상 중에서 내게 주신 사람들에게 내가 아버지의 이름을 나타내었나이다(6절).
- 내 것은 다 아버지의 것이요 아버지의 것은 내 것이온데 내가 그들로 말미암아 영광을 받았나이다(10절).
- 내가 그들과 함께 있을 때에 내게 주신 아버지의 이름으로 그들을 보전하고 지키었나이다(12절).
- 지금 내가 아버지께로 가오니 내가 세상에서 이 말을 하옵는 것은 그들로 내 기쁨을 그들 안에 충만히 가지게 하려 함이니이다(13절).
- 또 그들을 위하여 내가 나를 거룩하게 하오니 이는 그들도 진리로 거룩함을 얻게 하려 함이니이다(19절).

예수님은 제자들을 위해 공생애를 사셨다 해도 지나치지 않는다. 이 땅에 계시는 동안 다른 이들에게 쏟았던 시간을 다 합쳐도 열두 제자들에게 할애하신 분량에 미치지 못할 것이다. 생각할수록 놀라운 대목이다. 공생애를 끝내기에 앞서 하나님의 독생자는 모든 일을 그 열둘에게 위임하셨다. 그나마도 하나(가룟 유다)를 잃어버리고 겨우 열한 명이 남았다. 예수님이 시작하신 그 엄청난 사역을 그토록 적은 인원에게 모두 맡기신 것이다.

다락방에서 기도하신 이후에 예수님은 십자가에서 돌아가셨다. 그리고 무덤에서 일어나 다시 제자들에게 나타나셨다. 마태복음 28장은 그들과 함께 보내신 마지막 순간의 정황을 기록하고 있다. 열한 명의 제자들이 둘러앉은 가운데 예수님이 말씀하셨다. "하늘과 땅의 모든 권세를 내게 주셨으니 그러므로 너희는 가서 모든 민족을 제자로 삼아 아버지와 아들과 성령의 이름으로 세례를 베풀고 내가 너희에게 분부한 모든 것을 가르쳐 지키게 하라 볼지어다 내가 세상 끝날까지 너희와 항상 함께 있으리라"(마 28:18-20).

예수님은 공생애의 대부분을 열한 제자들에게 쏟아 부으신 뒤에 "자, 이제 가서 다른 이들에게 똑같이 해 주어라"고 말씀하신 것이다. 제자 삼기. 그것이 그리스도의 대전략이었다.

그리스도인이라면 누구나, 모두 다

그리스도인이라면 누구나 할 수 있는 일이다. 제자를 삼는 데는 특별한 훈련이나 비범한 능력이 필요하지 않다. 그것은 유능한 목회자나 부흥사만 할 수 있는 일이 아니다. 탁월한 의사 전달력이나 혁신적인 사고가 있어야 하는 것도 아니다. 예수님이 모든 그리스도인들에게 제자를 삼으라고 하신 까닭이 여기에 있다.

현대 교회가 행사와 장소, 프로그램, 전문가 중심의 전략을 구사한 결과, 언제부터인가 너나없이 제자 삼는 사역을 남의 일로 생각하는 부작용이 나타나기 시작했다. 하지만 예수님이 보여 주신 것처럼,

세상을 바꾸는 하나님의 가장 좋은 도구는 사람이다. 여기서 사람이란 그리스도를 통해 철저하게 변화된 이들을 가리킨다. 주일 아침마다 편안한 자리에 앉아서 전문가들이 대표로 사역하는 모습을 구경만 하는 방관자가 아니라 전열을 가다듬고 다시 주 중의 사역으로 나가는 그리스도인들이다. 예수님이 하셨던 일, 그리고 하라고 명령하신 바로 그 일(제자 삼기)에 어울리는, 언제 어디서든 참여할 준비가 된 이들이다.

짐(Jim)과 캐시(Cathy) 같은 이들이 그들이다. 그들은 주일마다 가장 앞줄에 앉아 예배를 드리지만 물러나 구경만 하는 스타일은 아니다. 자영업자인 그들은 자신의 일터를 사역의 전진 기지쯤으로 여긴다. 지난 한 해 동안 직원 열여섯 명이 그리스도를 믿게 되었다. 미국 안에서뿐만이 아니다. 짐은 탄자니아 빈민촌의 남성들을 위해 직업 훈련을 시키고 있으며, 캐시는 여성들을 상대로 집에서 소소한 물건을 만들어 내다 파는 법을 가르친다. 얼마 전에 짐이 말했다. "이보다 더 행복할 수가 없어요. 나와 가족을 택하셔서 이런 일을 시키신 하나님을 찬양하고 또 찬양해요."

또는 지역 사회에 널리 알려진 비즈니스맨, 로버트(Robert) 같은 사람들이다. 얼마 전 제자 삼기 훈련을 마친 로버트는 평생 교회에 다녔지만 그리스도의 영광을 위해 모든 민족을 변화시켜야 할 사명(한편으로는 특권)이 있다는 것을 전혀 몰랐노라고 고백했다. 그리고 나가서 배운 것을 실천했다. 아내와 함께 매주 집에서 소그룹 모임을 열어 젊은 부부들에게 그리스도를 소개하고 주님과 나날이 더 깊은 관계를 갖도록 돕기 시작한 것이다. 뿐만 아니라 소그룹 식구들을 데리고 슬럼에 거주하는 남미 이주민들에서부터 도심을 떠도는 노숙자들에 이르기까지 가난한 이들을 보살피는 사역에 나서고 있다. 아울러 로버트는 훈련된 젊은 부부들과 더불어 제삼세계를 드나들면서 현지 가정의 부부들에게 하나님을 섬기는 가정의 보편적인 생활 원리를 가르치기도 한다.

할리(Holly)의 경우는 또 어떤가? 한 아이의 엄마이자 교사인 그녀는 최근 한적하고 편안한 자리를 마다하고 도심지의 문제 많은 학교로 부임했다. 할리는 단순히 학생들을 가르치는 데 그치지 않고 복음으로 학부모들까지 사로잡고 있다. 최근에는 엄마 혼자 벌어서 오남매를 키우고 있는 한 가정의 이야기를 들려주었다. 다섯 살부

> 우리가 성공 신화에 집착하는 한, 세상의 손아귀에 잡혀 박제된 그리스도인으로 전락할 수밖에 없다.

터 열다섯 살까지, 아이들이 모두 학교에 가고 나면 엄마는 부지런히 직장으로 달려가야 했다. 난방은 엄두도 못 내고 정 추우면 전기 난로를 잠깐 틀어 놓는 것이 전부였다. 가구를 구입할 돈이 없어서 싱글베드 두 개를 다섯 아이들이 나눠 쓰고 있다고 했다. 할리는 소그룹 식구들과 머리를 맞대어 그녀를 도울 방도를 찾았으며 침대와 다른 가재도구들을 수소문해서 하나씩 둘씩 전달하는 중이다. 그리고 이 글을 쓰는 지금, 할리는 남편 존(John)과 함께 수단에서 교회 지도자들을 훈련시키고 있다.

이것이 해답이다. 그리스도의 전략은 훌륭한 프로그램을 만들고

유능한 전문가를 불러오는 것이 아니라, 한 사람 한 사람을 세워서 각자의 삶을 향한 하나님의 목적을 분명하게 인식하고 그대로 살아 가는 그리스도인(또는 그들의 공동체)을 키워 내는 데 있다. 짐과 캐시, 로버트와 할리가 그리스도의 뜻을 이루는 일에 주인 의식을 가지기 시작하면서 어떤 변화가 일어났는지 아는가? 자신들이 여러 나라, 여러 사람들에게 하나님의 영광을 드러내도록 지음 받은 존재라는 것을 실감하기 시작했다.

그렇다면 어떻게 그 사명을 감당할 것인가? 제자를 삼는 것이 그리스도의 전략이라면, 그리고 누구나 그 일을 할 수 있고 또한 그 능력을 이미 받았다면 이제 무엇을 어떻게 해야 하는가?

이 문제를 곰곰이 생각하다 보면 제자 삼는 일에 대한 우리들의 이해가 얼마나 부족했는지 절로 한숨이 나올 지경이다. 이것은 예수님이 세상을 떠나시기 직전 그분을 따르는 이들에게 주신 마지막 명령이다. 하늘로 올라가시기에 앞서 그리스도가 교회에 주신 으뜸가는 사명이다. 하지만 요즘 그리스도인들을 붙잡고 제자 삼는 것이 무엇을 의미하는지 물어 보면 십중팔구 뒤죽박죽 터무니없는 이야기를 늘어놓거나, 대충 얼버무리거나, 멍한 눈으로 쳐다보기만 한다.

한때는(지금도 완전히 아니라고 말할 수는 없지만) 나 역시 그랬다. 그러나 성경을 읽을수록 예수님이 제자들에게 행하신 일들이 점점 더 경이롭게 다가왔다. 거창한 꿈과 복잡한 전략 사이를 헤매는 나와는 달리, 주님은 우직하게, 의도적이고 조직적으로, 끈질기게 단 열두 명만을 붙들고 늘어지셨다. 이것을 보면서 나는 커다란 충격을 받았다. 제자가 대량 생산되는 것이 아니라는 사실을 끊임없이 일깨우고 계시기 때문이다. 예수님의 제자(진실하고, 헌신 되고, 자신을 희생할 각오로 그리스도를 좇는 이들)는 하루 아침에 만들어지지 않는다.

제자를 삼는 일은 쉬운 일이 아니다. 어찌 보면 힘들고 골치 아프다. 느리고 지루하며 경우에 따라서는 고통스럽기까지 하다. 관계를 기본으로 하는 과정이기 때문이다. 예수님은 힘들이지 않고 그대로 따라가기만 하면 저절로 그분의 영광을 드러낼 수 있는 공식을 주시지 않았다. 인간을 맡기시며 말씀하셨다. "이들을 위해 살아라. 사랑하고 섬기고 인도해라. 나를 따르도록 이끌어라. 그렇게 하면 땅 끝까지 복음을 전하게 될 것이다."

제자들(여러분과 나)에게 남기신 예수님의 고별사를 다시 살펴볼 필요가 있다. 주님은 가서 모든 민족으로 제자를 삼으라고 하셨다. 다음에는 아버지와 아들과 성령의 이름으로 세례를 주라고 하셨다. 그리고 예수님이 주신 명령을 모두 가르쳐 지키게 하라고 하셨다. 이 말씀들을 모두 합치면 하나님의 은혜를 만끽하고 그분의 거룩한 영광을 온 세상에 널리 펼치는 이들을 배가시킨다는 것이 무엇을 의미하는지 더욱 또렷해진다.

복음, 그리고 버번가(Bourbon Street)

예수님의 말씀에 따르면, 제자를 삼기 위해서는 우선 '가야' 한다. 일부러 사람들이 생활하고 일하고 노는 곳까지 찾아가야 한다는 말이다. 제자를 삼으라는 말씀은 와서 복음을 들으라고 부르는 것이 아니라 가서 복된 소식을 나누라는 명령이다. 언제 어디서나 온몸으로 복음에 순종하며 살며 또한 전파하라는 가르침이다.

뉴올리언스로 이사한 직후에 나는 마치 외계인이 된 기분이었다. 다른 도시와 달라도 너무 달랐다. 특히 프렌치 쿼터(French Quarter)는 낯설기가 이루 말할 수 없었다. 집에서 버번가에 이르는 구간은 그야말로 각종 인종과 문화의 전시장이라고 할 만큼 다채로웠다(좋게 말해서). 난생처음 프렌치 쿼터 한복판을 지나가던 날이 생각난다. 인생의 갖가지 장면에서 튀어나온 것 같은 남녀들이 술집과 레스토랑을 들락거리고 있었다. 한눈에 보기에도 돈이 많아 보이는 부부가 길거리에서 생활하는 노숙자 앞을 어슬렁거리며 걸었다. 단 몇 블록만 걸어도 이성애자와 동성애자, 양성애자, 성도착자들을 한데 뒤섞어 놓으면 어떤 모습이 되는지 생생하게 확인할 수 있었다.

잭슨 스퀘어(Jackson Square)는 프렌치 쿼터에서 가장 유명한 구역 가운데 하나다. 웅장한 로마가톨릭 성당 바로 앞에 자리 잡은 이 커다란 공원에는 현지 주민과 관광객들로 항상 북새통이다. 거리 공연을 펼치는 예술가, 작은 테이블을 펼쳐 놓고 타로 점이나 손금을 봐 주는 점쟁이들, 부두교 주술사들이 줄지어 앉아 있었다.

친구 부부와 함께 걸으면서 어떻게 하면 이 프렌치 쿼터에 복음을 전할 수 있을지 궁리했다. 좌판 의자에 앉아 점쟁이에게 손을 맡기고 점괘를 기다리는 이들을 보면서 한시바삐 행동에 들어가야겠다는 결심을 굳혔다. 그리고 날을 잡아서 그곳에다 좌판을 차렸다. 뉴올리언스의 부두 퀸(Voodoo Queen)을 자처하는 여성 바로 곁에다 상을 펼치고 식탁보를 씌웠다. 앞뒤로 의자 몇 개를 가져다 두고 "공짜로 미래를 봐 드립니다!"라는 간판을 내걸었다.

곧 사람들이 몰려들었다. 얼굴에는 호기심이 가득했다. "미래를 봐 준다고요?"

"그렇고말고요."

잠시 '손금을 한번 보자고 할까?' 하는 생각이 들었지만 너무 심하다 싶어 포기했다. 대신에 두어 가지 간단한 질문을 던졌다. 죄 가운데 살고 있음을 우회적으로 깨달을 수 있게 고안된 물음에 답하게 한 뒤에 상대를 똑바로 쳐다보며 말했다. "장래가 그리 밝아 보이지는 않습니다." 그러고 나서 어떻게 그리스도가 십자가 위에서 행하신 역사에 기대어 미래를 바꿀 수 있는지 설명하기 시작했다.

덕분에 흥미로운 대화를 끌어낼 수 있었지만, 프렌치 쿼터에서 복음을 전하는 데는 적잖은 시간과 부담이 따른다는 것을 곧 깨달았다. 예를 들어, 노숙자들과 이야기하다 보면 복음이나 그와 유사한 메시지에 대단히 익숙하다는 사실을 금방 알 수 있다. 전도지를 쥐어 주고 가거나 자신들의 생활 방식을 꾸짖는 이들을 수없이 만났기 때문이다. 대부분은 복음을 전하기 무섭게 등을 돌리고 사라져 버리곤 했다.

처음 복음을 전하기 시작했을 때, 프렌치 쿼터에 상주하는 부랑인들은 하나같이 우리가 '저러다 말겠거니' 하고 생각했던 것 같다. 하지만 다음날도, 그 다음날도, 다음 주에도, 그 다음 주에도 계속 얼굴을 보이자 조금씩 변화가 일어나기 시작했다. 변화는 양쪽 모두에서 일어났다.

　프렌치 쿼터에서 보내는 시간이 갈수록 늘어났다. 가능하면 주전부리 감을 싸 가지고 다녔다. 돈이 많지 않았으므로 주로 가까운 햄버거 가게에 가서 타코(taco)를 샀다. 커다란 봉투 가득 간식거리를 사 들고 늘 같은 곳에 터를 잡았다. 타코(가끔은 치킨으로 바뀌기도 했다)는 뉴올리언스 거리의 한 모퉁이를 차지하고 앉아 관계를 시작하는 실마리 구실을 했다. 타코를 먹으며 누군가의 삶과 환경, 개인사와 가족, 꿈과 고민을 들었다. 그리고 이편의 생활과 가정, 소망과 갈등을 나누었다.

　하나씩 둘씩, 노숙자들은 그리스도를 믿기 시작했다. 허리케인 카트리나가 덮치기 전까지 주일 아침마다 쉰 명이 넘는 부랑인들이 프렌치 쿼터에 모여 함께 아침을 먹고 예배를 드렸다. 최근에 다시 뉴올리언스에 갔다가 그때 예수를 믿고 세례를 받았던 친구 한 명을 만나게 되었다. 그는 문신이 가득한 팔로 나를 꽉 껴안으며 말했다. "데이비드 목사님, 지금은 제가 프렌치 쿼터에서 노숙자 사역을 하고 있어요."

　제자를 삼는 일은 프로그램이나 이벤트가 아니라 관계의 문제다. 복음을 전하며 생명을 나누게 되는 것이 제자화의 핵심이다. 그리스도의 생명을 공유하라. 그러면 그들은 세례를 받기 위해 나올 것이다.

가족이 된 것을 환영합니다!

세례는 그리스도를 통해 새로운 생명을 얻었다는 분명하고 공개적이며 상징적인 사건이다. 예수님과 더불어 죽고(죄와 자아에 대해) 그분과 더불어 부활했음을 압축해서 보여 주는 표시인 것이다(롬 6:1-4).

세례는 교회 안에서 모두가 하나 되었음을 보여 주는 의식이기도 하다. 이를 통해 그리스도의 생명을 나누어 가진 형제자매가 되었음을 공표하는 것이다(고전 12:12-13; 엡 4:4-6). 그러므로 제자를 삼는 일에는 그리스도의 생명을 나눈 이들을 사랑으로 보듬어 주는 신앙 공동체로 맞아들이는 과정이 반드시 수반된다.

지난주에 주일 예배를 드리면서 새로 세례를 받은 세 사람을 환영하고 축하하는 시간을 가졌다. 첫 번째 세례자는 이른바 모태 신앙을 가진 가정주부였다. 나름대로 '착하게' 살았다고 자부했지만 최근에 의롭다고 자부하는 자신의 내면에 존재하는 죄의 실체를 처음으로 깨닫고 그리스도를 구주로 맞아들였다. 두 번째는 제법 오랫동안 신앙 생활을 했지만 세례를 받거나 그리스도와 한 몸이 되라는 가르침을 거부해 왔던 비즈니스맨이었다. 세 번째는 알코올과 약물 중독자로 마약을 팔아서 삶을 연명하다가 얼마 전에 하나님의 은혜를 힘입어 극적으로 신앙을 갖게 된 인물이었다(얼마 전에는 해외 선교를 이끌고 있는 형제를 찾아가서 금지품, 곧 성경을 가지고 국경을 넘는 비법을 전수해 줄 테니, 전문가의 조언이 필요하면 언제든지 말만 하라고 했다고 한다. 재미있지 않은가?).

우리 교회는 이들 한 사람 한 사람의 삶에 역사하신 예수님의 은혜에 깊이 감사하면서 아름답기 그지없는 그리스도의 몸, 곧 교회를 허락하신 하나님을 찬양했다. 전혀 다른 배경에서 나고 자랐으며 전혀 다른 문제와 씨름하고 있던 이들이 그리스도의 생명으로 하나가 된 것이다. 이처럼 서로 사랑하며 같은 생명을 공유한 이들이 힘을 모아 하나님의 영광을 드러내는 그리스도인의 공동체에 식구가 되는 것 역시 제자화의 중요한 단계다.

뉴올리언스신학교에서 나를 가르쳤던 짐 섀딕스 교수(앞에서 이야기 했었다)를 기억하는가? 예수님이 제자들에게 그러셨던 것처럼 그는 자신의 삶을 나눠 준 어른이었다. 나로서는 큰 은혜를 입은 셈이다. 나는 강의실에 앉아 수업을 들으면서도 많은 것을 얻었지만 그보다는 연구실에서 대화를 나누며, 또는 함께 차를 타고 이동하면서, 댁을 찾아가 식구들과 어울리며, 더불어 복음을 전하며 훨씬 큰 가르침을 받았다.

뉴올리언스로 이사한 뒤에 있었던 일이다. 어느 날 집에 돌아오자마자 서둘러 옷을 갈아입고 다시 뛰어나가려는데 아내가 뒤통수에 대고 왜 그렇게 허둥거리느냐고 소리쳤다. 섀딕스 박사와 조깅하러 가야 한다고 했더니 어이없다는 투의 질문이 날아왔다.

"조깅이라고요? 당신이 언제부터 조깅을 했어요?"

"교수님이 함께 뛰어 보지 않겠냐고 말한 바로 그 순간부터!"

사실 나는 뛰는 걸 죽기보다 싫어한다. 운동장을 뱅뱅 돌거나 목적지를 두고 냅다 달리면서 즐거움을 느끼는 이들 틈에 끼어 본 적이 없다. 하지만 그가 조깅하러 가자는 말을 꺼내기가 무섭게 크로스컨

트리 선수라도 된 듯 기꺼이 그렇게 하겠다고 대답했다. 신학교 운동장을 돌든, 집 안에 앉아서 인생과 사역에 관해 이야기를 나누든, 새딕스 박사는 그리스도를 따른다는 것이 무엇을 의미하는지 분명하게 보여 주었기 때문이다. 땀에 젖어 물에 빠진 생쥐 꼴이 된다 한들 어떻게 그런 기회를 마다할 수 있겠는가?

신앙 공동체의 식구가 된다는 것은 곧 다른 이들 가운데 있는 그리스도의 생명을 볼 줄 알게 된다는 뜻이기도 하다. 세례를 통해서 그리스도 및 교회와 하나가 된 그리스도인들은 예수님 안에서 서로 생명을 나눈 형제자매다. 그렇다면 자신을 희생하더라도 서로 그리스도의 생명을 드러내는 것이 당연하지 않은가? 이것은 제자를 삼는 사역에 필요한 기본적인 요소다. 내면에 있는 그리스도의 생명을 확인할 수 있을 만큼 서로 가까이 다가설 때, 비로소 복음이 온 땅에 편만해질 것이다.

받지만 말고 재생산하라

복음을 전하는 일과 세례를 주는 것 모두가 제자를 삼는 데 꼭 필요한 결정적인 요소들이다. 그러나 거기에는 또 하나의 중요한 요소, 즉 가르침도 있어야 한다. 가르침은 하나님으로부터 부여 받은 삶의 목표를 성취하기 위해 반드시 해야 하는 활동이다. 그리스도인은 그리스도의 몸 안에서 서로 교제하면서 지속적으로 예수님의 말씀을 가르쳐야 한다.

하지만 요즘 그리스도인들은 가르치라는 주님의 말씀을 들을 때마다 곧장 교실에 앉아서 누군가의 강의를 듣는 장면을 떠올린다. 교실과 수업도 가치가 있지만, 예수님이 제자들과 교제하셨던 모습을 살펴 보면 강의실과 강사라는 환경이 반드시 필요한 것은 아님을 분명히 알 수 있다. 그리스도와 제자들에게는 세상이 가르침을 주고받는 교실 노릇을 하는 경우가 많았다.

제자를 삼으라는 그리스도의 명령을 곰곰히 생각할 때 그것은 상당히 중요한 의미를 갖는다. 흔히들 누구나 교사가 될 필요는 없다고 생각한다. 성경은 가르치는 능력을 성령의 은사로 규정하고 있으며, 하나님의 말씀을 가르치는 문제를 특정한 리더가 감당해야 할 역할인 것처럼 설명한다. 따라서 가르침을 몇몇 그리스도인들에게만 해당하는 과제로 밀쳐 두기 일쑤다. 그러나 교회 안에 가르치는 은사를 가진 교사들도 분명히 있지만, 예수님이 제자를 삼으라고 명하시면서 우리 모두에게 가르치는 일을 맡기신 것 또한 엄연한 사실이다.

가령 누구에게 다가가서 그리스도를 전하고, 그가 세례를 받게 하고, 교회 공동체 안에 속하도록 했다고 하자. 그 다음에는 무엇을 할 것인가? 새롭게 주님을 믿은 이는 일상생활 가운데 그분과 동행하는 법을 어떻게 배워야 하는가? 적절한 준비를 갖춘 몇몇 교사들만 가르칠 수 있다면 새 식구에게 얼른 교실에 들어가서 강의를 들으라고 권해야 할 것이다. 이른바 '제자 훈련' 가운데는 이런 식으로 접근하는 프로그램이 수두룩하다. 예수님이 말씀하신 제자 삼는 사역과는 한참 동떨어진 일이다. 교실에서 하는 강의가 죄다 허사라는 이야기는 아니다. 다만 주님은 우리들에게도 가르치라고 말씀하신 것이 분명하다는 것이다.

생각해 보라. 새 식구에게 기도하는 법을 가르치는 가장 좋은 방법은 무엇일까? '기도하는 법'이란 강의에 등록해서 일주일에 한 시간씩 수업을 듣게 하는 것일까? 아니면 함께 경건의 시간을 갖자고 초대해서 기도하는 것을 직접 보여 주며 가르치는 것일까?

> 예수님의 전략은 적은 무리인 열두 제자의 심령을 혁명적으로 변화시켜서 온 세상을 뒤바꾸려 하신 것이었다.

어떻게 하면 막 거듭난 그리스도인에게 성경을 공부하는 법을 효과적으로 알려 줄 수 있을까? 다음 학기부터 성경 강좌를 들을 수 있도록 주선하는 것일까? 아니면 나란히 앉아서 스스로 배웠던 그대로 성경을 연구하는 법을 전수해 주는 것일까?

그러자면 기독교 자체의 기대 수준을 높여야 한다. 누군가에게 기도하는 법을 가르치기 위해서는 먼저 기도하는 법을 알아야 한다. 제 힘으로 성경을 연구하도록 돕기 위해서는 우선 자신부터 성경을 깊이 파고들어야 한다. 제자 삼는 사역의 미덕이 여기에 있다. 다른 지체들이 그리스도 안에서 성장해 가도록 도울 수 있으려면 일단 스스로 예수님과 나누고 있는 교제부터 한 차원 높이 끌어올려야 한다.

예를 들어 보자. 매트(Matt)는 몰몬교를 믿는 직장 동료들에게 복음을 전할 방법을 알고 싶다며 자주 나를 찾아와 여러 가지 질문을 던지곤 했다. 어디서부터 손을 대야 할지 모르겠다는 그에게 나는 몇

5 세상 속에 뛰어들어 제자 삼는 공동체

가지 자료들을 추천해 주었다. 매트는 열심히 연구하기 시작했고 몰 몬교의 교리와 복음의 차이를 완벽하게 파악해 나갔다. 한편으로는 몰몬교를 믿는 동료들과 그리스도의 메시지를 나누는 작업에도 착 수했다. 몇 주 뒤에 매트가 이메일을 보내왔다. "자료들을 연구하고 복음을 전하면서 예수님을 향한 믿음이 더 강해지고 그 어느 때보다 더 뚜렷한 확신이 생겼습니다. 아내도 예전보다 신앙이 많이 좋아진 것 같다고 하더군요. 이런 기회를 주신 하나님을 찬양합니다."

매트는 "난 준비되지 않았어. 나 말고 다른 누군가가 나서야 해"라 고 하며, 생소한 신앙을 가진 상대에게 복음을 전해야 하는 상황을 얼마든지 피해 갈 수 있었다. 하지만 매트는 스스로 그리스도의 말 씀을 가르치는 쪽을 선택했으며, 점점 더 깊이 주님과 동행하는 삶 을 살게 되었다. 꽁무니를 뺐더라면 누릴 수 없었던 축복이다.

나는 종종 교인들에게 하나님의 말씀을 받기만 할 것인지, 아니면 재생산할 것인지 묻곤 한다. 그 차이를 예를 들어 살펴보자.

지금 당신이 수단에 있다고 상상해 보라. 짚으로 지붕을 얹은 오두 막에 들어가서 교회 지도자들과 둘러앉아 하나님 말씀을 가르치고 있다. 입을 열자마자 고개가 일제히 숙여진다. 아무도 시선을 주지 않는다. 끝날 때까지 누구와도 눈동자를 마주치지 못한다. 이편에서 말하는 것을 한마디도 놓치지 않고 다 받아 적느라 얼굴을 들 틈이 없기 때문이다. 강의가 끝나면 비로소 그들이 다가와서 말한다. "선 생님, 오늘 배운 하나님의 말씀을 남김없이 번역해서 우리 부족에게 가르치겠습니다." 거기에 있었던 교회 지도자들은 받아먹기 위해서

가 아니라 재생산하기 위해 그토록 열심히 귀를 기울였던 것이다.

이번에는 오늘날 미국 교회의 예배 현장으로 가 보자. 성경을 펼쳐 놓은 교인들도 있지만 아예 빈손으로 참석한 이들도 적지 않다. 펜을 들고 받아 적는 쪽은 소수고 대부분은 가만히 앉아서 듣기만 한다. 딴생각에 빠진 이들이 드문드문 끼어 있기는 해도 대체로 설교를 열심히 들으며 하나님 말씀을 삶에 어떻게 적용할지 고민한다. 하지만 재생산하기 위해 경청하는 그리스도인은 몹시 드물다.

우리는 천성적으로 받아먹기를 좋아한다. 하나님 말씀을 배우고 싶어 한다 하더라도 '여기서 무슨 유익을 얻을 수 있을까?'라는 자기 중심적인 마음가짐을 가지고 접근한다. 하지만 지금껏 살펴본 것처럼 그건 잘못된 기독교다. 성경 말씀을 공부하는 자세를 바꾸면 어떻게 될까? '어떻게 하면 말씀을 잘 들어서 다른 이들을 가르칠 준비를 제대로 갖출 수 있을까?'라는 마음을 품기 시작하면 무슨 일이 일어날까?

아마 모든 것이 달라질 것이다. 너나없이 펜과 노트를 꺼내 들 것이다. 적는 것이 훈련과 헌신의 척도는 아니지만, 누군가를 가르치기 위해 메시지를 듣는다면 가능한 한 많은 정보를 담아 두고 싶어 할 것이 틀림없다. 그리스도인이라면 누구나 가르쳐야 할 책임이 있다는 사실을 확실하게 인식한다면 말씀을 듣는 태도가 180도 달라질 것이다.

아울러 말씀을 듣는 청중도 달라진다. 예배나 소그룹 모임에서 들은 말씀은 갖가지 상황에 맞추어 재해석되고 교회의 영향권 안에 있는 모든 이들에게 전달될 것이다. 그리고 메시지는 더 이상 예배당 건물 안에 갇히지 않고 공동체 전체로 확산될 것이다. 마음에만 간직하려고 말씀을 듣는 것이 아니기 때문에 그럴 수밖에 없다. 자신을 통해 널리 퍼져 나가는 것이 당연하다고 믿고 그 말씀대로 살게 되는 것이다.

목회자인 나로서는 그만큼 신나는 일이 없다. 주일 아침, 교회에서 하나님의 말씀을 선포하면(꼭 내가 아니어도 좋다) 그 진리는 예배당 안을 맴돌다 사라지는 것이 아니라 그날 저녁이면 여성 쉼터로 퍼져 나간다. 한 주 동안 곳곳에서 열리는 직장 성경 공부 모임으로 퍼져 나간다. 주말에는 버밍엄 교도소와 약물중독 치료 센터로 전달된다. 며칠이 지나면 교인들의 손에서 번역되어 라틴아메리카의 목회자들과 중앙아시아에서 그리스도를 좇는 이들에게 넘어간다. 하나님의 백성들이 거룩한 말씀을 다른 이들에게 가르치기로 작정하면 이렇게 놀랍고도 흥미진진한 일이 벌어진다.

제자 삼는 그리스도인 vs. 박제된 그리스도인

복음을 전하고 세례를 주고 그리스도의 말씀을 가르친 후 다시 다른 이들의 삶에도 똑같은 역사가 일어나게 만드는 일이야말로 하나님이 세상을 변화시키기 위해 세워 두신 전략의 핵심이다.

인간의 사고방식으로는 도무지 이해할 수 없는 그림이다. 무엇이든 크면 클수록 좋고, 더욱 빛날수록 효과적이라고 믿는 문화 속에서 예수님은 한결같이 겸손하게, 그리고 묵묵히 사람들에게 초점을 맞추는 삶을 살라고 말씀하신다. 커다란 무리나 엄청난 군중을 대상으로 생명을 나누는 것은 사실상 불가능하다. 주님도 그렇게 하지 않으셨다. 달랑 열두 명에게 3년을 투자하셨다. 하나님의 아들마저도 소그룹에 평생을 투자할 필요가 있다고 보셨다면 한낱 인간들이 수많은 제자들을 단번에 길러 내겠다고 생각하는 것은 무모하고 어리석은 일이다. 하나님은 복음을 들고 세상으로 나가는 사역을 거룩한 백성들 모두가 참여할 뿐 아니라 삶의 전 영역에서 헌신적으로 그리스도의 생명을 증식시키는 느리고 의지적이고 단순한 과정으로 설계하셨다.

몇 주 전 쿠바에 갔었는데 그곳에서 인상적인 장면을 보았다. 쿠바에는 규모가 큰 교회 건물이나 화려한 홍보 전단 따위는 눈을 씻고 봐도 찾을 수 없다. 그리스도인을 만나서 안내를 받기 전에는 교회가 어디에 있는지조차 알아보기 힘들 정도다. 우리 일행은 조그맣고 누추한 예배당을 찾아갔는데 얼핏 보기에는 초라해 보이는 곳이었다. 그런데 그 공동체는 무려 예순 개의 교회를 개척했다고 들었다. 다음날은 그 가운데 한 군데를 방문했는데 그 교회 역시 스물다섯 개의 개척 교회를 세웠다고 했다. 쿠바의 그리스도인들은 예수님의 말씀을 있는 그대로 받아들여서 신앙 공동체를 재생산해 내고 있었다. 규모에 집착하지도, 허풍을 떨지도 않았다. 그저 가서 세례를 주고 가르치면서 쿠바라는 섬나라 전체에 교회를 세워 갈 따름이었다.

하지만 겉보기에 그럴듯한 행사와 프로그램에 기대어 예수님의 전략을 거부하는 교회가 얼마나 많은가! 우리가 성공 신화에 집착하는한, 제자를 낳는 그리스도인이 아니라 세상의 손아귀에 잡혀 박제된그리스도인으로 전락할 수밖에 없다.

박제된 그리스도인이란 영적인 안전 금고, 즉 예배당 건물과 선하게 살라는 윤리적 가르침 속에 완전히 고립된 이들을 가리킨다. 이들은 온 교인이 들어갈 만큼 거대한 건물을 짓는 것을 성공이라고 생각하며 주변 세계와 담을 쌓고 등을 돌린 채 알주일에 두어 시간 정도최대한 많은 인원을 동원하는 것을 목표로 삼는다. "교회가 어디에있습니까?"라는 질문을 받으면 건물을 가리키거나 주소를 적어 준다. 예배당 안에서 일어나는 일이 신앙 생활의 전부라고 생각한다.

그들은 멋진 예배당 안에 앉아서 착하게 살라는 메시지를 듣는다. 그리고 선한 사람이 되려면 세상을 피해야 한다고 배운다. 그리스도인이란 거룩하게 된 사람을 말하기 때문에 세상에 뛰어들어서는 안된다고 믿는다(그렇게 보면, 교회는 이러저러한 일을 하지 않는 것을 성공으로규정하는 유일한 집단이 된다). 그럭저럭 괜찮은 시민으로서 괜찮은 일을하며, 괜찮은 집에서 괜찮은 식구들과 괜찮은 삶을 산다. 구원 받기전에 살았던 세상을 변화시키는 데는 거의 관심을 두지 않고 괜찮은교인으로 지낸다. 교인의 숫자가 현상을 유지하거나 조금씩 늘어나는 데 만족해서 그리스도의 이름을 들어 보지도 못한 수십 억 인구의 울부짖음을 듣지 못한다.

반면 제자를 삼는 그리스도인은 전혀 다른 모습이다. 박제된 그리스도인들이 스스로 장벽을 치고 선하게 살려고 애쓰는 것과 대조적으로 제자 삼는 그리스도인들은 남들을 위해 기꺼이 목숨을 내놓을 각오를 하고 세상으로 뛰어든다. 이들은 세상에 대한 관심을 놓치지 않는다. 예배당에 얼마나 많은 인원을 수용하느냐가 아니라 교회 건물을 뛰쳐나가 세상으로 들어가서 얼마나 많은 사람을 제자로 만드느냐로 교회의 성공과 실패를 가늠한다. 일주일에 한두 번씩 정해진 장소에 모여 교사의 강의를 듣는 것으로 예수님의 제자가 될 수 있다고는 꿈에도 생각지 않는다. 제자를 삼는 일은 남성들만의 모임이든 여성들끼리 수다를 떠는 자리든, 그리스도의 말씀을 가르치고, 몸소 실천해 보여 주며, 함께 나가 복음에 목마른 세상을 섬기는 곳이라면 그 어디서나 시시때때로 이뤄진다고 믿는다.

거룩함을 판단하는 기준은 그 순간 무엇을 하고 있느냐 하는 것이다. 이제 우리는 문화적으로는 도저히 이해할 수 없고 가혹한 대가가 따른다 할지라도 예수님의 말씀을 있는 그대로 받아들이며 주님의 전략에 따르는 신앙 공동체의 구성원이 되었다.

그리고 그 과정에서 그리스도인은 너나 할 것 없이 그리스도의 영광을 위해 세상에 뛰어 들어야 하며 그 목적을 위해 태어난 존재들이라는 사실을 알게 되었다. 그리고 하나님의 영광을 위해 뭇 백성과 민족을 변화시킨다는 구체적인 전략을 통해 전 세계에 있는 그리스도인들과 하나가 되었다.

성경 말씀을 토대로 생각해 보라. 저마다 살아 가는 일상 속에서 복음을 전하고 세례를 주고 가르치는 그리스도인 공동체야말로 참다운 교회가 아니겠는가?

Chapter **06**

가난한 자들이
필요로 하는 만큼 나눠 주라

배부른 몇 나라, 그리고 굶주린 나머지 세계

사람은 누구나 자신이 보지 못하는 사각지대, 다시 말해 한시바삐 파악해서 바로잡아야 할 영역이 있다. 문제는 이 사각지대를 발견하기가 쉽지 않다는 것이다. 다행인 것은 다른 이들의 눈에는 잘 띈다는 것이다. 그러므로 이 부분을 정말 찾아낼 의지가 있다면 그들에게 부탁하는 것이 좋다. 하지만 정작 지적을 받는다 해도 좀처럼 인정하려 들지 않는 것이 현실이기도 하다. 그런 부분이 존재한다는 사실 자체를 받아들이고 싶지 않기도 한다. 그러다가 수정할 기회를 영영 놓쳐 버리는 경우도 흔하다. 당장은 현실의 잠깐의 고통을 회피하다가 나중에 가서야 땅을 치며 후회하는 식이다.

미국의 역사를 보면, 그 무슨 핑계로도 감출 수 없는 사각지대가 최소한 한 군데는 있었다. 바로 노예제도다. 예수를 믿는다고 자부하던 그리스도인들이 어떻게 같은 인간을 노예로 부리는 악행을 그토록 태연하게 합리화할 수 있었는지 도통 납득이 안 된다. 그들은 주일마다 교회에 모여 예배를 드리고 일주일 내내 경건하게 성경을 읽는 선량한 교인들이었지만, 실제로는 흑인 남자와 여자, 아이들을 재산으로 취급하는 만행을 저질렀다. 그리고는 그것을 포장하는 도구로 하나님의 말씀을 시종일관 남용 또는 악용하고 있었다. 심지어 크리스마스 때 닭 다리를 하나 더 얹어 주는 것으로 너그러운 그리스도인을 자처했으니 더 말해서 무엇 하겠는가?

이 사실을 생각할 때마다 나는 두렵다. 아무리 선한 마음을 가지고 예배에 참석하며 성경 공부까지 열심히 한다 해도 영적인 사각지대가 생기는 것을 막지 못하기 때문이다. 죄에 물든 인간의 본성은 좀처럼 사라지지 않고 보고 싶은 것만 보고 무시하고 싶은 것은 무시하게 만든다. 그리스도인일 뿐만 아니라 목회까지 한다는 나 역시 아무런 의식 없이 악을 저지르고 있는지도 모른다.

얼마 전, 하나님은 나의 사각지대를 드러내기 시작하셨다. 바로 불순종의 영역이었다. 돌이켜 보면 나는 마치 성경 말씀에 그런 문제를 지적하는 구절이 전혀 없는 것처럼 지냈다. 어쩌면 깨끗이 무시하고 살았다는 편이 더 정확할지도 모르겠다. 그러나 주님은 그런 나의 현실을 정확히 지적하셨으며 그분 앞에서, 가족들 앞에서, 믿음의 식구들 앞에서 고백하도록 하셨다.

오늘날 전 세계에서 무려 10억 명이 넘는 이들이 극심한 빈곤 상태에서 생활하다가 죽어 간다. 그들은 오늘도 하루에 천 원 남짓한 돈으로 근근이 목숨을 이어 가고 있다. 2달러(2,400원)미만으로 하루를 버티는 이들까지 합하면 그 수가 20억 명에 육박한다. 세계 인구의 절반이 햄버거 하나 값에도 못 미치는 돈으로 음식과 식수, 주거를 해결하느라 허덕이고 있는 것이다.

오늘 하루도 2만 6천 명의 아이들이 굶주림과 얼마든지 예방 가능한 질병으로 숨을 거두고 있다. 개인적으로 적용하자면, 날마다 2만 6천 명의 조슈아와 케일럽(내 두 아들이다)이 죽어 가는 셈이다. 우리가 살고 있는 지역사회로 치자면, 이 지역에 거주하는 18세 이하 어린이들이 이틀 안에 모조리 죽음을 맞게 된다는 뜻이기도 하다.

어느 날 갑자기 그런 생각이 들었다. 모든 민족으로 제자를 삼으라는 명령을 받고 주님이 보내신 곳에 갔는데 다들 가난으로 죽어 가고 있다면 어떻게 해야 할까? 결코 그 현실을 무시할 수 없을 것이다. 따라서 하나님의 영광을 땅 끝까지 선포하길 원하는 그리스도인은 복음을 전할 방법뿐만 아니라 그들의 실제적인 필요를 채워 줄 방법까지 연구해야 한다. 복음을 전하거나 그리스도의 몸인 교회를 세우는 일 등의 영적으로 시급한 과제를 이야기하려면 그들의 육신적인 필요에 대해서도 언급해야 한다.

그럼에도 불구하고 우리는 여태껏 그런 현실을 외면해 왔다. 스스로 생각해도 깜짝 놀랄 만한 일이다. 사실상 무시했다고 하는 편이 더 정확할 것이다. 상대는 한없이 가난할 뿐만 아니라 아무런 힘이 없어서 비명조차 지르지 못하는 상태다. 따라서 우리의 무지는 세월이 지나도 깨지지 않고 그대로 이어졌다. 문자 그대로 수백만 명에 이르는 목숨이 소리 소문 없이 사라지고 있는데도 우리는 마치 그런 이들이 아예 지상에 없다는 듯 풍요로움을 만끽하며 지낸 것이다.

하지만 벼랑 끝에 몰린 이들은 엄연히 존재한다. 뿐만 아니라 하나님은 가난한 이들에 대한 우리의 태도를 아주 심각하게 받아들이신다. 잠언은 가난한 이들을 무시하는 무리를 향해 그들이 하나님의 저주를 받게 될 것이라고 경고한다. 선지자들 역시 가난한 이를 외면하면 하나님의 심판과 재앙에 직면하게 된다고 외쳤다. 예수님은 재산을 믿고 으스대는 부자들을 매섭게 꾸짖으셨으며 야고보는 돈을 잔뜩 쌓아 두고 제 몸만 생각하는 이들을 향해 "너희에게 임할 고생으로 말미암아 울고 통곡하라"고 했다(잠 28:27; 사 3:13-26; 렘 5:26-29; 암 2:6-7, 4:1-3, 8:3-10; 눅 6:24; 약 5:1-6). 예수님은 현실적인 어려움을 겪는 이들을 멸시한 자들에게 "저주를 받은 자들아 나를 떠나 마귀와 그 사자들을 위하여 예비 된 영원한 불에 들어가라"(마 25:41)고 하셨다. 듣기만 해도 오싹한 말씀이다.

혹시라도 심각한 오해가 생길까 봐 미리 짚고 넘어가야 할 것이 있다. 성경은 그 어디서도 가난한 이들을 돌보는 것이 구원의 조건이라고 말하지 않는다. 구원을 받는 데 필요한 것은 그리스도를 믿는 믿음 하나뿐이며 오직 그리스도의 십자가만이 구원의 토대가 된다. 가난한 이들을 돌봄으로써 구원을 받는 것이 아니라는 뜻이다. 따라서 구원을 받는다든지 하나님 앞에 바로 서기 위해 가난한 이들을 돌봐야겠다는 오해는 하지 않기를 바란다. 이것이야말로 6장을 읽고 난 후 나타날 수 있는 최악의 부작용이다.

그러나 비록 가난한 이들을 보살피는 것이 대속의 전제 조건은 아닐지라도 재물의 사용과 구원 사이에 아무런 연관이 없다는 뜻은 아니다. 사실 가난한 이들을 돌보는 것은(그밖에 여러 가지 선행들과 더불어) 구원을 받았다는 명확한 증거가 된다. 죄에서 구원해 주신 그리스도를 신뢰하는 믿음은 우리 내면의 변화를 불러오고 그것은 다시 외적인 열매로 드러난다. 예수님은 삶의 열매를 보면 그가 그리스도의 제자인지 아닌지 알 수 있다고 하셨다. 신약성경 기자들은 가난한 이들을 돕는 일을 그리스도를 좇는 믿음의 한 표현으로 보았다.[1] 따라서 가난한 이들을 돌보는 행동은 예수님을 중심에 모신 이들에게서 자연스럽게 나타나는 반응이며 주요한 증거이기도 하다. 가난한 이들을 돌아볼 마음이 생기지 않는다면 내면에 그리스도가 계신지 여부를 스스로 되짚어 볼 필요가 있다(약 2:14 ; 요일 3:11-24).

너무 과한 이야기로 들릴지도 모르지만 이렇게 생각해 보라. 그리스도를 영접했다고 말하면서 매주 파트너를 바꾸어 바람을 피우는 남자가 있다고 하자. 다른 사람들이 말씀을 근거로 죄를 지적해 주어도 그는 자신의 부도덕한 행각을 고집한다. 후회하거나 뉘우치는 것은 고사하고 자신이 죄를 지었음을 의식하는 기색조차 없이 계속해서 그리스도께 불순종한다. 과연 이 사람은 그리스도인일까?

물론 최종적인 판단은 인간의 몫이 아니다. 하지만 "불의한 자가 하나님의 나라를 유업으로 받지 못할 줄을 알지 못하느냐… 음행하는 자나… 간음하는 자나…"(고전 6:9-10)라고 한 말씀을 읽을 때마다 이 남자가 과연 하나님의 자녀일지 의구심이 드는 것은 당연한 일이다. 구원을 받기 위해 성적으로 부도덕한 행위를 그만두어야 한다는 이야기는 아니다. 다만 그의 부도덕한 행동으로 미루어 볼 때 그가 구원 받을 필요가 있다는 의미는 될 수 있다. 그리스도인이라면 그리스도를 전폭적으로 신뢰해야 한다. 주님은 우리의 심령을 변화시키셔서 우리가 삶의 모든 영역에서 당신께 순종하기를 기대하신다.

그렇다면 도덕적인 순결을 요구하는 성경 말씀을 무시하고 의지적으로 성적인 쾌락에 탐닉하는 남자와 가난한 이들을 돌보라는 주님의 가르침을 외면한 채 이기적인 욕심으로 점점 더 많은 재물을 모으는 데 열중하는 사람 사이에는 어떤 차이가 있는 것일까? 다른 것이 있다면 한쪽은 교회 안에 존재하는 사회적인 금기의 문제고 다른 한편은 교회의 사회적 표준과 관련된 사안이라는 점뿐이다.[2]

요즘의 그리스도인들은 교회에 다니면서도 아무런 가책 없이 노예를 부렸던 150년 전의 교인들을 되돌아보며 묻는다. "어떻게 똑같은 인간을 그런 식으로 대할 수 있었을까?" 하지만 150년 뒤의 그리스도인들 역시 오늘날 주님을 따른다고 말하는 우리들을 떠올리며 이렇게 의아해할지도 모르겠다. "어떻게 그렇게 큰 집에 살 수 있었지? 어떻게 그렇게 멋진 차를 굴리고 근사한 옷을 입을 생각을 했을까? 수천, 수만 명의 아이들이 음식이 없어서 죽어 가는 판에 어떻게 자신들만 그렇게 풍요롭게 살 수 있었던 것일까?"

오늘날 이른바 잘사는 나라에 사는 그리스도인들의 사각지대는

'물질주의'일지도 모른다. 좀 더 구체적으로는 이 글을 읽고 있는 여러분들의 사각지대일 수도 있다. 이것은 반드시 규명하고 넘어가야 할 문제다. 그리스도인들이 가난한 이들을 긍휼히 여기지 않는다면 땅 끝까지 이르러 그리스도의 영광을 선포하는 사역을 제대로 감당할 길이 없기 때문이다. 예수님을 좇는 제자들 하나하나에게서 궁핍한 백성들을 향한 깊은 연민을 찾아볼 수 없다면 과연 그 안에 주님이 계신지 확인해 볼 필요가 있다.

사각지대를 살피기 전에

사각지대를 더 철저하게 파고들기 전에 두 가지 정도 알아 두어야 할 것이 있다.

먼저, 나는 목회자이지 경제학자가 아니다. 교회 안팎에는 재정 문제에 있어서 나보다 훨씬 더 해박한 전문가들이 있다. 따라서 그들이 보기에 일개 목회자가 개인 및 기업의 재정에서부터 경제 사회적인 구조에 이르기까지 갖가지 이슈들을 검토하는 것이 주제넘어 보일지 모르겠다. 그러나 목회자이기 때문에 성도들이 돈을 사용하는 문제와 또한 그와 관련된 몇 가지 사항들을 거론하는 것이 마땅하다고 본다. 복음이 그것을 요구하고 있기 때문이다.

둘째로, 이 장을 쓰는 목적이다. 나는 성경이 돈과 재물에 대해 가르치는 내용을 두루 다루고 싶은 것이 아니다. 물론 성경에는 이 주제와 관련된 중요한 원칙들이 담겨 있다. 부(富), 그 자체는 악이 아니라는 가르침도 그중 하나다. 성경은 부자나 재물 자체를 정죄하지 않는다. 도리어 물질적인 자원들을 주셔서 인간을 유익하게 하신다고 말한다. 바울은 하나님을 "우리에게 모든 것을 후히 주사 누리게 하시는"(딤전 6:17) 분으로 묘사했다. 돈과 재물이 원초적으로 악하다고 생각하는 이들은 이 장에서 이야기하려는 논점에서 벗어나 치명적인 오류에 빠질 수 있다. 돈과 재물은 거룩한 자녀들이 받아 누리며 주님의 영광을 널리 전파하기 위해 사용하도록 하나님이 친히 내려 주신 선물이다.

이 장에서 돈과 재물에 대해 성경이 가르치는 진리를 전부 다루기에는 한계가 있다. 그러므로 성경 신학적인 재정관을 정리한 강의, 기사, 서적, 사이트들을 소개함으로써 개략적으로 이야기한 부분들을 보완하고자 한다. 관련된 자료들은 이 책을 소개하는 웹사이트 (www.radicalthebook.com)에 올려놓았다. 부디 도움이 되길 바란다.

요약하자면, 본 장이 추구하는 목표는 단순하다. 하나님이 나와 우리 교회가 가진 주요한 사각지대 가운데 하나를 어떻게 제대로 볼 수 있게 하셨는지 나누자는 것이다. 아울러 여러분의 삶에는 그러한 문제가 없는지 면밀히 살펴보기를 권면하고 싶다. 혹시라도 그런 점이 있다면, "가난함으로 말미암아 너희를(우리를) 부요하게 하려"(고후 8:9) 부요함을 버리고 가난하게 되신 그리스도의 눈으로 굶주림에 시달리고 있는 수많은 사람들을 살펴보라. 그런 다음에 현대 문화 속에서 재물을 이해하고 사용하는 방식을 완전히 바꿔 주시도록 복음의 능력에 자신을 맡기라고 도전할 것이다.

부자와 나사로

하나님은 당신의 자녀들이 가난한 이들을 보살피는 문제를 얼마나 심각하게 생각하실까?

이에 대한 답을 찾기 위해서, 돈을 몹시 좋아하면서도 세상이 다 그러니 어쩔 수 없다고 합리화하기를 일삼는 종교 지도자들에게 들려주셨던 누가복음 16장 말씀에 귀를 기울여 보자. 예수님은 자신은 호화롭게 살면서 가난한 이를 돌보지 않았던 한 부자의 이야기를 해 주셨다. 부자의 집 앞에는 나사로라는 거지가 있었는데 그는 부스럼 투성이로 부자의 밥상에서 떨어지는 부스러기로 배를 채웠다.

마침내 둘 다 죽게 되어 부자는 지옥으로 가고 가난한 나사로는 아브라함의 품에 안기게 되었다. 부자는 아브라함을 보면서 자신을 이 지옥의 고통에서 건져 달라고 호소했다. 그때 단호한 대답이 돌아왔다. "아브라함이 이르되 얘 너는 살았을 때에 좋은 것을 받았고 나사로는 고난을 받았으니 이것을 기억하라 이제 그는 여기서 위로를 받고 너는 괴로움을 받느니라 그뿐 아니라 너희와 우리 사이에 큰 구렁텅이가 놓여 있어 여기서 너희에게 건너가고자 하되 갈 수 없고 거기서 우리에게 건너올 수도 없게 하였느니라"(눅 16:25-26).

하나님이 가난한 이들에게 어떻게 반응하시는지를 가장 잘 보여 주는 예화다. 가난한 남자의 이름은 "하나님은 나의 도움"이란 뜻의 나사로다. 그는 비록 병들고 극심한 빈곤에 시달렸지만 긍휼히 여기시는 하나님의 은혜를 입었다. 물론 가난하기만 하면 무조건 하나님 앞에서 의롭다 하심을 얻고 천국에 들어가는 것은 아니다. 그러나 성경을 잘 읽어 보면, 주님은 당신을 의지하는 가난한 백성들의 기도를 들으시며(욥 34:28), 친히 먹이시고(시 68:10), 필요를 채우시며(시 22:26), 건져 주시고(시 35:10), 공의를 베푸시며(시 82:3), 일으켜 주시며(삼상 2:8), 정의를 베푸신다(시 140:12)는 것을 알 수 있다.

뿐만 아니라 우리는 이 예화를 통해 가난한 이들을 외면한 자들에게 하나님이 어떻게 반응하시는지도 엿볼 수 있다. 주님은 부자를 혹독하게 꾸짖으셨다. 물론 성경은 부유한 것만 가지고 그를 의롭지 못하다고 몰아붙이거나 정죄하지 않는다. 이야기 속의 부자는 돈이 많다는 이유만으로 지옥에 떨어진 것은 아니었다. 그가 음부의 고통에 처하게 된 이유는, 사치스러운 생활에 빠져 문밖에 나앉은 가난한 이웃을 돌아보지 않은 데서 알 수 있듯이, 하나님을 높이는 마음이 결핍되어 있었기 때문이다.[3] 결국 부자는 세상을 천국 삼아 살다가 영원히 지옥에서 살게 된 것이다.

그렇다면 한번 물어 보자. 예수님이 직접 들려 주신 이 이야기를 들으면서, 자신은 어느 쪽과 더 가깝다는 생각이 드는가? 나사로인가, 아니면 부자인가? 자신이 어느 편에 가까운가는 대단히 중요한 문제다.

하나님은 내가 예화 속 부자와 훨씬 비슷하다는 사실을 분명히 깨닫게 하시면서 나의 사각지대를 보여 주셨다. 개인적으로는 스스로가 부자라고 생각해 본 적이 한 번도 없다. 아마도 누구나 마찬가지일 것이다. 하지만 현실을 똑바로 보라. 수도꼭지만 틀면 맑은 물이 콸콸 나오고, 더위와 추위, 이슬을 막아 줄 집이 있고, 입을 옷이 있으며, 먹을 음식과 타고 다닐 교통수단(대중교통이라도)까지 있다면 세계를 통틀어 상위 15퍼센트 안에 드는 부유층이다.

나는 여기에 등장하는 부자와 아주 흡사하다. 내가 목회하고 있는 교회도 마찬가지다. 우리는 주일마다 수백만 달러(수백억 원)가 투입된 건물에 모여 예배를 드린다. 주차장에도 수백만 달러어치의 자동차들이 줄지어 서 있다. 예배가 끝나면 수천 달러를 들여 마련한 점심을 먹고 수억 달러짜리 집으로 돌아간다. 더할 나위 없이 호화로운 삶이다.

> 돈을 쓰는 방식은 영적인 현주소를 가늠하는 바로미터다. 가난한 이들을 외면하는 태도는 우리의 마음이 어디에 가 있는지를 한눈에 보여 준다.

한편 가난한 이들은 문밖에 버려져 있다. 그리고 늘 주려 있다. 주일 아침, 우리가 함께 모여 예배하는 동안에도 세계 곳곳에서는 천 명 가까운 아이들이 단지 먹지 못해서 죽어 간다. 만약 우리 아이들이 그렇게 끼니를 거르고 있다면 분명 축도가 끝나기도 전에 예배당을 뛰쳐나갔을 것이다. 배가 고파서 울고 있는 자녀들을 외면한 채 노래하거나 즐거워하는 사람은 아무도 없을 것이다. 그러나 내 자식이 아니기 때문에 우리는 그들이 어찌 되든 상관하지 않는다. 그렇게 비참한 상황에 몰린 이들 중에는 제삼세계 믿음의 형제자매들도 적지 않다. 그들은 영양실조와 그로 인한 신체의 장애 및 발달 지체, 각종 질병에 시달리며 누군가의 도움을 간절히 바라고 있다. 그럼에도 불구하고 이른바 넉넉한 나라의 그리스도인들은 자신들의 삶을 즐기는 데 빠져서 기껏해야 남은 부스러기 정도나 던져 주고 만다.

크리스마스 때 노예들에게 닭 다리나 하나 더 얹어 주는 꼴이다.

이것은 하나님의 자녀들이 할 짓이 아니다. 주일 아침에 모여 무슨 말을 하고, 무슨 노래를 부르고, 무엇을 공부하는지는 모르겠지만 가난한 이들을 모른 체하는 부자들은 주님의 백성들이 아니다.[4]

지금 무엇을 세우고 있는가?

그럼에도 불구하고 많은 이들이 짐짓 하나님의 백성처럼 흉내를 내고 있다. 소름 끼치도록 무서운 일이다. 정상적인 시력을 잃은 탓에 성경에 엄연히 기록된 말씀을 아무렇지도 않게 건너뛰고 풍요로운 기독교, 넉넉한 교회 모델에 집착하는 것이다. 오늘날의 교회 문화는 그런 모습을 성공으로 여기기까지 한다. 실제로 많은 교회들이 외형을 꾸미는 데 수백, 수천만 달러를 척척 쓸 수 있는 것을 성공과 성장의 상징으로 받아들이고 있다. "그 교회가 얼마나 커졌는지 봤어? 내부 시설이 대단하던데?"

그러면서도 다들 그렇게 하는 것이 성경적이라고 믿는 것 같다. 아마 예수님의 제자들도 그랬던 것이 아닌가 싶다. "재물이 있는 자는 하나님의 나라에 들어가기가 심히 어렵도다"(막 10:23)라는 말씀으로 부자 청년과의 대화를 마무리 지으시는 예수님을 보고 쇼크를 받았던 데는 그런 심리도 적잖이 작용했을 것이다. 바로 다음 구절에 따르면 "제자들은 그의 말씀에 놀랐다." 어째서 그토록 충격을 받았을까?

해답은 구약의 역사에서 찾아야 한다. 이스라엘 민족이 형성되기 시작할 때부터, 하나님은 물질적인 축복을 약속하셨다. 그리고 아브라함과 이삭, 야곱, 요셉에게 엄청난 재물을 쏟아 부어 주셨다. 뿐만 아니라 친히 선택하신 백성들이 주님께 순종하면 계속해서 물질적인 번영을 누리게 해 주겠다고 말씀하셨다(창 20:14-16, 26:12-15, 30:43, 47:27; 레 26:3-5, 9-13; 신 28:1-14).

그렇다면 하나님은 어째서 이스라엘 백성들에게 재물의 축복을 약속하셨을까? 그것은 선택된 백성들을 통해 당신의 위대하심을 모든 민족과 나라들에게 여실히 보여 주기 위해서다. 또한 하나님은 그들을 통해 당신의 영광이 머물 곳을 세우셨다. 다윗과 솔로몬은 왕국을 세우면서 어마어마한 부를 축적했는데 그 나라의 중심에 솔로몬이 건축한 성전이 있었다. 열왕기상 8장에 따르면, 솔로몬은 성전을 봉헌하면서 하나님의 영광이 거룩한 백성들을 통해 세상에 널리 드러나기를 간구했다(왕상 8:56-66). 성전이라는 물리적인 장소를 떠나지 않는 한, 그곳을 통해 하나님의 물질적인 축복이 이어진다는 것은 이스라엘 역사의 기본을 이루는 믿음이기도 하다.

그러므로 제자들로서는 부자 청년더러 "가서 네게 있는 것을 다 팔아 가난한 자들에게 주라"(막 10:21-26)고 말씀하시는 예수님을 보고 놀랄 수밖에 없었다. '그렇다면 이 청년은 재산을 다 포기해야 그리스도를 따를 수 있다는 말인가? 도대체 왜?'

제자들은 급격한 변화의 기운을 감지하기 시작했다. 하나님이 달라지셨거나 구약과 신약의 하나님 사이에 어떤 차이가 생긴 것이 아니라 주님의 영원한 섭리가 서서히 모습을 드러내고 있었던 것이다. 예수님은 신앙과 물질적인 축복의 상관관계에 변화를 몰고 올 구원사의 새로운 장을 열어 가고 계셨다.

구원 역사의 새로운 페이지가 열린 신약시대에는 예수님을 포함해서 그 어떤 선생도 순종의 대가로 물질의 축복을 약속하지 않는다.[5] 1세기 유대인들은(21세기의 그리스도인들도 마찬가지지만) 그것을 당연하게 받아들였다. 신약성경에는 하나님의 백성들에게 웅장한 예배 처소를 건축하라고 요구하는 구절이 전혀 없다. 대신 하나님의 백성들 자체가 성전(예배를 드리는 곳)이라고 했다(고전 6:19). 그리고 모든 재물을 하나님의 영광을 보러 찾아가는 장소가 아니라 하나님의 영광을 세상에 드러낼 사람에게 아낌없이 투자했다.

이러한 사실을 생각하면 궁금해지는 것이 있다. 오늘날의 우리는 구원사의 변화를 반영한 물질관을 가지고 있는가 하는 것이다.

현대를 살아가는 그리스도인들 가운데 상당수는 아직도 '하나님을 열심히 섬기다 보면 큰 재산을 상으로 받게 되겠지?'라는 억측 속에서 살고 있는 것이 아닐까 싶다. '무병장수와 부'를 역설하는 메시지를 들어 보면 이러한 사고방식이 노골적으로 드러난다. 이것은 믿지 않는 이들과 조금도 다를 바 없이 물질을 사용하고 있는 자칭 그리스도인들의 삶에 은밀히 뿌리내리고 있는 개념이기도 하다.

어느 날 저녁, 외국의 지하 가정 교회 모임에 참석해서 성경이 가르치는 여러 가지 이슈들에 관해 의견을 나누었다. 영어를 조금 할 줄 아는 현지인 아주머니가 입을 열었다. "가끔 텔레비전 채널을 돌리다 보면 미국 방송이 잡혀요. 한번은 예배를 실황으로 중계해 주는 방송을 보게 되었는데 목회자들이 멋진 옷을 입고 근사한 예배당에서 예배를 드리더군요. 그런데 메시지를 전하면서 그러는 거예요. 누구나 믿기만 하면 이런 것들을 누릴 수 있다고요."

잠깐 멈췄다가 여인이 다시 입을 열었다. "그날, 우리 교회 모임에 참석해서 주위를 둘러보았어요. 너나없이 가난할 뿐더러 목숨을 걸고 신앙 생활을 하고 있는 사람들뿐이었죠." 그리고 나를 똑바로 쳐다보며 의미심장하게 물었다. "그러면 이렇게 사는 것은 우리의 신앙이 부족하기 때문인가요?"

그 순간 나는 미국 교회와 교인들이 그리스도를 믿는 신앙과 세상적인 성공을 하나로 생각하는 신학을 더러는 공공연하게, 경우에 따라서는 수출하고 있다는 사실을 깨달았다. 그것은 신약성경에서 보는 기독교의 모습과 근본적으로 다르다.

오늘날 교회는 헌금으로 마련된 자원을 어떤 우선순위에 따라 사용하고 있는가? 미국 교회의 경우, 매년 예배당 건물에 100억 달러(10조 원) 이상을 쏟아 붓고 있다고 한다. 미국 교회들이 소유한 부동산의 가치는 2,300억 달러(230조 원)에 이른다. 넘치는 돈과 자원을 이른바 '성전'을 짓는 데 허비하고 있는 것이다. 그렇게 호화로운 건물을 우리는 무엇이라고 불러야 할까? 제국? 아니면 왕국? 이러한 현실의 핵심을 들여다보면, 장소를 기준으로 삼는 예배에 대한 잘못된 개념을 가지고 있음을 짐작할 수 있다. 이렇듯 문밖에 있는 가난한 이들에게 주님의 영광을 드러내라는 하나님의 부르심을 무시하고 시간과 돈을 엉뚱한 데 써 버리는 모습은 잘못된 신앙이 아닐까 싶다.

　주일마다 그처럼 커다란 건물 중 한 곳에서 설교하고 있는 나의 현실을 생각하면 이 글을 쓰면서도 마음이 아파 온다. 어떻게 하면 엉뚱한 곳에 교회의 자원을 낭비하는 시대의 트렌드를 바꿀 수 있을까? 끊임없이 이 질문을 붙들고 씨름해 보지만, 이것은 단순히 목회자와 교회건축위원회만의 문제가 아니라는 생각이 든다. 마가복음 10장에 나오는 부자 청년처럼, 그리스도인이라면 누구나 주님을 좇을 때 재물을 어떻게 처리할지 깊이 고민해 볼 필요가 있다.

가진 것을 다 팔라고?

　그렇다면 주님은 정말 우리가 전 재산을 포기하기 원하시는 것일까? 그것은 너무 극단적이지 않은가? 자, 이제 마가복음 10장으로 돌아가서 예수님이 부자 청년과 나누는 대화를 들어 보고 그 답을 찾아 보자.

　청년은 열성을 품고 주님을 찾아와서 간단하지만 지극히 중요한 질문을 던졌다. "내가 무엇을 하여야 영생을 얻으리이까?" 예수님은 이렇게 대답하셨다. "가서 네게 있는 것을 다 팔아 가난한 자들에게 주라. 그리하면 하늘에서 보화가 네게 있으리라. 그리고 와서 나를 따르라"(막 10:17, 21).

　주님은 부자 청년이 가진 물질에 대한 집착을 분명하게 드러내셨다. 예수님을 좇는 일에는 주님을 온전히 신뢰하고 가진 것을 다 포

기하는 결단이 포함된다. 본질적으로 청년에게는 복음을 통해 철저하게 변화된 새로운 심령이 필요했다.[6]

흔히들 이 본문을 읽으면서 두 가지 실수를 저지른다.

먼저, 예수님이 모든 믿는 자들에게 소유를 다 팔아 가난한 이들에게 나눠 줄 것을 명령하셨다는 일반화의 오류다. 신약성경은 그런 주장을 지지하지 않는다. 심지어 그리스도를 위해 많은 것을 포기했다고 자타가 공인하는 제자들마저도 여전히 가정을 가지고 있었고 배를 소유했다. 모르긴 하지만 모종의 생계 수단도 보유하고 있었음에 틀림없다. 그러므로 예수님을 따른다는 것이 곧 개인 재산과 소유물을 모조리 잃어버린다는 의미일 수는 없다.

적잖은 그리스도인들이 이 대목에서 안도의 한숨을 내쉴 것이다. 하지만 숨을 돌리기 전에 마가복음 10장을 해석하는 과정에서 쉽게 범하는 두 번째 실수를 살펴보자. 그것은 예수님이 제자들에게 모든 소유를 다 포기하라고 명령하신 적이 '전혀' 없다고 생각하는 오류다. 마가복음 10장에서 분명히 알 수 있는 것이 있다면, 예수님이 '때때로' 자신이 가진 것을 '다' 팔아서 가난한 이들에게 나눠 주라고 가르치셨다는 점이다.[7] 이것은 주님이 여러분과 내게도 똑같은 요구를 하실 수 있다는 뜻이다.

여러분은 어떤가? 정말 가진 것을 다 팔아서 가난한 사람들에게 나눠 줄 마음이 있는가? 그것이 주님의 뜻인지 서슴없이 묻고 그 대답을 기다려 볼 의향이 있는가? 핑계를 대며 합리화하거나 절대 그렇게 응답하실 리가 없다고 속단하지 않을 자신이 있는가? 과격해 보일지 모르지만 "누구든지 자기의 모든 소유를 버리지 아니하면 능히 내 제자가 되지 못하리라"(눅 14:33)고 말씀하신 주님을 따르길 원한다면 그것은 지극히 정상적이고 당연한 일일 것이다.

성경은 그리스도의 제자가 되는 것의 의미를 어떻게 설명하고 있을까? 이에 대해 우리는 다시 한 번 살펴볼 필요가 있다. 주님은 결코 제자들에게 안락한 삶을 약속하지 않으셨다. 마가복음 10장에 등장하는 부자 청년은 예수님이 어떤 분인지 잘 모르고 있었다. 그는 예수님을 우러러볼 만한 종교 지도자쯤으로 여겨서 '선한 선생님'(막 10:17)이라고 칭했을 것이다. 그러나 주님은 그런 차원의 인물이 아니었고 존경 받는 스승이 되는 일 따위는 관심조차 없으셨다. 예수님은 하늘과 땅의 모든 권세를 가진 주님이셨다. 그리고 그분의 말씀은 잘 검토해서 순종할지 말지 선택할 문제가 아니라 반드시 복종해야 할 명령이다.

그런데 그 주님이 가진 것을 다 팔라고 말씀하신다면 어떻게 하겠는가? 집을 팔고 더 단순하게 살라고 지시하신다면 어쩌겠는가? 고급 승용차를 팔고 소형차를 타라고 하신다면, 아니 아예 차 없이 살라고 하신다면 어찌하겠는가? 라이프 스타일을 180도 바꾸라고 명령하신다면 과연 순종할 수 있겠는가?

말씀에 따를 수 없는 수많은 이유들을 생각하기 전에, 먼저 물어보아야 할 질문이 있다. "과연 그렇게 말씀하신 분이 정말 주님이신가?" 하는 것이다.

예수님께 세상의 기준에 비추어 합리적으로 보이는 재정 자문을 해 달라고 구하고자 하는가? 아니면, 풍요로운 삶을 지향하는 현대 문화를 따르는 신앙의 동료들이 가는 길과 비록 다르다 할지라도 삶 전체의 주관자가 되어 주시길 요청하고자 하는가?

예수님은 수많은 카운슬러들 가운데 끼어서 생활을 어떻게 이끌어 가고 돈을 어떻게 사용해야 할지 지도하고 싶어 하지 않으신다. 삶과 재정에 관해 무슨 결정을 내리든 당신 재정의 유일한 주인이 되길 원하신다.

하나님이 삶을 책임지신다

흔히들 이 말씀을 읽을 때 일어날 가능성들 때문에 불편해 하지만, 예수님과 부자 청년 사이의 대화를 잘 들여다보면 분명히 감사해야 할 일이 있다. 부유한 젊은이로서는 따르기 힘든, 입장에 따라서는 가혹해 보이기까지 한 말씀인 것 같지만 그것이 예수님의 입에서 나온 이상, 지나친 명령이 아니라는 점이다. 주님은 한 치의 망설임도 없이 큰 재물을 모은 부자의 급소를 찌르고 계신다. 청년이 세상에서 누리고 있는 안정감을 직접 공격하신 것이다.

이런 식의 말씀은 오늘을 사는 그리스도인에게도 무척 거북하다. 예수님이 재물을 포기하고 희생하고 팔고 거저 나눠 주라고 말씀하실 때 덥석 받아들일 수 있는 이가 과연 몇이나 되겠는가? '그러면 이제 어떻게 살지? 어디서 먹고 자지? 살다가 예상치 못한 어려움을 만나면 어떻게 하지?' 예수님께 모든 재산권을 맡긴다는 생각만 해도 우리의 안정감이 마구 흔들리기 시작한다.

하지만 이 대화 가운데 가장 빛나는 대목이 21절에 등장한다. "예수께서 그를 보시고 사랑하사 이르시되." 이 얼마나 멋진 구절인가! 예수님은 부자 청년이 미워서 혹은 그를 비참한 지경에 몰아넣으려고 그런 말씀을 하신 것이 아니었다. 오히려 그를 너무도 사랑하셔서 모든 재산을 나눠 주라고 하신 것이었다. 예수님은 가난한 자든 부유한 자든 하나같이 사랑하셔서서 진리를 가르쳐 주신다.

누가복음 12장은 여기서 다룬 사랑이라는 주제를 고스란히 되풀이한다. 제자들에게 "너희 소유를 팔아서, 자선을 베풀어라"고 하시기 직전에 하신 말씀을 면밀히 살펴보라. "두려워하지 말아라. 적은 무리여, 너희 아버지께서 그의 나라를 너희에게 주시기를 기뻐하신다"(눅 12:32-33, 새번역).

이 짧은 구절이 빚어내는 이미지는 다채로우면서도 숨 막히게 감동적이다. 우리가 하나님 안에 머무는 순간, 우리에게는 적은 무리처럼 두려움에 사로잡히지 않도록 보호해 줄 목자가 생기게 된다. 자녀들을 기뻐하고 좋은 선물을 베풀고 싶어 하는 아버지를 얻은 것이다. 아울러 자기 백성들을 위해 왕국을 든든히 지켜 주시는 왕을 모시게 된 것이다.

풀어서 이야기하자면, 예수님은 이렇게 말씀하고 계신다. "양 떼를 아끼는 목자처럼, 자식들을 기르는 아버지처럼, 온 나라를 다스리는 왕처럼 너희를 돌보는 하나님이 함께하신다는 사실을 믿고 두려워하지 말거라. 네게 있는 재물을 팔아 가난한 이들에게 나눠 주고 장래 일에 대해 염려하지 말거라. 네 하나님(목자, 아버지, 왕)은 모든 것을 주관하시는 분이다."

어느 날, 부유한 교인 하나가 사무실로 찾아왔다. 부자 청년의 이야기를 공부한 지 얼마 지나지 않았을 때였다. 그는 자리를 잡자마자 나를 똑바로 쳐다보더니 단도직입으로 말했다. "목사님, 그런 이야기를 하시다니 제정신입니까?" 그러더니 잠시 뜸을 들였다. 대화의 방향이 어디로 튈지 알 수 없었다. 마침내 그가 입을 열었다. "하지만 맞는 말씀이라고 생각합니다. 그래서 마음에 떠오른 미친 생각을 실천하기로 작심했습니다. 정말 미친 짓이죠."

그는 자신의 큰 집과 재산들을 어떤 식으로 처분해서 나눌지 설

> 깨달음은 곧 신나는 결정으로 이어졌다. "우리가 도웁시다!" 두 주 뒤 전 교인이 일어나서 서약했다.

명하기 시작했다. 처분해서 마련한 돈을 어떤 이들에게 투자할 계획인지도 구체적으로 이야기했다. 그리고는 눈물이 그렁그렁한 눈으로 나를 바라보며 말했다. "때때로 내가 무책임하고 지혜롭지 못한 짓을 저지르고 있는 것은 아닌가 하는 의구심도 들었습니다. 하지만 아무리 생각해 봐도 하나님 앞에 섰을 때 "좀 더 남겨 두지 그랬니?"라는 말씀을 듣게 될 것 같지는 않았습니다. 나머지는 주님이 보살펴 주시리라 믿습니다."

넘치도록 주라고 명령하신 하나님은 그 말씀을 좇은 이들의 삶에도 그렇게 베풀어 주신다. 이것은 더할 나위 없이 중요한 사실이다. 주님을 신뢰하는가? 가난한 이들을 위해 남김없이 주라고 말씀하신

예수님을 믿는가? 하나님이 주신 자원을 가난한 이들의 필요를 채우는 데 사용하면 그분이 우리에게도 넘치게 공급하실 것을 확신하는가? 자신의 삶과 가족들, 그리고 재정에 있어서 무엇이 최선인지 주님이 잘 알고 있다고 믿는가?

부자들에게는 힘겹다

솔직히 말하자면, 하나님의 명령과 거기에 따른 약속이 분명함에도 불구하고 결단을 내리기까지 나는 아내와 더불어 힘겨운 씨름을 벌여야 했다. 하나님이 나의 사각지대를 밝히 보여 주신 뒤에도 "주님, 기꺼이 팔고 나눠 주고 주님이 원하시는 대로 무엇이든 다 변화시키겠습니다"라는 말이 좀처럼 나오지 않았다. 아내와 나는 집을 참 좋아했다. 거기에 살고 있어서가 아니라 온 식구에게 집은 안정과 안전의 상징이자 일종의 성전이기 때문이다. 기존의 라이프 스타일에도 아주 만족하고 있었다. 집은 나에게, 아내에게, 그리고 아이들에게 더할 나위 없이 편리하고 편안했다. 나는 가진 재산과 자금을 다 테이블 위에 올려놓고 나서야 비로소 그것이 얼마나 우리의 삶을 좌지우지해 왔는지 깨닫게 되었다.

디모데전서 6장에서 지적한 소름 끼치는 상황이 우리의 심령에도 전개되고 있음을 알게 된 것이다. "부하려 하는 자들은 시험과 올무와 여러 가지 어리석고 해로운 욕심에 떨어지나니 곧 사람으로 파멸과 멸망에 빠지게 하는 것이라"(딤전 6:9). 본문에서 바울은 단순히 부유해지려는 욕구를 이야기하고 있다. 그렇다면 이미 부유한 이들은 더 말해서 무엇 하겠는가? 이처럼 재물은 인간에게 치명적일 수 있으며 교묘하게 우리의 생명을 앗아갈 수도 있다.

부자가 하나님 나라에 들어가기가 어렵다고 말씀하신 까닭이 여기에 있다. 주님은 궁극적으로 부자 청년에게 하나님을 전적으로 신뢰하지 않고는 무엇으로도 그분의 나라에 들어갈 수 없다는 메시지를 전하셨다. 인간의 힘으로는 제아무리 발버둥을 쳐도 안 된다는 것이다. 그래서 부유한 젊은이에게 그의 재산이 장벽이 되어 하나님이 절실하게 필요하다는 사실을 깨닫지 못하게 한다는 점을 분명하게 드러내신 것이다. 부자 청년은 지상에서 누리는 풍요로움에 눈이 멀어 영원한 보물을 보지 못했다.

그럼에도 불구하고, 예수님이나 바울의 이야기를 아직도 믿지 못하는 것이 대다수 부유한 나라의 교인들과 교회의 현실이다. 부(富)가 하나님 나라에 들어가는 데 장애가 될 수 있다는 사실을 도무지 받아들이지 않는 것이다. 그리고는 풍요로움과 편안함, 물질적인 소유를 축복으로 여긴다. 차마 그런 것들이 걸림돌이 되리라고는 꿈에도 생각지 못한다. 세상이 생각하는 대로 돈이 곧 힘이라고 믿는 것이다. 그러나 예수님의 말씀은 전혀 다르다. 주님은 부요함이야말로 위험스러운 함정이 될 수 있다고 말씀하신다.

그러기에 바울은 디모데전서 6장 6절에서 "그러나 자족하는 마음이 있으면 경건은 큰 이익이 되느니라"고 했다. 전후 맥락에 따라 판단하자면, 여기서 자족이란 음식과 옷, 생활에 소용되는 필수품을 소유하는 것으로 만족하는 것을 가리킨다. 이것을 앞에서 살펴본 9절에 적용해서 풀어 보면, 생활에 꼭 필요한 것 이상을 갖고 싶어 하고, 또 가지고 있는 이들은 멸망에 빠질 위험이 크다는 뜻이 된다.

이제 스스로에게 물어 보아야 한다. 나는 음식과 의복, 생필품이 있는 것으로 만족하고 있는가? 아니면 더 많은 물질을 원하고 있는가? 더 넓은 집과 더 큰 차, 더 멋진 옷을 가지고 싶어 하는가? 지금보다 더 고급스럽고 부한 삶을 추구하는가? 다른 것은 다 제쳐 두라도, 호화롭게 사는 것이 대체 뭐가 잘못이라는 것인가?

이것은 아주 중요한 질문이다. 조심스럽게 답하지 않으면 하나님이 자녀들에게 가르쳐 주고 싶어 하시는 물질관을 배우지 못할지도 모른다. 아름다운 옷들과 근사한 자동차, 또는 쓰고 남을 만큼 넉넉한 재산이 본질적으로 나쁘기 때문에 팔아서 나눠 주라는 것이 아니다. 이미 살펴본 것처럼, 부와 재물이 그 자체로 악한 것은 아니다. 따라서 넉넉한 재산을 가졌다는 것이 죄이기 때문에 그것을 팔고 나눠 줄 필요는 없다.

그렇다면 어째서 우리가 가진 것을 처분해서 베풀어야 하는가? 그것은 중심에 계신 그리스도가 주위의 가난한 이들을 보살피지 않고는 견딜 수 없게 몰아가시는 까닭이다.

존 웨슬리(1703-91)는 주위의 필요에 비추어 물질을 바라보는 법을 온몸으로 보여 주었다. 집을 장식하는 데 안성맞춤이었던 그림을 구입할 때의 이야기를 들어 보자.

(웨슬리가) 벽에 걸어 둘 그림 몇 점을 막 샀던 차에 가정부가 들어왔다. 한겨울이었는데 얇은 리넨으로 만든 가운 하나로 매서운 추위를 가리고 있는 것이 눈에 들어왔다. 코트 사 입을 돈을 꺼내 주려고 지갑을 열었지만 남은 것은 푼돈뿐이었다. 순간, 주님이 이런 식으로 돈을 쓰는 것을 기뻐하시지 않을 것 같은 생각이 들었다. 웨슬리는 자신에게 물었다. "주님이 과연 '잘하였도다, 착하고 충성된 종아!'라고 말씀하실까? 주님이라면 이 가련한 여인의 추위를 막아 줄 수 있는 돈으로 그림을 사셨을까? 오, 정의여! 오, 자비여! 여기 있는 그림은 이 궁핍한 일꾼의 피가 아니고 무엇이란 말인가?"[9]

웨슬리가 벽에 걸어 둔 그림 자체가 나쁜가? 절대로 그렇지 않다. 한겨울에 한 여성이 외투도 없이 추위에 떨고 있는데, 없어도 그만인 장식품을 사들였다면 그것은 분명히 잘못(그것도 아주 큰)이다.

웨슬리의 사례를 오해하지 않도록 조심하자. 벽에 그림을 건다든지 집 자체가 악은 아니다(그림은 우리 집 벽에도 걸려 있다). 당장 급하지 않은 것을 구매할 때마다 죄책감을 느껴야 한다는 것도 아니다. 사실 이른바 선진국에 사는 그리스도인들이 사용하는 물건들의 대다수는 생필품이 아니라 사치품이라 할 수 있다. 이 글을 쓰는 컴퓨터, 이따가 밥을 떠먹을 수저, 밤에 눕고 벨 침대와 베개들도 모두 사치품이다(그 밖에도 말하자면 끝이 없다).

웨슬리의 삶에서 배워야 할 점은 주위의 가난한 이들에게 눈을 돌리면 물질을 바라보는 시각이 급격하게 달라진다는 사실이다. 우리가 용기를 내서 영양실조에 걸리고 굶주림을 견디다 못해 두뇌에 이상이 생긴 형제자매들의 얼굴을 똑바로 바라본다면, 주님이 우리들의 잘못된 욕구를 변화시켜 주실 것이 분명하다. 그리고 그분의 영광을 위해 우리가 가진 자원을 아낌없이 나누려는 마음이 간절해질 것이다.

저마다 삶의 사각지대를 파악하고 어려움에 빠진 이들에게 관심을 갖는다면 어떤 일이 벌어지겠는가? 그들을 진지하게 바라보며 그 안에 복음을 심기 위해 기존의 라이프 스타일을 바꾸기 시작한다면 어떻게 되겠는가? 어떤 변화가 일어날지 그 가능성을 생각해 보라.

이미 이야기한 것처럼, 우리가 가진 것 가운데 필수품에 속하는 것은 그다지 많지 않다. 사람은 누구나 넉넉한 문화에서 사노라면 저절로 사치스러워지게 마련이다. 그렇다면 마땅히 그 가운데 일부를 제한하고 제거하는 작업을 시작해야 하지 않을까? 사치품들을 팔아서 문밖에서 떨고 있는 가난한 이들에게 나눠 주어야 하지 않을까? 하나님이 쓰고도 남을 만큼 주셔서 남보다 더 많이 갖게 됐다면 더 많이 베푸는 것이 당연하지 않을까?

우리에게는 급진적인 사고와 행동이 필요하다. 달리 말해서, 성경적이 되어야 한다(고후 8:14, 9:11).

이제 한 걸음 더 나아가 보자. 기존의 라이프 스타일에 자물쇠를 채우면 어떨까? "이만하면 됐어. 남거나 넘치는 것은 다 나눠 주겠어!"라는 말로 선을 긋는다면 어떻게 될까?

웨슬리는 그렇게 했다. 해가 바뀔 때마다 일 년 동안 사는 데 필요한 적정한 비용을 산정했다. 첫해에는 수입이 지출보다 조금 많아서 그만큼을 잘라 나누어 주었다. 이듬해에는 돈을 더 많이 벌었지만 생활수준을 그대로 유지했다. 덕분에 더 많이 베풀 수 있었다. 이런 원칙은 세월이 가도 무너지지 않았다. 어느 해인가는 요즘 돈으로 16만 달러(2억 원)상당의 수입이 생겼지만 마치 2만 달러(2천4백만 원)만 벌어들인 것처럼 살았다. 결국 그해에는 14만 달러(1억 7천6백만 원) 정도를 가난한 이들에게 나눠 줄 수 있었다.

상상해 보라. 연봉이 5만 달러(6천만 원)인 그리스도인이 5만 달러 (6천만 원)짜리 라이프 스타일을 포기하기로 작정한다면 어떤 일이 벌어질 것인가? 현재의 생활 방식을 유지하는 데 들어가는 비용을 일정한 규모로 제한하고 나머지 자원을 극빈한 이들에게 사용한다면 어떻게 될까?

하나님은 한쪽을 풍요롭게 하셔서 다른 이들의 필요를 채우게 하신다(고후 8:14). 이것은 성경이 분명하게 가르치는 진리다. 존 칼빈은 고린도후서 8-9장 주석에서 이렇게 적고 있다. "하나님은 우리들이 절약하고 절제하는 것을 기뻐하시며 누구든지 넉넉함을 남용해서 도를 넘는 것을 금하신다. 부유한 이들은 무절제하고 방종하게 하기 위해서가 아니라 형제들의 기본적인 필요를 채우게 하시려고 주님이 부요함을 허락하셨다는 사실을 기억해야 한다."[9]

존 칼빈은 이러한 진리를 행동에 옮기기 위해 교회 재정 가운데 절반 정도는 가난하고 어려운 사람들을 위해 별도로 떼어 놓아야 한다고 했다(요즘 교회 예산 편성표와는 상당히 동떨어진 주장이다).[10] 칼빈은 너나없이 모두가 균등한 자원을 누려야 한다고 생각하지 않았지만 다른 한편으로는 "굶어 죽어도 괜찮은 인간은 단 한 명도 없다"[11]고 믿었다.

남은 것을 주느냐, 필요한 것을 주느냐

가난한 이들에게 무언가를 베풀고자 할 때 자신이 쓰고 남은 것을 주고픈 마음이 들 때가 있다. 이런 경우 나눔에 대한 기준이 필요하다. 개인적으로는 무엇을 나눌지 결정하는 기준을 정하는 데 한 친구의 도움을 많이 받았다. 제이슨(Jason)은 가족과 함께 기독교 선교가 불법인 한 나라에 가서 예수님에 대해 한 번도 들어 본 적 없는 이들을 섬기고 있다. 한번은 수백만 명이 복음을 듣지 못한 채 살아가는 것을 안타까워하며 내게 편지를 보내왔다.

단순히 듣지 못해서 믿지 못하는 이들이 얼마나 많은지 아는가? 이들에게 복음을 들려 주려면 무엇이 필요할 것 같은가? 바로 복 된 소식을 전해 주는 이라네. 주님을 알지 못해서 그의 이름을 부르지 못하는 이들을 변화시키기 위해 우리는 무엇을 할 수 있을까? 그 대답을 알고 있다고 자부하는 그리스도인들은 많다네. 상황을 변화시키기 위해 무언가를 하고 있노라고 말하는 이들도 많다네. 그러나 '남는 시간과 남는 돈'을 가지고 다가간다면, 앞으로도 계속 수백, 수천만 명에 이르는 이들이 복음을 듣지 못하고 살아갈 것이네. '내게

남은 것이 뭐지?'와 '그들에게 뭐가 필요할까?'는 완전히 다른 질문
이라네.

마지막 두 질문이 나의 마음을 속속들이 헤집었다. 미전도 지역에
서 복음을 전할 때뿐만 아니라 가난한 이들을 돌보는 일에도 적용해
볼 만한 질문이었다. 그리스도인들이 "얼마나 남았는가?"가 아니라
"그들에게 필요한 것이 얼마일까?"라고 물을 수 있다면 어떤 변화가
일어날지 궁금했다.

혼자의 힘으로 세계의 빈곤 문제를 해결할 수 있다고 주장하는 것
은 아니다. 가난은 단순히 배분의 문제가 아니라 여러 가지 사회적,
정치적, 경제적, 윤리적, 물질적인 요인에서 비롯된 현상이다. 그리
고 제한적이나마 영향을 끼칠 수 있는 영역도 있지만 그럴 수 없는
부분도 있다. 그리고 하나님은 당신의 자녀들에게 가난한 이들의 모
든 필요를 채우라고 명하시지도 않았다. 그러나 "가난은 나라도 구
제하지 못하는 법이니 내가 뭘 어쩌겠는가?"라는 주장은 곧바로 지
옥에 떨어질 논리다.

가난한 이들에게 쓰고 남은 것을 넘겨 주는 대신 넘치도록 준다면
어떻게 될까? 줄 수 있는 만큼만 주는 것이 아니라 줄 수 있는 이상
을 베풀면 어떻게 될까? 자신이 가진 것을 다 바쳤던 누가복음 21장
의 여인처럼 물질을 나눌 수 있다면 어떨까? 상황이 너무 절박해서
가 아니라 그리스도의 심정이 그렇게 베풀 것을 요구하고 또 기대하
기 때문에 나누기 시작한다면 어떤 일들이 벌어질까?

후히, 자유롭게 베풀라

그것이 바로 성경이 가르치는 나눔이다. 디모데전서 6장에서 바울은 디모데에게 부한 자들을 명하여 "선을 행하고 선한 사업을 많이 하고 나누어 주기를 좋아하며 너그러운 자가 되게 하라"(딤전 6:18)고 했다. 그것이야말로 부와 재물이 가진 치명적인 속성에서 벗어나는 유일한 길이라는 것이 바울의 주장이다. 주되 너그러이 넉넉하게 손해를 감수하면서 주라. 내 마음에 들지 않는 물건이기 때문이 아니라 중심에 계신 그리스도 때문에 주라. 우리 내면의 기쁨을 넘치게 하시는 주께 사로잡혀서 "넉넉한 마음으로" 주라(고후 8:2).

제자들에게는 이런 자유로움이 있었다. 예수님과 부자 청년의 대화가 마무리된 뒤에, 베드로는 주님을 돌아보며 외쳤다. "보소서 우리가 모든 것을 버리고 주를 따랐나이다"(막 10:28). 부자는 슬퍼하며 그리스도를 떠난 반면, 돈과 물질에 종속되지 않고 세상적인 안정과 세속적인 위안에서 벗어난 제자들은 주님 곁에 남았다.

우리 교회 성도들 가운데서도 종종 이런 자유를 목격하게 된다. 어느 주일 오후, 나는 다음과 같은 이메일을 받았다. 마가복음 10장을 중심으로 부자 청년의 이야기를 공부한 지 얼마 안 됐을 때였다.

아내와 함께 집으로 돌아와서, 가진 옷가지들을 모두 정리했습니다. 가방 몇 개의 분량이 나오더군요. 작아져서 못 입는 아들아이의 옷과 이제는 가지고 놀지 않는 장난감들도 챙겼습니다. 앞마당에 잔디를 다시 깔려고 모았던 저금통도 깨서 천 달러(120만 원) 가까운 현금을 장만했습니다. 그리고는 짐을 싣고 가까운 빈민촌으로 가면서 내가 과하게 가졌던 물건들을 나눠 받게 될 낯모르는 이들을 위해서 기도했습니다.

첫 번째 집에서는 30대 남자가 아기를 안고 나오더니 일할 때 입을 옷이 필요하다고 했습니다. 마침 맞는 것이 있었습니다. 아빠에게는 작업복을, 아기에게는 장난감과 아동복을 주었습니다. 집에 먹을 것이 없다고 해서 백 달러(12만 원)를 주고 나왔습니다.

두 번째 집에는 열두 살짜리 아이와 그 밑으로 두 동생이 있었습니다. 텔레비전과 비디오, 그리고 비디오 게임기를 주었습니다. 집에 돈이 떨어졌다기에 백 달러를 건넸습니다.

다음 집에는 부부가 살았는데 아내의 옷과 자동차를 고칠 비용이 필요하다고 했습니다. 여성복과 백 달러를 주었습니다.

한 집 한 집 돌 때마다 식구들과 함께 기도하고 주님께 나올 것을 초청했습니다. 그날, 집에 돌아오자마자 나눌 것들을 더 많이 챙겼습니다. 지금은 아내와 함께 시내 노숙자 센터를 정기적으로 돕고 있습니다. 조만간 이곳에 있는 기능 훈련 교실에서 미술과 그래픽을 가르치기 시작할 것입니다.

나누고자 하는 우리의 이런 노력에 회의적인 시선을 가지고 있는 사람들도 적지 않을 것이다. 지나치게 즉흥적이라고 비판할지도 모르겠다. 그러나 이런 시도들을 자유로움과 순종에서 비롯된 사례로 볼 수도 있지 않을까? 삶 속에서 주님의 명령에 순종하려면 꼭 이렇게 해야 한다는 이야기는 아니지만 모든 그리스도인들이 이처럼 자신의 것을 나누는 삶을 산다면 세상이 어떻게 변화될지 생각해 보라.

리사(Lasa)라는 교회 성도는 이런 이메일을 보내 왔다.

하나님 말씀에 귀를 기울이며 머리를 쥐어뜯기를 몇 달 동안이나 했습니다. 복음의 요구와 내 삶 사이의 부조화 때문이었습니다. 세상에 복음을 전하기 위해 안락한 삶을 포기하라는 급진적인 사고방식과 현재 누리고 있는 생활 사이에서 조금이라도 말랑말랑한 제3의 대안을 찾아보려고 발버둥 쳤습니다. 하지만 그런 것은 없었습니다. 모든 위험을 감수하는 것만이 유일한 길이었습니다.

그래서 인터넷을 통해 세간들을 파는 한편 개인적인 부채들을 정리하고 있습니다. 그래야 가능한 한 더 많이 베풀 수 있을 테니까요. 빚을 갚기 위해서 달랑 짊어질 수 있을 만큼의 물건(어쩌면 그마저도 과분한지 모르지만)만을 제외하고는 다 처분해야 했습니다.

이제 무슨 일이 일어날지 빨리 보고 싶습니다. 저는 완전히 무방비 상태이고 철저하게 무능하며 한없이 두렵지만, 이제 준비가 다 됐습니다. 한번 도전해 보려고요.

리사의 이야기를 들으며 너무 극단적이라고 생각하는 이들도 있을 것이다. 하지만 뒷짐만 지고 서서 아무것도 하지 않는 이들보다는 훨씬 더 예수님의 말씀에 부합하는 행동이라고 생각한다.

함께 신앙 생활을 하는 교회 식구들 가운데는 이처럼 아낌없이 베푸는 자유를 만끽하고 있는 이들이 적지 않다.

야고보서 1장 27절, 고아를 돌보시는 하나님에 관해 공부한 후에는 복지 단체에 연락을 해서 어려운 처지의 아이들을 보살필 가정들을 책임지고 모집하겠다고 자원했다. 상대편에서는 150가정을 요청했지만, 두 주 만에 무려 160가정이 위탁 양육이나 입양 신청서에 서명을 했다.

지금은 대다수 교인들이 가정에 위탁 아동을 위한 방을 따로 마련해 두고 있다. 적금이나 연금을 해약하고 그 돈으로 버밍엄 인근이나 세계 곳곳에서 입양한 아이들을 키우는 가정도 수없이 많아졌다.

교인들은 남녀노소 소그룹을 구성해서 사치품을 내놓는 운동도 시작했다. 거기서 나온 자금은 가난한 나라에 우물을 파 주는 일에서부터 굶주린 아이들에게 치킨을 사 주는 일까지 다양한 사업에 쓰일 예정이다.

한번은 주일 예배 시간에 말씀을 전한 후 인도네시아 사람들에게 집을 지어 주는 사역에 동참해 달라고 했다. 최근 일어난 지진 때문에 수천 채의 가옥이 파괴된 것을 보고 돌아온 직후였다. 4백 달러(50만 원) 정도면 그들에게 집 한 채를 다시 지어 줄 수 있었다. 성도들은 너나없이 헌금에 참여했고 10만 달러(1억 2천만 원) 이상이 걷혔다. 당장 현금이 없는 이들은 돈이 될 만한 물건을 내놓기도 했다. 한 여성은 결혼반지를 내놓으며 이렇게 말했다. "당장은 돈이 없어요. 하지만 이 반지로 인도네시아의 어느 부부가 집을 얻게 되길 바랍니다."

그리고 얼마 뒤부터 인도네시아 교회들과 함께 수백 채의 집을 짓기 시작했다. 무슬림이 대다수인 그 지역에 집과 함께 복음이 대대적으로 선포되었다.

지난달에는 야고보서 2장 14-17절을 공부하면서 '헐벗고 일용할 양식이 없는' 세계 곳곳의 형제자매들을 돌아보는 시간을 가졌다. 그동안 경기가 어려운 점을 감안해서 예산 가운데 일부를 따로 떼어 놓았다. 덕분에 50만 달러(6억 원) 정도의 여윳돈이 위기 상황을 대비해서 비축되어 있었다.

하나님은 말씀을 통해서 전 세계 빈곤 인구 가운데 41퍼센트가 모여 사는 인도의 형제자매들에게 시선을 돌리게 하셨다. 우리는 수많은 어린이들이 다섯 살 이전에 목숨을 잃는다는 소식을 듣고는 아이들을 도울 방도를 모색했다. 알아보니 일 년에 2천5백 달러(3백만 원)이면 한 마을에 있는 부모와 아이들 전체에게 음식과 깨끗한 물을 공급하고 의료와 교육의 기회까지 제공할 수 있다고 했다. 이에 우리는 인도 전역에 걸쳐 빈민가에서 사역하는 교회 스물한 곳을 찾아냈다. 그리고 어느 곳을 선택해서 도와야 할지 검토하기 시작했다. 그런데 문득 이런 마음이 들었다. '연락할 수 있는 교회와 마을이 스물한 군데이고 굶주린 아이들과 그 가족을 보살피는 데 한 곳 당 2만 5천 달러(3천만 원)씩 들어간다? 그러면 총 52만 5천 달러(6억 3천만 원)이 드는 셈이네. 그런데 50만 달러(6억 원) 이상이 이미 교회에 있지 않은가?'

깨달음은 곧 신나는 결정으로 이어졌다. "우리가 다 도웁시다!" 2주

뒤, 전 교인이 일어나서 서약했다. "그리스도의 영광을 위해 이 돈을 가난으로 고통 받는 형제자매들에게 전달하겠습니다."

부디 오해가 없기를 바란다. 이 모든 일들 가운데 가장 아름다운 대목은 가난한 이들의 물질적인 필요를 채워 주었다는 것이 아니다. 위기에 내몰린 아이들을 집에 데려오고, 소그룹 단위로 사치품을 팔아 기금을 모으고, 버밍엄에서 인도까지 세계 곳곳을 누비면서 항상 복음과 함께했다는 점이 가장 중요하다. 우리는 내면에 자리 잡은 원초적인 복음이 겉으로 드러나 원색적인 열매를 맺는 감각을 누렸다. 아울러 이 땅의 필요를 채워 주면서 영원한 생명을 약속하는 복음을 선포했다. 일시적으로 어려움을 달래 주고 통계치를 바꿔 놓았다는 데 의미를 두는 것이 아니었다. 핵심은 삶 전체를 드리는 급진적인 베풂을 통해 그리스도의 복음을 온몸으로 표현함으로써 주님의 영광을 드높였다는 데 있다.

내 안에 있는 부자

하나님이 우리의 사각지대를 보여 주시면서 아내와 나는 비로소 주위를 돌아보기 시작했다. 알다시피 두 해 전에 우리 부부는 모든 것을 다 잃었다. 허리케인 카트리나가 우리가 살고 있던 뉴올리언스를 휩쓸고 지나가는 바람에 집은 물에 잠겼고, 온갖 가재도구들도 두 주 동안이나 3미터 깊이의 물에 둥둥 떠다녔다. 흙탕물이 빠지자 혹시 쓸 만한 것이 있나 해서 가 보았지만 다락방이라고 짐작되는 자리

6 가난한 자들이 필요로 하는 만큼 나눠 주라

에서 건진 크리스마스 장식 몇 점만 차에 싣고 돌아왔다.

하지만 우리에겐 더할 나위 없이 좋은 기회였다. 문자 그대로 밑바닥부터 시작해서 사치품을 줄이고 필수품만으로 삶을 다시 세워 갈 수 있었기 때문이다. 그러나 시간이 흐르면서 우리가 얻은 이 기회를 급속하게 탕진하기 시작했다.

버밍엄에서 목회를 시작하게 되면서 아내와 나는 이곳으로 이사하기가 무섭게 집을 사고 온갖 가전제품들과 살림살이들을 그 안에 채워 넣기 시작했다. 유혹은 강렬했다. 맨션까지는 아니지만 우리에게는 다소 과한 집을 샀다. 그렇게 공간의 여유가 생기자 그 빈 곳을 채울 물건이 '필요'해졌다. 얼마 안 되어 뉴올리언스에서 살 때보다 곱절이나 되는 짐들이 집 안에 들어찼다. 세상의 눈으로 보자면(경우에 따라서는 그리스도인의 눈으로 봐도) 약속의 땅에 들어선 셈이었다. 하지만 한편으로는 좀 덜 가졌더라면 더 복음에 합당한 삶을 살 수 있었을 것이라는 아쉬움을 지울 수 없었다.

거기서 우리는 한 가지 교훈을 얻었다. 우리 안에 있는 물질주의와 벌이는 싸움은 말 그대로 '전쟁'이라는 것이다. 우리는 더 고급스러운 것을 소유하고, 더 많은 물건들을 사들이며, 더 편안하게 살고 싶은 유혹에 맞서 끊임없이 치열한 전투를 벌여야 했다. 이처럼 사회적으로 계속 승진하며, 커다란 저택을 얻고, 근사한 자동차를 타고, 멋진 옷을 입고, 산해진미를 먹고, 더 많은 물건을 사들이는 것을 성공으로 여기는 성공 지향적인 사회에서 복음을 좇아 살자면 강력하고도 항구적인 대책이 필수적이었다.

우리 부부는 한판 전쟁을 벌이기로 했다. 살던 집을 내놓고 더 작고 검소한 주택을 찾기 시작했다. 하나님 보시기에 더 중요한 일에 돈을 쓰는 것이 옳다는 결론을 내리고 다시 입양 절차에 들어갔다(약 1:27). 아울러 가능한 한 많이 베풀 수 있도록 예산을 짜려고 노력하고 있다. 그리고 필수품과 버려야 할 사치품을 구분하는 끝없는 과정을 되풀이하고 있다.

하지만 그것은 시작에 불과하며 앞으로도 갈 길이 멀다. 아직도 대답해야 할 질문이 산더미 같다. 어떤 차를 몰 것인가? 옷은 몇 벌 정도나 필요한가? 어느 선까지 사치를 누려도 괜찮은가? 어떤 사치품을 희생하는 것이 하나님의 뜻에 합당한 것인가? 저금을 한다면 합당한 대비(하나님이 인정해 주시는)와 부적절한 축재(주님이 정죄하시는)를 가르는 기준선은 무엇인가?(잠 6:6-8, 21:20; 눅 12:16-21; 약 5:1-6). 투자, 퇴직 연금, 생명보험의 경우에는 어떻게 판단해야 하는가? 주위의 형제자매들이 심각한 어려움을 겪고 있는 상황에서 장차 있을지 모르는 뜻밖의 사태에 대비하기 위해 재물을 모으는 것이 현명한 일인가? 그렇다면 얼마나 비축해 두는 것이 적당한가?

어느 것 하나 쉬운 질문이 없다. 내가 모든 질문에 답해 줄 수 있는 것도 아니다. 자신에게든 남에게든, 모범 답안이라는 것도 없다. 우리는 성경이 가르치지 않는 규정을 강요하는 실수를 저질러서는 안 된다. 하지만 다른 한편으로는 이런 물음을 멈추어서도 안 된다. 이 질문들을 통해서 그리스도께 더 가까이 갈 수 있기 때문이다.

개인적으로는 이것이 긴 여정임을 깨닫고 그 과정에서 그리스도께 의지하는 기쁨을 알아 가는 중이다. 주님은 오직 당신만의 방법으로 인도하셔서 내 삶에 복음의 열매를 맺게 하신다. 무슨 일이 있어도 나는 부자 청년처럼 되고 싶지 않다. 아울러 부유했던 그 젊은이처럼 살려는 유혹이 예상보다 언제나 더 강력하다는 사실을 무시할 생각도 없다.

성경의 기록에 따르면, 예수님의 말씀에 그 부자 청년은 "울상을 짓고 근심하면서 떠나갔다. 그에게는 재산이 많았기 때문이다"(막 10:22, 새번역). 주님은 부자 청년의 삶 속에 숨어 있던 사각지대를 보여 주셨지만 그는 그것을 똑바로 보려 하지 않았다. 자신의 죄가 얼마나 큰지, 재물에 대한 집착이 얼마나 깊은지, 가난한 이들의 형편이 얼마나 심각한지 직시하기를 원하지 않았다. 안타깝게도 부자 청년은 그토록 갈구하던 생명과 기쁨을 선사해 줄 수 있는 유일한 분께 등을 돌린 채 떠나고 말았다.

내 삶에 도사린 그런 요소들을 제대로 볼 수 있기를 바란다. 어떤 대가를 치르더라도 그리스도를 등지고 싶지 않다. 물질(기독교나 교회의 이름을 빙자한 것일지라도)을 좇느라 그리스도를 놓치기는 싫다. 세상 재물에 집착하는 마음을 버리고 그분만이 줄 수 있는 기쁨을 맛보기 원한다. 그리고 그 특권을 절대로 놓치고 싶지 않다. 한마디로, 세상이 주는 싸구려 모조품에 홀려 영원한 보물을 포기할 뜻은 조금도 없다. 예수님은 "네 보물 있는 그곳에는 네 마음도 있느니라"(마 6:21)라고 말씀하셨다. 돈을 쓰는 방식은 영적인 현주소를 가늠하는 바로미터다. 가난한 이들을 외면하는 태도는 우리의 마음이 어디에 가 있는지를 한눈에 보여 준다. 그러나 그보다 더 중요한 것이 있다. 바로 재물을 사용하는 방법이다. 그것은 그 영혼의 최종 목적지를 가리키는 표지판과도 같다. 마음을 하늘나라에 두고 보화를 거기에 쌓는 자세야말로 그리스도의 제자임을 알아볼 수 있는 명확한 증표다.

이제 선택해야 한다

가난과 궁핍에 처한 이들에 관한 통계 수치는 왠지 좀 냉랭하고 현실에서 동떨어진 느낌을 주기 쉽다. 오늘 밤 우리가 푹신한 베개를 베고 깊은 잠에 빠져 있는 동안에도 수십억 인구가 빈곤의 늪에 빠져 있으며 2만 6천여 명의 아이들이 굶주림과 질병으로 숨져 가고 있다는 현실을 떠올리는 것은 괴로운 일이다.

첫째 아들의 입양 절차를 밟고 있을 당시, 아내와 나의 상황이 딱 그랬다. 버려지는 아이들이 얼마나 많은지에 대한 통계를 보면서 우리는 말할 수 없는 충격을 받았다. 아프리카 지역만 해도 수백만 명의 고아가 있었다. 사하라 사막 남쪽 전역에 걸쳐 급격히 퍼지고 있는 에이즈 탓에 그 수치는 가파르게 증가하고 있다. 아시아 역시 수백만에 이르는 고아들이 있었다. 입양이 이뤄지지 않을 경우 그들은 범죄나 성 매매의 늪에 빠져 생을 마감할 가능성이 컸다. 유럽과 라틴아메리카, 그리고 미국에도 수많은 고아들이 있었다.

어마어마한 수치였지만, 아들을 얻으러 카자흐스탄에 다녀오기 전까지는 그저 숫자에 불과했음을 솔직히 인정할 수밖에 없었다. 관심을 갖지 않았다는 말은 아니다. 그랬으면 입양 절차를 밟았겠는가? 그러나 버밍엄 주택가에 살고 있는 우리에게 통계 수치는 일상생활과 상관없는 숫자에 불과했다.

그러나 카자흐스탄의 고아원을 돌아보면서 모든 것이 달라졌다. 밖에서 뛰노는 아이들을 지켜보다가 안으로 들어가 아이들이 있는 방들을 둘러보았는데 갑자기 책 속에 있던 수치들이 생생하게 살아서 우리 마음에 들어왔다. 침대에서 누워 자고 있는 아이들이 바로 우리의 아이들이라는 깨달음이 왔다. 통계 수치 속에 들어 있던 아이들 하나하나가 바로 우리의 자식들이었다. 모든 숫자들이 한꺼번에 현실적으로, 그리고 개인적으로 다가왔다.

이름을 모르면 그들의 존재감을 느끼기 어렵다. 얼굴을 보지 않으면 잊어버리고 살기 쉽다. 팔로 안아 보기 전에는 마치 그런 아이들이 존재하지 않는 것처럼 생각하기 쉽다. 그러나 이름을 익히고, 얼굴을 보고, 안아 보면 변화가 일어난다.

그러므로 주변에서, 또는 세계 곳곳에서 간신히 목숨을 이어 가는 이들의 실상을 보여 주는 충격적인 수치를 듣고 보았다면 선택을 해야 한다. 텔레비전 채널을 바꾸어 마치 지구 어디에도 그런 이들이 존재하지 않는 듯 안락하고, 안전하고, 평범하게 교회 문턱을 들락거리는 생활을 이어 나갈 것인지 아니면 눈을 열어 주변 세계의 현실을 자세히 살피며 수치가 보여 주는 실상을 직시할 것인지 선택해야 한다.

인도 델리의 슬럼에 살고 있는 수많은 아이들과 그 부모들이 생각난다. 그곳에는 세 아이, 네 아이, 다섯 아이를 둔 가정들이 가로 2.5미터, 세로 3.5미터에 불과한 쪽방에서 생활하고 있다. 땅바닥에 누워 자는 이들이 하도 많아서 동네 어귀까지 걸어 나오는 동안 혹시라도 얼굴을 밟을까 봐 조심에 조심을 거듭해야 하는 곳이기도 하다. 식수는 제한적이고 음식은 희박하다. 그런 빈민가가 몇 킬로미터씩 늘어서 있다.

이것이 하루에 1달러, 2달러로 온 식구가 살아간다는 것이 무엇을 의미하는지 생각할 때마다 떠오르는 그림이다. 하루에 2만 6천 명이나 되는 아이들이 굶주림과 예방 가능한 질병으로 죽어 간다는 사실을 되새길 때마다 기억되는 얼굴이기도 하다.

그들의 얼굴을 보면서 우리는 너나없이 선택을 해야 한다. 굶주리는 이들 쪽에 설 수도 있고 과식을 되풀이하는 이들 편에 설 수도 있다. 가난한 나사로와 더불어 하늘나라로 갈 수도 있고 부자와 함께 지옥으로 내려갈 수도 있다. 가진 것을 나눠 주고 주님을 끌어안을 수도 있고 예수님을 외면한 채 재물을 쌓을 수도 있다. 세월이 지나면 오늘날 넉넉한 나라의 그리스도인들이 이 사각지대와 관련해서 내린 선택이 어떤 결과를 몰고 왔는지 여실히 알게 될 것이다.

Chapter **07**

다른 길은 없다!
당신이 나서라

가는 게 어째서 선택이 아니라 필수인가?

이른바 선진국의 그리스도인들은 "인간은 모두 평등하게 지음 받았다"는 개념을 대단히 중요하게 생각한다. 미국 독립선언서에 등장하는 이 구절은 모든 인간이 하나님의 형상에 따라 지음 받았으며 저마다 고유한 가치를 지닌다는 성경의 가르침에 기반을 둔 것이다. 훌륭한 사상이다.

그러나 어쩌다 보니 이 인간 평등이 기묘하게도 사상 평등으로 변질되고 말았다. 모든 인간이 동등한 가치를 가지는 것처럼 모든 사상 역시 동일한 가치를 갖는다는 식이다. 그것을 신앙에 적용하면 세상에는 서로 다른 신앙관을 가진 다양한 인간이 존재하므로 각자가 가지고 있는 믿음은 인정해 주어야 한다는 뜻이 된다.

이런 사고방식대로라면, 신앙은 구원의 문제가 아니라 개인적인 취향의 문제가 된다. 그러므로 누군가의 믿음은 진리고 다른 이의 신앙은 거짓이라는 주장이야말로 용서 받지 못할 죄가 된다. 따라서 각자가 믿고 싶은 것을 조용히 믿으면서 다른 이의 신앙은 건드리지 않는 것이 상책이다.

현대 기독교 신앙 역시 이런 사조에 물들어 있다. 이것은 크게 두 가지 형태로 나타나는데 먼저는 스스로 그리스도인이라고 고백하는 이들 가운데 만연하다. 그들은 신앙이 그저 기호나 선택의 문제이며 결국 모든 종교가 본질적으로 동일하다는 보편론적인 사고를 거부감 없이 받아들인다. 꼭 그리스도를 믿어야 하나님을 알고 하늘나라에 갈 수 있는 것은 아니라고 생각하는 것이다. 그러므로 굳이 누군가를 붙잡고 기독교의 진리를 받아들이라고 요구할 필요가 없다고 생각한다.

또 하나의 형태는 지성적으로는 보편주의를 배격하지만 실제로는 그런 삶을 살아가는 그리스도인에게서 나타난다. 그들은 그리스도를 통해서만 구원을 받을 수 있다고 말하면서도 주변에 있는 이들이 예수님을 만나든 말든 상관없다는 듯 홀로 자신의 신앙을 지켜 갈 뿐이다.

허다한 그리스도인들이 지성적으로나 실질적으로 이런 보편주의적인 경향을 보인다. 이제 마음을 열고 이 장을 꼼꼼히 읽으면서 하나님 말씀이 이 문제에 대해 어떻게 말하는지 살펴보도록 하자. 이웃들에게 그리스도를 전하려고 서두를 필요가 없다고 생각하며 사는 쪽에 가깝다면 성경의 가르침에 담긴 구체적이고 영원한 의미를 묵상하며 이 부분을 읽어 나갔으면 좋겠다.

먼저 우리는 무엇이 위기인지 잊지 말도록 하자.

앞에서 이야기한 것처럼 오늘날 세계 인구 가운데 45억은 그리스도인이 아니다. 더더욱 심각한 것은 이들 가운데 10억은 아예 복음을 들어 본 적조차 없다는 것이다. 이들이 죽게 되면 그 다음에는 어떤 일이 생기게 될까? 개인적으로는 이것이야말로 오늘날 그리스도를 좇는 이들이 답해야 할 가장 시급한 질문이라고 확신한다. 만약 신앙이 선호의 문제라면, 그리고 만약 자신이 나고 자란 곳의 신앙으로도 하늘나라에 갈 수 있다면 우리가 굳이 그들에게 갈 필요가 없다. 하지만 그리스도가 유일한 진리라면, 그래서 그들이 하늘나라에 가지 못한다면 우리는 한시바삐 복음을 들고 그들에게 달려가야 한다. 예수님의 존재조차 모른 채 지옥을 향해 가고 있는 상황이라면 현대 문화의 성공 신화에 사로잡혀 낭비할 시간이 없다. 그렇다면 이제 예수님에 대해 들어 본 적조차 없는 이들에 대해 성경이 무엇이라고 말하는지 살펴보도록 하자.

함께 로마서를 여행하면서 일곱 가지 진리를 찾아보았으면 한다 (R. C. 스프라울의 책 참조). 예수님에 관해 듣지 못한 이들에 관해 성경이 가르치는 바를 깊이 이해하게 될 것이다.[1] 이것들을 살피면서 그리스도와 그분의 거룩한 목적을 위해 철저하게 자신을 내려놓는 일이 얼마나 시급한지 생각하는 시간이 되었으면 좋겠다.

모든 인간은 하나님에 대한 지식이 있다

바울은 로마인들에게 자신을 소개하기가 무섭게 모든 사람들이 하나님 아버지에 대한 지식을 가지고 있다는 사실을 변증하기 시작한다. 그는 로마서 1장 18절을 시작으로, 하나님이 모든 이들에게 자신을 나타내셨다고 하면서 "이는 하나님을 알 만한 것이 그들 속에" 보이기 때문이라고 말했다. 그리고 이어서 "창세로부터 그의 보이지 아니하는 것들 곧 그의 영원하신 능력과 신성이 그가 만드신 만물에 분명히 보여 알려졌나니 그러므로 그들이 핑계하지 못할지니라"(롬 1:19-20)고 단언했다.

한마디로 하나님은 모든 사람들에게 자신을 지속적으로, 그리고 명확하게 드러내셨고 또한 드러내고 계신다. 바울은 "하나님을 알되"(롬 1:21)라고 하면서 모든 사람들이 그분을 알고 있다는 것을 전제로 한다. 지구상에 존재하는, 그리고 역사상 존재했던 모든 인간들은 예외 없이 아버지 하나님을 아는 지식이 있었다. 아프리카 정글의 원주민이든, 아시아 촌락에 사는 여성이든, 외딴 초원을 돌아다니는 유목민이든, 인적 드문 툰드라의 에스키모든, 어디서 어떻게 살고 있든 하나님은 그들에게 당신의 거룩한 실존을 보여 주셨다.

그렇다고 모두가 하나님을 믿는다고 고백하지는 않는다. 따라서 그 계시는 두 번째 확신으로 이어진다.

인간은 누구나 하나님을 거부한다

바울은 사람들이 "하나님을 알되 하나님을 영화롭게도 아니하며 감사하지도 아니하고"(롬 1:21)라고 말한다. 여러분과 나, 그리고 아프리카 정글에 사는 부족민들을 포함해서 모든 인간들은 하나님을 아는 지식을 거부했다. 성경은 이에 대해 "그 생각이 허망하여지며 미련한 마음이 어두워졌"기 때문이라고 지적한다. 인간은 자자손손 이어지는 죄의 본성으로 말미암아 하나님에 대한 지식과 그분의 영광에 저항하게 되었다(롬 1:21-25).

이것은 복음의 기본적인 진리에 해당하지만 예수님에 대해 들어 본 적이 없는 이들에게 일어나는 일을 이야기할 때 간과되기 쉬운 내용이기도 하다. 인간이 죄에 깊이 물들어 있는 까닭에 정신을 괴롭히는 왜곡과 마음을 병들게 하는 우상숭배를 그냥 지나쳐 버리고 마는 것이다.

언젠가 여러 학생들과 둘러앉아 이 문제를 두고 토론을 벌였던 기억이 난다. 어느 여학생이 물었다. "예를 들어 본래부터 이 땅에 살았던 아메리카 인디언들을 생각해 봅시다. 그들은 예수님에 대해 들어 보지도, 성경을 가져 보지도 못했습니다. 하지만 그들에게도 예배하고자 하는 본능적인 열망이 있었습니다. 그래서 그들이 알고 있는 무언가를 섬기기 시작했습니다. 태양신이니 정령이니 하는 것들이었겠죠. 나름대로 가진 지식을 총동원해서 최선을 다한 겁니다. 그만하면 충분하지 않을까요?"

정말 훌륭한 질문이었다. 거기에 대답하려면 잊을 수도, 내버릴 수도, 무시할 수도 없는 진리로 돌아가야 한다. 원시 부족을 포함해서 모든 인간들은 하나님을 아는 지식을 거부했다. 그리고 바울의 표현대로 "피조물을 조물주보다 더 경배하고"(롬 1:25) 섬겼다.

그렇다면 태양신을 예배하는 것으로 충분히 의로워졌을까? 바울이 로마서 1장에서 전하는 바에 따르면, 그 대답은 "아니오"이다. 손으로 만든 물건이나 상상의 산물을 예배했다고 해서 하나님 앞에 인정받는 것이 아니다. 태양신, 달의 여신, 번영을 가져다준다는 여러 신들도 적합한 경배의 대상이 될 수는 없다. 예배 받기에 합당하신 분은 오직 하나님뿐이다. 그러므로 주님이 아닌 이런 '잡신들'을 섬겼다고 해서 최선을 다했다고 볼 수는 없다. 그것은 어불성설이다.

특정한 부족이나 문화를 공격하려고 하는 이야기가 아니다. 이것은 인간 전체를 향한 지적이다. 인간은 너나 할 것 없이 우상숭배자들이다. 미국에 있든, 아프리카에 있든, 아시아에 있든 사람들은 하나님을 진정으로 섬기지 않았다. 참되신 하나님을 거부하는 마음을 가지고 있었기 때문이다. 그래서 다음 진리를 심각하게 받아들여야 한다.

인간은 누구나 하나님 앞에서 죄인이다

로마서 첫 장부터 3장까지는 성경 전체를 통틀어 가장 암담한 내용을 담고 있다. 바울은 '더러움', '부끄러운', '불의', '추악, 탐욕, 악의', '무자비' 따위의 단어들을 동원해 가며 인류의 타락상을 강력하게 고발한다(롬 1:24, 26, 29-32).

로마서 1장 18절부터 2장 16절까지, 바울은 하나님을 거역해서 죄를 지은 이방인들에 관해 설명하고 있다. 어쩌면 이 서신을 읽는 유대인 독자들은 고개를 끄덕끄덕했을지 모르겠다. 자신들 주위에 있었던 이교도들을 떠올리면서 한 마디 한 마디에 전적으로 공감했을 것이다. 그러나 바울은 로마서 2장 17절부터 그 칼끝을 유대인들에게 겨누고 있다. 그들의 죄악을 신랄하게 지적한 것이다. 유대인들이 저지른 죄에 대한 묘사는 로마서 3장 내내 계속되다가 이렇게 마무리된다.

> 의인은 없나니 하나도 없으며 깨닫는 자도 없고 하나님을 찾는 자도 없고 다 치우쳐 함께 무익하게 되고 선을 행하는 자는 없나니 하나도 없도다(롬 3:10-12).

재판은 끝났다. 이것이 최종 판결문이다. 신앙, 문화, 인종적인 배경과 상관없이 인류 전체가 하나님 앞에서 죄인으로 판명 났다. 바울의 말을 빌자면, "모든 입을 막고, 온 세상을 하나님 앞에서 유죄로 드러내는"(롬 3:19) 최종 선고다.

"아프리카 밀림 한복판에 살면서 복음을 들어 보지도 못한 채 죽은 죄 없는 영혼들은 어떻게 하는가?"라고 묻고 싶을지 모르겠다. 말씀의 권위에 힘입어 분명하게 이야기하건데, "두말할 것도 없이 하늘나라에 가리라고 본다. 나로서는 여기에 대해 한 점 의심이 없다."

자, 이단이라는 딱지를 붙이기 전에(다른 한편에서는 영웅이라고 하겠지만), 마지막 구절을 잘 읽어 보라. 특히 질문에 담긴 가정에 주목하라. "복음을 들어 보지도 못한 채 죽은 '죄 없는' 영혼들은 어떻게 하는가?"(대개는 이렇게 묻는다)

'죄 없는' 아프리카인은 하늘나라에 간다. 정말 죄가 없다면 죄에서 구해 줄 구세주도 필요 없다. 복음을 듣지 않아도 괜찮은 것이다. 그러나 중대한 문제가 있다. '죄 없는' 인간은 존재하지 않는다는 것이다. 아프리카를 비롯해서 그 어디에도 의인은 없다.

예수님에 관해 들어 보지 못한 이들은 어떻게 되느냐에 쏠리는 관심을 볼 때마다 깜짝깜짝 놀라곤 한다. 아프리카 남자든, 아시아 여자든, 미국인이든 예수님의 대속이 필요 없을 만큼 깨끗한 인간은 없다. 모든 인간은 거룩하신 하나님 앞에서 죄인이며, 그것이 우리에게 복음이 필요한 이유이다.

하늘나라를 마치 빚을 갚지 않은 이들의 최종 도피처인 것처럼 여길 때가 많다. 인간이라는 존재는 정말 끔찍한 잘못을 저지르지 않는 한 자동으로 천국에 들어갈 권리가 있다고 착각하는 것이다. 그러나 로마서에서 보는 것처럼, 그런 신학은 진리가 아니다. 모든 인간은 하나님 앞에서 죄인이며 채무를 탕감 받지 않는 한 지옥에 갈 수밖에 없는 존재다. 여기에 네 번째 진리가 있다.

모든 인간은 하나님을 거부한 까닭에 정죄를 받았다

바울은 죄로 물든 인간에 관한 가르침을 이런 설명으로 매듭지었다. "그러므로 율법의 행위로 그의 앞에 의롭다 하심을 얻을 육체가 없나니 율법으로는 죄를 깨달음이니라"(롬 3:20). 그래서 로마서 3장이 우울하다고 하지 않았는가!

모든 사람은 하나님 앞에서 죄인이며 그 상황을 변화시킬 능력도 없다. 선해지려고 노력할수록 악한 본질만 드러날 뿐이며 심지어 하나님께 순종하려는 노력마저도 그럴 힘이 없음을 드러낼 따름이다. 여러분이나 나 마찬가지다. 우리는 죄다 하나님 앞에서 유죄 판결을 받은 상태다.

여기에 비추어 보면 "예수님을 전혀 모르는 이들은 어떻게 되는가?"라는 질문을 다룰 때 흔히 범하는 오류를 금방 집어낼 수 있다. 스스로를 그리스도인이라고 고백하는 이들 가운데도 복음을 들을 기회가 전혀 없었던 이들이 죽은 후 자동적으로 하나님의 사면을 받게 된다고 주장하는 경우가 적지 않다. 주님에 관한 소식을 접하지 못했으니 당연히 하늘나라에 들어가야 하지 않겠느냐는 것이다.

이런 사조는 이 질문의 이면에 감춰진 지극히 정서적인 속성을 반영하고 있다. 복음에 노출되지 않은 이들에게 별문제가 없기를 바라는 마음이다. 그렇다면 이러한 결론의 논리 구조를 함께 살펴보자. 이 주장을 다시 한 번 정리하자면, 그리스도에 관해 들어 볼 기회가 없었다는 바로 그 이유 때문에 영원히 하나님과 더불어 천국에 있게 된다는 말이다. 주님을 전혀 모르는 것이 하늘나라에 들어가는 입장

권인 셈이다.

성경적인 근거가 전혀 없다는 점은 둘째 치고라도, 우리는 이런 사고방식이 시사하는 바를 꼼꼼히 짚어 보아야 한다. 예수의 이름을 듣지 못했다는 이유로 천국이 보장된다면 가서 그리스도를 전해 주는 것이야말로 상대방의 영원한 안녕을 해치는 더할 나위 없이 흉악한 짓이 되어 버린다. 지옥에 갈 가능성만 잔뜩 높인 셈이니 하는 말이다. 누군가 복음을 전하지 않았더라면 얼마든지 하늘나라에 갈 수 있었는데 예수님에 대해 이야기하는 바람에 지옥에 가게 됐다는 것이다. 그렇게 하고도 과연 고맙다는 인사를 받을 수 있을까?

여기에 외국에서 유학 온 여학생이 있다고 하자. 혹시 예수님에 대해 들어 봤냐고 묻자 그녀가 몹시 어리둥절한 얼굴로 쳐다보며 되묻는다. "먹는 건가요?"

자, 이 여학생은 아직 복음을 들어 본 적이 없다는 이유로 천국 문턱까지 와 있다. 이편에서 아가씨의 영원한 삶을 위해 해 줄 수 있는 가장 훌륭한 조언은 "누가 예수의 '예'자라도 꺼내면 손가락으로 귀를 틀어막고 미친 듯이 고함을 지르며 달아나 버리세요!"가 될 것이다. 성경에 그렇게 하라고 적혀 있지는 않지만 앞서 이야기한 논리를 따라가자면 마침내 그런 결론에 이를 수밖에 없다.

그래도 미심쩍어하며 묻는 이들이 있을지 모르겠다. "그러니까, 하나님은 예수가 누군지도 모르는 이들이 그분을 믿지 않았다고 죄인 취급하신다는 말씀인가요?" 좋은 질문이지만 내 대답은 "아니오"이다. 하나님은 들어 보지도 못한 구세주를 믿지 않는다고 유죄 판결을 내리는 분이 아니다. 하지만 기억해야 할 것은 인간이 죄인 선고를 받는 것은 궁극적으로 예수를 믿지 않았기 때문이 아니라 하나님을 거부하는 까닭에 저주를 받는 것이다.

여기에 핵심이 있다. 예수님의 이름을 들어 보지 못한 수십억 인구는 그렇지 않은 이들과 전혀 다른 종류의 책임을 지게 된다. 복음을 듣고 그리스도를 영접하거나 거부할 기회가 있었던 이들은 어떤 선택을 하느냐에 따라 책임을 져야 한다. 그러나 구세주 예수에 대한 지식이 있고 없고를 떠나서 앞에서 살펴본 두 번째 진리 때문에, 즉 인간은 누구나 원초적으로 하나님을 거부하는 탓에 정죄를 받는 것이다.[2]

> 지옥에 들어갈 운명에 처한 이들이 십억 명이 넘는데 어떻게 세상의 성공 신화를 좇으며 시간을 낭비하겠는가?

바울은 로마서 3장 20절을 기록하면서 눈물을 뚝뚝 흘렸을 것 같다. 그는 죄에 속속들이 감염된 인류의 참혹한 초상을 예리하게 그려 냈다. 곧 하나님을 인식하지만 그분을 거부한 탓에 사형선고를 받는 인간의 모습이다. 그러나 바울은 곧 다음 대목을 써 내려갔다.

하나님은 죄인들을 위해 구원의 길을 여셨다

"이제는 율법 외에 하나님의 한 의가 나타났으니 … 곧 예수 그리스도를 믿음으로 말미암아 모든 믿는 자에게 미치는 하나님의 의니"(롬 3:21-22). 마침내 좋은 소식이 도착했다! 십자가에서 돌아가시고 부활하신 그리스도를 통해 하나님 앞에서 의롭다고 인정받고 영원한 생명을 얻게 된 것이다. 하나님은 이렇게 죄인들을 위해 구원의 길을 여셨다.

물론 세상은(심지어 일부 교회들까지도) 이 진리를 당연한 것으로 받아들이지 않는다. 다원주의가 신앙 세계 전반에 걸쳐 맹위를 떨치고 있기에 신이 있다면 여러 경로를 통해서 구원을 베풀 것이라는 사상이 더욱 만연해 있다.

주립 대학에 다니던 시절, 강의실 앞에 나가 수많은 학생들과 마주 서야 했던 기억이 난다. 학생들이 돌아가면서 짧은 연설을 하는 순서가 있었는데, 그날은 내 차례였다. 무신론자와 불가지론자가 대부분인 친구들 앞에서 나는 복음의 핵심 진리를 소개했다.

연설이 끝나자 교수님은 자유롭게 묻고 답할 기회를 주었다. 우등생이며 학생회 간부인 로렌(Lauren)이 먼저 나섰다. 대학 전체를 통틀어 대단히 명석하다는 평가를 받는 학생답게 그녀는 적나라하게 내게 물었다. "그러니까 당신이 말하는 예수를 믿지 않으면 죽어서 지옥에 갈 수밖에 없다는 뜻입니까?"

그렇게 많은 이들 앞에서 그런 식의 질문을 받은 것은 난생처음이었다. 다들 내 입에서 무슨 말이 떨어질지 숨죽이고 지켜보았다. 식은땀이 흘렀다. 목구멍까지 올라온 말을 집어삼키고 가능한 한 따뜻하게 이야기했다.

"인간은 누구나 죄로 인해서 하나님과 분리되어 있습니다. 우리가 어떤 행동을 해도 주님을 거역한 죄를 덮을 수는 없습니다. 그래서 예수님이 우리를 건져 주시기 위해 십자가에 달려 돌아가셨습니다. 따라서 맞습니다. 그리스도를 믿지 않고는 천국에 갈 수 없습니다."

교실 안에 한숨과 탄식이 번져 나갔다. 단상에 서 있는 속 좁은 그리스도인을 다들 곱지 않은 시선으로 바라보았다. 수업이 끝나기가 무섭게 로렌이 득달같이 달려와 쏘아붙였다. "평생 들은 말 중에서 가장 우스꽝스러운 이야기였어. 네가 도대체 뭐기에 믿음이 하나님께로 가는 유일한 길이고 다른 길로 가면 영원한 저주를 받는다고 함부로 말하는 것이니?" 그리곤 쌩 돌아서서 가 버렸다.

그래도 그날은 괜찮은 편이었다. 그 뒤로 로렌과 나는 수없이 입씨름을 벌였다. 그녀는 책에나 나올 법한 질문을 쉴 새 없이 퍼부었다. "하나님이 계시다는 것을 어떻게 알 수 있지? 예수와 다른 종교 지도자들이 뭐가 다르지? 예수에 대해 들어 보지도 못하고 죽은 이들은 어떻게 되는 건데?" 매번 최선을 다해 대답해 주었지만 마치 벽에 대고 떠드는 것 같은 기분일 때가 많았다.

어느 날, 비슷한 대화를 마치고 캠퍼스를 걸으면서 생각했다. '나는 정말 믿고 있는 것일까? 오만하거나 편협한 인간이 되기는 싫은데 … 참으로 믿고 있는 것일까? 그것이 사실일까? 진짜 예수님이 하나님께로 가는 유일한 길인가?'

예전에는 단 한 번도 의심해 본 적이 없는 문제를 가지고 나는 몇 달씩이나 계속 씨름을 벌였다. 세속적인 캠퍼스에서 생활하며 내 마음은 낮아질 대로 낮아진 채 학기를 마쳤다. 여름방학이 지나고 초가을이 되어 나는 다시 학교로 돌아왔다. 첫날 수업을 들으러 강의실에 들어섰는데 맨 앞줄에 앉은 로렌과 눈이 딱 마주쳤다.

"오늘 너한테 꼭 해야 할 이야기가 있어." 그녀는 교실을 가로질러 내게로 와서 말했다.

"오케이." 속으로는 전의를 다졌다. '다시 한 번 해보자는 거지?'

수업이 끝나고 마침내 단둘이 마주 앉았다. 로렌은 여름방학 동안에 자신이 하나님 앞에서 죄인이라는 사실을 깨달았다고 고백했다. 오직 그리스도를 통해서만 그 죄를 극복할 수 있다는 것도 알았다고 했다. "예수님이 날 구원해 주셨어. 이젠 당장 죽는다고 해도 천국에 갈 수 있다는 확신이 생겨."

하나님은 죄인들을 위해 구원의 길을 열어 놓으셨다. 그리고 그 길은 여러 길 가운데 하나가 아니라 외길이다. 이것이 기쁜 소식, 곧 복음이다.

그러나 의문은 아직 남아 있다. 로렌이 들었던 소식을 듣지 못한 이들은 어떻게 되는가? 그래서 다음의 진리가 필요하다.

그리스도를 믿는 믿음이 없으면 아무도 하나님께 나올 수 없다

성경을 통틀어 가장 놀랍고도 숨 막히는 본문(롬 3:21-26)을 적은 뒤에, 바울은 하나님의 구원이 어떻게 인간의 삶 가운데 구현되는지 설명하기 시작한다.

유대인 독자들은 하나님을 알고 또 기쁘시게 하기 위해 율법을 지키는 데 열심이었다. 하지만 바울은 로마서 3장 27-31절에서 그리스도를 믿는 믿음이 하나님 앞에서 의로워지는 유일한 통로임을 역설했다. 그리고 그 신학을 로마서 4장과 5장에서 더 심화시켜 설명한 뒤에 이렇게 결론지었다. "그러므로 우리가 믿음으로 의롭다 하심을 받았으니 우리 주 예수 그리스도로 말미암아 하나님과 화평을 누리자"(롬 5:1). 그의 말대로 그리스도를 믿는 것만이 구원의 길이다.

그렇다면 구약 시대에 살았던 이들은 어떻게 구원을 받을 수 있었을까? 바울은 로마서 4-11장에서 아브라함을 비롯한 구약의 인물들은 오실 그리스도를 믿는 믿음으로 구원을 받았다고 말한다. 그들은 속속들이 알지는 못했지만, 대속하시는 하나님의 역사가 그리스도를 통해 성취될 것을 깊이 신뢰했다. 어떤 이들은 그것을 근거로 그리스도에 대해 전혀 듣지 못했다 할지라도 신을 향한 보편적인 신앙에 기대어 구원을 받을 수 있다고 주장한다. 그러나 그리스도가 오신 이후로는 성경 어디에도 그런 논리를 뒷받침할 만한 사례가 등장하지 않는다. 신약성경의 요지는 그리스도가 진정 세상에 오셨으며 그분의 성품과 세상을 구원하기 위해 십자가에서 이루신 역사를 믿어야 한다는 것이다(롬 10:9-10).

그리스도를 신뢰하는 믿음이 없이는 하나님께 나올 수 없다는 것이 명백해진 것이다. 복음을 들어 본 적이 없는 이들에게는 고무적인 소식이 아닐 것이다. 그래서 이쯤 해서 대충 정리하고 싶어 하는 이들이 많다. "구체적으로 그것이 무엇인지는 모르겠지만, 하나님은 분명 복음을 듣지 못한 수십억 인구를 살리실 방도를 따로 마련해

205

7 다른 길은 없다! 당신이 나서라

두셨을 거야." 이런 식으로 감정에 치우쳐 복음을 들을 기회가 없었던 이들이 구원 받을 길이 있기를 간절히 바라는 것이다. 사랑의 하나님이시라면 수없이 많은 이들이 예수님을 접해 보지도 못한 채 지옥에 가는 것을 보고만 계실 리 없다고 믿는 것이다.

다시 한 번 말하지만, 그런 결론이 미치는 파장을 깊이 생각해야 한다. 그리스도를 믿지 않고도 하늘나라에 갈 수 있다고 주장한다면 인간이 제힘으로 천국에 이르는 별도의 통로가 있다는 이야기가 된다. 그런 판단은 로마서를 통해 살펴본 이전의 진리들을 평가절하할 뿐만 아니라, 예수님께 "십자가에서 애 많이 쓰셨습니다만, 저희는 다른 길로 하나님께 가겠습니다"라고 말씀 드리는 꼴이다.

로마서는 이 점을 대단히 명쾌하게 정리하고 있다. 구원을 받으려면 그리스도를 믿는 길밖에 없다(롬 10:9-10).

처음 네 가지 진리를 거쳐서 다섯 번째에 들어서면서부터 기쁜 소식을 다루었다. 하지만 여섯 번째에 이르러 다시 암담한 기분이 들 수도 있다. 그럼에도 그리스도를 떠나서는 아버지께 나올 수가 없다. 그렇다면 아직까지 예수님이 어떤 분인지 전혀 모르고 있는 수많은 사람들은 어떻게 할 것인가? 이 의문을 해소하려면 로마서의 마지막 메시지를 들어야 한다.

주님은 모든 민족에게 복음을 전하라고 명령하셨다

중간을 건너뛰고 곧장 로마서 10장으로 가 보자. 바울은 구약성경

요엘서의 한 대목을 인용해서 그 뜻을 새기고 있다.

> 누구든지 주의 이름을 부르는 자는 구원을 받으리라 그런즉 그들
> 이 믿지 아니하는 이를 어찌 부르리요 듣지도 못한 이를 어찌 믿으
> 리요 전파하는 자가 없이 어찌 들으리요 보내심을 받지 아니하였으
> 면 어찌 전파하리요(롬 10:13-15).

본문의 의도는 바울의 화려한 언변이 아니라 하나님의 구속 계획
을 한눈에 보여 주는 데 있다. 짧막한 이 세 구절에는 예수라는 이
름을 들어 본 적도 없는 수십억 인구를 비롯해서 세상 모든 민족을
향해 복음을 들고 나가게 하시려는 하나님의 구상이 정확하게 담겨
있다.

좀 더 정확하게 전후 관계를 파악하기 위해서 본문을 역순으로 살
펴보자. 마지막 절을 보면, 하나님의 계획에는 일꾼들을 보내는 과
정이 포함되어 있다. 이것이 첫 단계다.

한 절 더 뒤로 돌아가면 일꾼들이 하는 일이 나온다. 바로 '전파하
는 것'이다. 일꾼들은 복음을 전파하도록 파송을 받았다. 제자 삼는
문제를 이야기할 때 이미 살펴본 것처럼, 하나님의 일꾼은 누구나
가서 복음을 선포해야 한다. 이것이 하나님의 계획이다. 주님은 일
꾼들을 보내서 외치게 하신다.

다시 한 절을 거슬러 올라가면 일꾼들이 말씀을 전파할 때 사람들
이 듣는다는 말씀이 나온다. 벽을 보고 외치지 않는 한, 누구든 듣게

마련이다. 결국 하나님의 계획은 일꾼을 보내시고, 그들이 복음을 전하고, 사람들이 듣는 구조로 되어 있다.

바로 앞 문장에 따르면 메시지를 듣는 사람은 믿게 되어 있다. 듣기만 하면 누구나 믿는다는 뜻이 아니다. 그것은 성경적으로든 현실적으로든 사실이 아니다. 본문은 전하고 듣는 과정에서 청중 가운데 일부가 믿게 된다고 가르친다. 그리스도인이라면 언젠가 모든 나라와 민족들이 그리스도의 보좌를 에워싸리라는 것을 알 것이다. 누군가 선포하는 복음을 모두가 듣고, 그 가운데 일부는 그리스도를 믿어 구원에 이르게 된다는 의미다. 그런 사실을 생각하면 커다란 확신이 생긴다. 세상에서 가장 멀리 떨어진 나라, 복음에 가장 적대적인 민족에게 가서 복음을 전한다 할지라도 누군가는 예수를 믿게 마련이라지 않는가! 하나님은 일꾼을 보내시고, 일꾼은 복음을 전하고, 사람들은 그 메시지를 듣고, 들은 이들은 믿게 된다.

하나님의 계획 가운데 마지막 두 단계는 대단히 명료하다. 복음을 들은 이들은 믿게 되고, 주님의 이름을 부르며, 그분의 이름을 부르면 구원을 받는다. 이렇게 해서 복음을 듣고 세상 모든 민족을 향해 나가게 하시려고 하나님이 세우신 계획의 전모가 분명해졌다.

> 하나님이 일꾼들을 보내신다. ⇨ 일꾼들이 복음을 선포한다. ⇨ 사람들이 듣는다. ⇨ 들은 사람들이 믿는다. ⇨ 믿은 이들이 주의 이름을 부른다. ⇨ 주를 부르는 사람들은 누구나 구원을 받는다.

진행 과정을 돌아보며 스스로에게 질문해 보라. 흐름이 끊어질 만한 곳은 없는지 하나하나 점검해 보자. 주님의 이름을 부르는 이들은 틀림없이 구원을 받을 것이다. 거기에는 착오가 있을 수 없다. 믿은 이들은 당연히 주님의 이름을 부를 것이다. 들은 이들 가운데 상당수(전부가 아니라 그 가운데 여럿)는 믿을 것이다. 일꾼들이 선포를 하면 사람들은 들을 것이다. 그리고 하나님은 지금도 여전히 일꾼들을 보내고 계신다. 그것은 무엇보다도 명확한 사실이다.

결국 문제가 생길 수 있는 여지는 하나님의 일꾼들이 모든 민족에게 복음을 외치지 않는 경우 하나뿐이라는 이야기다.

그리스도인이라면 누구나 하나님의 계획 속에 들어 있으며 차선책은 없다. 물론, 하나님은 구름에 복음을 새겨서 뭇 민족들이 보고 한꺼번에 예수님을 믿게 만들 만한 능력을 가지신 분이다. 하지만 주님은 그런 방식을 택하지 않으시고 대신에 거룩한 자녀들을 대사로 삼으셔서 복음을 듣고 예수님의 이름을 들어 본 적이 없는 이들에게 보내시는 방법을 쓰기로 결정하셨다.

요즘 들어 그리스도를 전혀 모르던 이들이 꿈이나 환상을 통해 주님을 만났다는 이야기가 세계 곳곳에서 들려온다. 그러다 보니 하나님이 예수님의 이름을 들어 보지 못한 이들에게 복음을 전하기 위해 별도의 방식을 사용하실지 모른다는 소망을 품는 그리스도인들이 부쩍 늘었다. 하지만 기억해 두어야 할 것이 있다. 사도행전에는 복음이 일꾼을 통하지 않고 잃은 양에게 전해진 사례가 단 한 번도 없다는 점이다. 고넬료도 환상을 보지 않았느냐고 묻고 싶을지 모르겠지만 그 경우에도 하나님은 베드로를 보내서 고넬료가 환상을 이해하고 복음을 받아들이게 하셨다(행 10장). 주님은 교회를(그리고 오직 교회만을) 땅 끝까지 복음을 전하는 도구로 사용하기로 결정하셨음에 틀림없다.

낭비할 시간이 없다

예수님에 관해 들어 본 적이 없는 이들은 어떻게 되느냐는 질문에 대한 대답이 여기에 있다. 인간은 누구나 하나님을 인식한다. 하지만 그 하나님을 거부했다. 따라서 누구든 예외 없이 하나님 앞에서는 모두 죄인이다. 그리고 하나님을 거부한 탓에 모든 인간은 사형선고를 받았다. 그러나 하나님은 죄인들이 구원 받을 길을 열어 놓으셨다. 그리고 그리스도에 대한 믿음으로 하나님께 나갈 수 있게 되었다. 결국 그리스도는 교회를 통해 모든 민족이 이 복음의 소식을 듣게 하셨다.

이것이 사실이라면 인생에 담긴 의미가 상당히 커진다. 그리스도 없이, 심지어 그 이름조차 모르고 살다가 영원한 지옥에 들어갈 운명에 처한 이들이 십억 명이 넘는데 어떻게 세상의 성공 신화를 좇으며 시간을 낭비하겠는가? 복음을 들고 가라는 명령을 받았다면 그래서는 안 된다. 요즘 그리스도인들은 이 문제를 놓고 회의를 하면서도 해답을 찾는 것이 아니라 뜻을 합쳐 심리적인 부담을 더는 데 목표를 두는 것 같다.

5천 개 이상의 종족 집단, 대략 10억 5천만에 이르는 인구가 현재 '미전도 종족'(unreached)과 '미접촉 종족'(unengaged)으로 분류되어 있다. 미전도 종족이란 부족 안에 복음을 확산시키는 데 필요한 인력과 자원을 충분히 보유한 복음적인 그리스도인 공동체가 자생적으로 형성되지 못한 집단을 말한다. 반면 미접촉 종족은 복음을 전하기 위해 활발하게 움직이는 교회나 조직이 전혀 없는 종족 집단을 가리킨다. 정리하자면, 미전도 종족과 미접촉 종족에 속하는 10억

> 복음을 들어보지 못한 알제리의 베두인 족에게 우리 삶을 걸어 볼 가치가 있지 않은가? 목숨을 바칠 만한 일이지 않은가?

5천만 이상의 인구가 태어나서 살다가 죽을 때까지 복음을 전혀 들어 보지 못한다는 뜻이다. 더욱 안타까운 것은 현재로서는 그런 상황을 변화시키기 위해 움직이는 이가 아무도 없다는 점이다. 정말 아무도 없다.

최근에 가까운 친구 하나가 동남아시아의 미전도 및 미접촉 종족들과 함께 지내다가 돌아왔다. 외딴 마을의 주민들과 이야기를 나누면서 친구는 그 부족의 핵심 신앙을 파악하려고 시도했다.

"사람은 어떻게 만들어졌을까요?" 그가 물었다.

"우린 몰라요." 부족 사람들이 대답했다.

"비를 내려서 낟알이 열리게 해주는 분은 누구일까요?"

"그것도 모르겠어요."

"죽고 나면 어떻게 될까요?"

주민들은 친구를 돌아보며 말했다. "여태까지 그런 것을 물어 본

사람은 아무도 없었어요."

친구는 또 다른 외딴 마을에 들어갔다. 역시 복음을 들어 본 적이 없는 동네였다. 주민들은 따뜻하게 환영하면서 들어와서 음료수라도 한 잔 하라고 권했다. 그리고는 구멍가게에 들어가더니 잠시 후에 빨간 코카콜라 캔을 들고 나왔다. 친구는 뒤통수를 얻어맞은 듯 강한 충격을 받았다. 음료수 회사가 갈색 설탕물을 판매하는 솜씨와 열정이 예수 그리스도의 교회가 복음을 전하는 것보다 훨씬 뛰어났기 때문이다.

미전도 종족 가운데 하나를 조금 깊이 들여다보자. 알제리에는 140만 명 정도의 베두인 족이 살고 있다. 이들은 염소 털로 만든 덮개를 씌운 천막(쉽게 접었다 펼 수 있다)에서 살고 있다. 먹을 것이 매우 부족한 상태이며 건강에 해로운 환경에서 생활하는 경우도 많다. 종교는 백퍼센트 무슬림이다. 교회도 없고, 선교사도 없고, 복음도 없고, 당연히 예수도 없다.

하나님은 우리를 은혜로 구원해 주셨다. 그리스도를 알게 하셨을 뿐만 아니라 복음을 전하는 데 필요한 모든 자원을 공급하셨다. 자, 이제 상상해 보라. 난생처음 그리스도를 소개 받는 베두인 족의 두 눈을 마주 보는 기분이 어떨 것 같은가?

우리 삶을 걸어 볼 가치가 있지 않은가? 목숨을 바칠 만한 일이지 않은가? 우리는 이미 그리스도의 복음을 받아 가졌으니 머뭇거릴 여유가 없다. 더러 하나님이 그토록 많은 사람들에게 복음을 알려 주시지 않은 것은 불공평하다고 말하는 이들이 있다. 그러나 주님은 부당하게 행동하는 분이 아니다. 정당하지 못한 쪽은 오히려 복음을 소유하고 있으면서도 그 기쁜 소식을 널리 알리는 데 삶을 바치지 않는 그리스도인들이다. 그것은 참으로 부당한 처사다.

"하나님은 내 삶에 어떤 뜻을 가지고 계실까?"라든지, "내 인생을 향한 하나님의 뜻을 어떻게 알 수 있을까?"하는 것은 현대 그리스도인들이 가장 많이 하는 질문이다. 마치 하나님이 원하시는 것을 알려만 주시면 당장이라도 순종할 것 같은 분위기다.

"내 인생을 향한 하나님의 뜻을 어떻게 알 수 있을까?"라고 묻는 이들에게 희소식이 있다. 주님의 뜻은 복잡하지 않다. 복음을 들어 보지도 못한 알제리의 140만 베두인 족에게 주님의 생명을 전하는 것이다. 이곳에 편안히 앉아서 "하나님 제가 무엇을 하길 원하십니까?"라고 묻는 것은 참으로 납득하기 어려운 일이다. 우리를 향한 하나님의 뜻은 모든 민족들, 특히 예수님의 이름을 들어 본 적조차 없는 민족들에게 복음을 전하고 하나님의 영광을 드러내는 일에 삶을 바치는 것이다.

그러므로 "하나님의 뜻이 무엇일까?"라고 물을 것이 아니라 "주님의 뜻에 순종할 수 있을까?"라고 질문해야 한다.

우리는 과연 편안함, 재물, 안정, 안전, 심지어 목숨까지도 다 걸고 미전도 종족에게 복음을 전할 수 있겠는가?

예수님 앞에 모든 것을 다 내려놓은 인생이라면 그처럼 단호하게 결단하고 위험을 감수하더라도 믿음의 길을 갈 수밖에 없다. 그것은 필연적이고도 절박한 결말이다.

Chapter 08

죽는 것도
유익함이라

래디컬한 삶에 따르는 위험과 상급

성공 지향적인 시대 문화는 종종 복음의 핵심과 다양한 형태로 충돌한다. 하지만 그 와중에서도 이상을 추구하는 이들의 사상과 그리스도의 말씀이 교묘히 맞아떨어지는 경우도 더러 있다. 1931년 제임스 애덤스는 미국 사회에 '아메리칸 드림'이라는 신조어를 만들어 냈다. 프랭클린 루스벨트 역시 미국인들이 과거보다 미래가 나을 것이라는 확신만 있으면 눈앞의 즐거움을 미루는 것은 물론, 희생까지도 기꺼이 감수할 것이라고 설파했다. 그의 말처럼 우리는 커다란 보상이 따른다는 확신만 있다면 어떤 위험이라도 마다하지 않을 것이다.

예수님도 제자들에게 비슷한 취지의 말씀을 하셨다. "자기 목숨을 얻는 자는 잃을 것이요 나를 위하여 자기 목숨을 잃는 자는 얻으리라"(마 10:39). 주님은 당신의 제자가 되려는 사람은 세상이 주는 안전과 안정, 그리고 만족을 포기해야 한다는 사실을 잘 알고 계셨다. 그러나 그 길을 다 간 뒤에는 결국 세상이 줄 수 없는 엄청난 상급을 받게 된다고 가르치셨다. 이 대목에서 자연스럽게 의문이 생긴다. 주님이 주시는 상급이 과연 목숨을 걸고 좇을 만한 가치가 있을까 하는 것이다.

복음이 필요한 이에게 가라

마태복음 10장을 보면, 예수님은 "자기 목숨을 잃는 자는 얻으리라"는 말씀으로 제자들에게 도전하셨다. 제자들을 세상으로 보내면서 그리스도를 따르기 위해서 감수해야 할 위험을 개괄적으로 설명하신 것이다.

주님은 먼저 제자들이 엄청난 요구들에 둘러싸이게 될 것이라고 하셨다. 주님의 말씀을 직접 옮겨 보자면, "앓는 사람을 고쳐 주며, 죽은 사람을 살리며, 나병 환자를 깨끗하게 하며, 귀신을 쫓아내라"(마 10:8)고 하셨다. 자, 이제 제자들이 만나게 될 사람들을 마음속으로 그려 보라. 그들은 병으로 죽어 가거나 멸시를 당하고 있거나 위험스럽기까지 한 사람들이다. 더할 나위 없이 매력적이고 우아한 인물들이 결코 아니었다.

최근에 몇몇 교회 성도들이 남부 아프리카의 여러 빈민촌을 돌며 의료 봉사를 하고 돌아왔다. 그런데 그들이 현지에 도착했을 때 강도를 만나 그만 차량 가운데 한 대를 강탈당하고 말았다. 강도들은 권총으로 운전기사를 무자비하게 두들겨 팬 뒤에 자동차 트렁크에 가두고는 단원들의 짐을 모조리 빼앗아 달아나 버렸다. 다행히 하나님의 은혜 덕분에 부상자도 없고 운전기사도 금방 회복되었지만 위험천만한 상황이 아닐 수 없었다.

그런 위험성이 있다는 것은 사전에 어느 정도 숙지하고 있었지만 진료하는 동안에도 그들은 여러 가지 위험을 감수해야 했다. HIV에 감염된 환자가 헤아릴 수 없이 많은 지역이어서 자칫하면 에이즈에 걸릴 수도 있었다. 가능한 한 모든 예방 조치를 취한다 하더라도 주삿바늘에 찔리는 따위의 소소한 사고는 언제 어디서든 일어날 수 있었기 때문이다.

봉사단은 자리를 잡고 진료를 시작했다. 가까운 곳은 물론이고 멀리 떨어진 동네에서도 몸이 아픈 이들이 치료를 받으려 몰려들기 시작했다. 예상했던 대로 그 가운데는 HIV 보균자가 엄청나게 많았다. 그리고 마침내 우려하던 사태가 벌어졌다.

HIV에 감염된 여성 환자를 치료하던 봉사 단원 하나가 실수로 환자에게 사용했던 주삿바늘에 찔리고 만 것이다. 불과 몇 시간 뒤에는 다른 팀에서도 똑같은 사고가 일어났다.

두 팀 모두 사태의 심각성을 잘 알고 있었다. 그리고 둘 다, 또는 어느 한쪽이라도 HIV의 제물이 될 가능성이 있었다. 인생 전체가 심각한 처지에 몰릴 수도 있는 상황이었다. 그런데 두 단원의 반응은 놀랍다 못해 기가 막혔다. "다른 단원이 아니라 우리한테 이런 일이 생겨서 천만다행입니다. 봉사 클리닉을 통해서 한 영혼이라도 그리스도께 돌아온다면 이쯤은 아무 문제도 아닙니다."

봉사단이 돌아온 지 얼마 뒤에, 아프리카 현지 파트너에게서 이메일이 날아왔다. "단원들이 떠나고 나서 지역 전체가 클리닉 이야기로 떠들썩합니다. 주님이 자신들의 아픔을 돌아보셔서 단원들을 보내 주셨다는 것에 다들 감격하고 있습니다. 여러분은 귀국했지만 주민들은 예수님께 감사하는 마음을 갖기 시작했고 수많은 이들이 그리스도께 돌아왔습니다. 정말 멋진 하나님 아닙니까?"

그렇다. 주님은 정말 대단한 분이시다. 설령 지저분하고 질병이 창궐하는 지역으로 부르신다 해도 여전히 선하신 하나님이다. 환자를 섬기다가 그 질환에 감염이 되더라도 변함없이 귀하신 주님이다. 우리를 사용하셔서 도움의 손길이 가장 절실한 지역에 당신의 거룩한 영광을 드러내시며 복음을 전하게 하시니 얼마나 멋진 분인가!

위험한 곳으로 가라

"보라 내가 너희를 보냄이 양을 이리 가운데로 보냄과 같도다"(마 10:16). 이 말씀이 예수님의 입에서 떨어지는 순간 제자들의 얼굴에 어떤 표정이 스쳤을지 짐작이 가는가? 양이라면 가축 가운데서도 가장 순하고 연약한 축에 끼며 앞뒤를 가리지 못하고 허둥대기로 정평이 나 있다. 양들은 별것 아닌 소음에도 흥분해서 날뛰며 위기에 대처하는 방어기제를 전혀 갖추고 있지 않다. 적이 왔을 때 할 줄 아는 것은 도망치는 것뿐이지만 그나마도 느리기 짝이 없다. 그래서 양들은 늑대들에게 에워싸이기 일쑤다. 그런데 어쩌자고 선한 목자이시며(요 10:11), 큰 목자이신(히 13:20) 예수님이 양들을 늑대 소굴로 들여보내려 하시는 것일까?

주님은 제자들에게(그리고 오늘을 사는 그리스도인들에게) 이렇게 말씀하신다. "너희를 위험스러운 곳으로 보내려 한다. 너희는 악하고 잔인한 인간들 사이로 들어가게 될 것이다. 그것이 내 계획이다. 위험한 곳으로 가거라. 늑대 소굴로 들어간 양을 두고 쑥덕거리는 소리를 들어라. 그들은 너희를 향해 '미쳤어! 멍청한 것들 같으니라고! 지금 어디를 어슬렁거리는지 알고나 있는 거야?'라고 말할 것이다. 하지만 그것이 바로 내 제자가 된다는 말의 진정한 의미다."

하지만 그렇게 생각하는 이들은 사실 많지 않다. "하나님의 마음을 헤아려 그분의 뜻을 따르는 것이 가장 안전하다"라고 말은 하지만 속으로는 다르게 생각한다. '위험한 곳이라면 하나님이 절대 보내시지 않을 거야. 위태롭고 불안하고 대가를 치러야 한다면 그것은 주님의 뜻이 아니지.' 하지만 그런 요소들이 하나님의 뜻을 가늠하는 기준이 된다면 어찌할 것인가? 가장 위험한 카드를 꺼내는 것이 하나님의 계획이라는 것을 깨닫는다면 어쩔 것인가? 실제로 극도로 불안정한 지역에 우리를 보내려 하신다면 어떻게 할 것인가?

인도네시아에서 온 한 형제를 만난 적이 있는데 수마트라 섬 북부의 바탁(Batak) 족 출신이었다. 그는 자기네 부족이 어떻게 그리스도를 알게 되었는지 이야기해 주었다. 몇 년 전에 선교사 부부가 마을에 들어와서 복음을 전했다. 당시만 해도 주민들은 모두 무슬림이었다. 늑대 소굴로 들어간 양이 따로 없었다. 족장은 이 선교사 부부를 잡아서 죽인 후 토막을 냈다.

몇 년 뒤, 또 다른 선교사가 들어와서 복음의 메시지를 전하기 시작했다. 예전에 살해된 선교사 부부가 하던 것과 똑같은 이야기였다. 족장은 그의 이야기를 한번 들어 보기로 했다. 귀 기울여 들어 보니 믿을 만하다는 생각이 들었다. 그렇게 해서 삽시간에 온 부족이 그리스도께 돌아오게 되었다. 그 형제의 말에 따르면, 지금은 수마트라 섬 북부에 약 3백만 명 이상의 바탁 족 그리스도인이 살고 있다고 한다.

그의 이야기를 들으며 이런 생각이 들었다. '우리 부부라면 서슴없이 첫 번째 선교사 내외와 같은 길을 갔을까? 기꺼이 잡혀서 살해되고 토막 나서 후속 선교사가 온 부족이 회심하는 장면을 목격할 수 있도록 터를 닦을 수 있었을까?'

이것이 마태복음 10장이 오늘의 그리스도인 하나하나를 향해 던지는 질문이다. "당신은 첫 번째 선교사 부부처럼 가장 먼저 위험 속으로 달려들 수 있는가?" 나중에 오는 이들이 그 희생의 열매를 거둘 수 있게 죽음을 무릅쓸 수 있는가 하는 것이다. 바로 그런 희생이 아직은 복음에 적대적인 수많은 미전도 종족들이 언젠가 마음을 돌려 예수님 앞에 무릎을 꿇게 하는 전제 조건이라면 어떻게 하겠는가?

배신 당하고 미움과 박해를 받으며

이어서 예수님은 당신을 따르는 길에는 배신이 있다고 말씀하셨다. "장차 형제가 형제를, 아버지가 자식을 죽는 데에 내주며 자식들이 부모를 대적하여 죽게 하리라"(마 10:21). 분명히 격려가 되는 송별사는 아니었다. 식구들이 매섭게 공격해 오고 친구들이 가장 큰 적이 될 것이라는 말씀이다.

이와 관련해서 사힐(Sahil)의 간증을 잊을 수가 없다. 사힐 부부는 둘 다 인도의 무슬림 가정에서 성장했다. 먼저 예수를 믿은 아내는 남편에게 주님을 소개했다. 내외는 그리스도인이 되자마자 살해 위협을 받게 되었고 이를 피해 정든 고향을 등져야 했다.

몇 년이 지나자 부부의 신앙은 몰라보게 성장했다. 둘의 소원은 고향의 가족들에게 그리스도를 전하는 일이었다. 사힐 내외는 서서히 고향에 연락을 하기 시작했다. 상대편에서도 조금씩 반응이 왔다. 그러기를 얼마나 했을까? 마침내 부부는 따뜻한 환영을 받으며 고향으로 돌아갔다. 겉으로 보기에는 매사가 지극히 순조로웠다.

그러던 어느 날, 남편은 집에 남고 아내 혼자 친정에 가서 식사를 하게 되었다. 사힐의 아내는 모처럼 부모 형제와 한자리에 앉아서 먹고 마시며 즐거운 시간을 보냈다. 그러나 잠시 후 쓰러져 영원히 일어나지 못했다. 부모가 밥에 독약을 넣었던 것이다.

주님은 우리가 배신을 당하고 미움을 받게 될 것이라고 말씀하신다. "너희가 내 이름으로 말미암아 모든 사람에게 미움을 받을 것이나"(마 10:22). '모든 사람'이 지구상에 존재하는 모든 이들을 가리키는 것은 분명히 아니다. 하지만 의미는 확실하다. 가족으로부터, 정부로부터, 종교 단체로부터, 또는 친구로부터 미움을 받게 된다는 것이다.

다시 말하지만, '예수님처럼 살면 세상이 다 좋아할 것이다'라는 착각을 버려야 한다. 도리어 주님과 비슷해지면 더 큰 미움을 사는 것이 현실이다. 왜냐고? 세상이 그분을 미워했기 때문이다.

예수님은 다시 말씀하셨다. "이 동네에서 너희를 박해하거든 저 동네로 피하라"(마 10:23). '혹시라도 박해를 받는다면'이 아니라 '박해하거든'이다. 예수님과 함께 다녔던 제자들에게나 해당되는 이야기로 들린다면 큰 오산이다. 훗날 바울은 그 점을 확실하게 했다. "그리스도 예수 안에서 경건하게 살려고 하는 사람은 '모두' 박해를 받을 것입니다"(딤후 3:12, 새번역).

예수님 자신도 사람들의 배신과 증오와 핍박의 대상이 되셨다. 우리가 그리스도를 닮아 갈수록 주님이 당하셨던 일들을 고스란히 답습하게 될 것이다. 그러기에 예수님은 이렇게 말씀하셨다. "제자가 그 선생보다, 또는 종이 그 상전보다 높지 못하나니 제자가 그 선생 같고 종이 그 상전 같으면 족하도다 집 주인을 바알세불이라 하였거든 하물며 그 집 사람들이랴"(마 10:24-25).

이것이 그 누구도 부정할 수 없는 마태복음 10장의 결론이다. 아무런 위험도 없이 안전하고 평탄하고 편안한 삶을 살고 싶으면 예수님을 떠나는 것이 좋다. 주님과 누리는 교제가 깊어지면 깊어질수록 삶을 위협하는 요소들도 점점 커지게 마련이다.

뒷짐 지고 물러서서 그리스도와 가벼운 교제만 나누며 기계적으로 교회에 드나드는 그리스도인이 허다한 까닭이 여기에 있다. 그렇게 살면 안전할 뿐만 아니라 세상의 미움을 사지도 않기 때문이다. 설령 그리스도인이라는 딱지를 달고 있을지라도 남들이 좋는 것을 함께 추구해야 사랑을 받는 법이다. 따라서 성공 신화를 좇는 기독교는 세상과 충돌할 일이 없다.

하지만 그리스도와 하나가 되는 순간, 세상에서는 많은 것을 잃을 수밖에 없다. 예수님은 말씀하셨다. "무릇 온전하게 된 자는 그 선생과 같으리라"(눅 6:40). 이 구절을 읽을 때마다 나는 겁이 난다.

> C. T. 스터드는 "수천 번이라도 인간을 의지하며 살기보다 하나님을 신뢰하다 당장 죽는 편을 택할 것이다"고 말했다.

우리의 스승은 조롱 당하고, 얻어맞고, 채찍에 찢기고, 침 세례를 받고, 끝내는 십자가에 못 박히시지 않았는가! 정말 그분처럼 되고 싶은가?

바울이 교회에 했던 말을 살펴보자. "그리스도를 위하여 너희에게 은혜를 주신 것은 다만 그를 믿을 뿐 아니라 또한 그를 위하여 고난도 받게 하려 하심이라"(빌 1:29). 기겁할 이야기가 아닐 수 없다. 뼈대만 추리자면 사도는 이렇게 말하는 셈이다. "하나님은 고난을 선물로 주신다. 그리스도께 와서 고난이라는 멋진 선물을 받으라." 고개를 숙이고, 눈을 감고, 그리스도를 영접하고 나면 고난까지 함께 들어온다니, 아무리 생각해도 전형적인 초청 문구는 아니다. 바울이 농담하고 있는 것이 아닌가 싶을 지경이다. 하지만 이것은 우스갯소리가 아니다. 그리고 이것이 진정한 기독교의 모습이다.

지금까지 흘러온 기독교의 역사이기도 하다. 오늘날 중동과 아시아, 아프리카에서 볼 수 있는 핍박과 고난은 교회가 시작되던 시절부터 그리스도를 좇는 이들에게 줄기차게 이어져 온 일들이다. 콘스탄티누스 황제가 기독교를 공인하기 전까지 대략 3백 년에 이르는 기간 동안, 그리스도를 따르는 이들은 가혹한 박해를 받았다. 세대가 무려 열 번이나 바뀌는 긴 시간에 걸쳐 그리스도인들은 로마 시내와 인근 지역의 지하에 장장 640킬로미터가 넘는 카타콤을 만들어 은밀하게 예배를 드렸다. 그리고 수천, 수만에 이르는 그리스도인들이 가혹한 박해 끝에 목숨을 잃고 그곳에 묻혔다.

카타콤을 탐사한 고고학자들은 곳곳에 똑같은 문자가 새겨진 것을 발견했다. "예수 그리스도, 하나님의 아들, 구세주"를 뜻하는 그리스어의 머리글자를 모은 '익투스'(ichthus)라는 단어였다. 요즘은 그 물고기 장식을 자동차 꽁무니에 붙이고 다니는 그리스도인이 하도 많아서 누구나 다 아는 상징이 되었다. 그러나 1세기에 순교한 형제자매들이 서로를 확인하던 심벌과 21세기를 누비는 고급 승용차 뒤에 붙은 장식 사이의 간격은 장구한 세월만큼이나 크고 넓다.

군용 수송선 또는 호화 유람선

마태복음 10장이 그려 내고 있는 예수님의 모습은 장병들에게 임무를 주어 전선에 파견하는 군사령관의 분위기다. 주님은 소집령을 내리셨고 거기에 응한 병사들을 파송하셨다. 장차 마주치게 될 요구들과 앞길에 도사린 위험에 비추어 볼 때 제자들도 자신들이 전투에 투입되는 것과 다름없다는 사실을 인식하고 있었다.

1940년대 말, 미국 정부는 USL(United States Lines)이라는 해운 회사를 운영하던 윌리엄 프랜시스 깁스(William Francis Gibbs)에게 960억 규모의 해군 수송선 주조를 맡겼다. 전쟁을 대비하여 한 번에 1만 5천 명 정도의 병력을 신속하게 수송할 수 있는 함정을 설계하고 건조하는 것이 그의 임무였다. 1952년, 마침내 완성된 SS 미국 호(SS United States)는 44노트까지 속력을 낼 수 있었으며(한 시간에 약 55킬로미터를 갈 수 있다) 연료와 보급품을 공급 받지 않고 1만 킬로미터 이상 항해할 능력을 갖추게 되었다. SS 미국 호는 그 어떤 배보다 빨리 달렸으며 열흘 남짓이면 세상 어디든 갈 수 있었다. 세상에서 가장 빠르고 믿음직스러운 수송선이었다.

유일한 애로 사항은 이 군함을 쓸 일이 없었다는 것이다. 이 군함은 다만 몇 명이라도 병사를 수송해 본 적이 없었다. 1962년 쿠바 미사일 위기가 일어났을 때 잠깐 대기한 것을 제외하고는 단 한 번도 해군의 부름을 받지 못했다.

대신 이 함정은 퇴역할 때까지 17년 동안 대통령과 주지사들을 포함해서 다양한 저명인사들을 태우는 호화 유람선으로 쓰였다. 하지만 한꺼번에 1만 5천 명이나 되는 명사를 태울 일은 없었다. 기껏해야 천 명 미만이었다. 배에 올라탄 승객들은 695개나 되는 전용실과 4개의 식당, 3개의 바와 2개의 극장, 온수 수영장을 갖춘 2만 제곱미

터짜리 갑판, 19개의 엘리베이터, 그리고 냉난방 시설을 완비한 세계 최고의 편의 시설들을 마음껏 이용할 수 있었다. 전시에 병력과 무기를 수송하는 대신, 편안하게 대서양 연안을 여행하는 부자들의 허영심을 채우는 수단으로 쓰인 것이다.

호화 여객선과 수송선은 달라도 이만저만 다른 것이 아니다. 전투를 준비하는 병사들의 얼굴과 달콤한 낭만을 즐기는 승객들의 표정은 판이하게 다를 수밖에 없다. 수송선에 실리는 물자 또한 호화 여객선이라는 말을 들을 때 떠올리는 사치스러운 물건들과 전혀 다르다. 수송선이 움직이는 속도는 여객선의 속력보다 본질적으로 빠를 수밖에 없다. 무엇보다도 수송선은 성취해야 할 긴급한 임무가 있는 반면, 호화 유람선은 편안하게 유람을 즐길 뿐 서두를 일이 없다.

미국 정부가 건조한 이 초대형 수송선의 역사를 생각할 때마다 교회사의 단면을 보는 것 같아 씁쓸한 느낌이 든다. 교회의 목적도 이 수송선처럼 변화 받은 그리스도인들이 자신의 사명을 완수하는 데 있었다. 그런데 요즘은 수송선에서 호화 유람선으로 변질된 것이 아닌가 하는 의구심을 떨쳐 버릴 수 없다. 영혼을 구원하는 전투에 참여하는 것이 아니라 세상이 주는 위안을 편안하게 즐기는 데 몰두하는 것이다. 45억에 이르는 인구가 지옥을 향해 가고 있고 날마다 2만 6천 명의 어린이들이 굶주림과 질병으로 목숨을 잃고 있는 현실을 직시했더라면, 그리고 갑판 수영장 의자에 느긋하게 기대앉아 선내 식당 직원이 시원한 음료수를 가져오길 기다리는 대신 배 전체를 전투에 맞게 개조하기로 결심했더라면 어떤 일이 벌어졌을지 궁금하다.

그리스도의 명령에 망설임 없이 순종할 마음이 있는가? 주님을 닮고 싶은가? 변두리의 빈민가든, 길 건너 이웃이든, 전염병이 창궐하는 아프리카의 외딴 마을이든, 중동의 적대적인 국가든 목숨을 내놓고 도움이 절실한 곳, 위험 부담이 큰 곳을 찾아갈 용의가 있는가? 우리의 시선이 세상의 안락함을 추구하는 것이 아니라 이 땅의 편안함을 저버리고 영원한 상급을 받는 수송선형으로 바꾼다면 이 땅에 하나님의 영광이 더 높아졌을 것이다.

더 큰 상급

여기가 그리스도인의 이상과 성공 지향적인 세상의 목표가 현격하게 분리되는 지점이다. 그렇다. 예수님은 크나큰 상급을 약속하셨지만 그분이 주시는 대가는 우리가 흔히 기대하는 것과는 성질이 전혀 다르다. 성공 신화에 사로잡힌 세상이 주는 보상은 안락한 생활과 풍족한 물자, 더 많고 좋은 자산 따위로 상징되는 성공이다. 하지만 그리스도가 주시는 상급은 그 모든 것과 비교할 수 없다. 이러한 사실을 아는 그리스도인이라면 세상이 주는 조악한 선물을 뿌리치고 영원한 안전과 평안, 주님이 주시는 만족을 위해 살 수밖에 없다.

예수님은 제자들에게 도움의 손길이 절박하고 온갖 위험이 기다리는 곳으로 가라는 두렵고 부담스러운 명령을 내리신 뒤에 사랑으로 보살펴 주시겠다는 엄청난 약속을 주셨다. 주님은 세 번이나 반복해서 말씀하셨다. "두려워하지 말라"(마 10:26, 28, 31).

늑대 소굴로 들어가는 양이 어떻게 겁을 먹지 않을 수 있을까? 그런데 예수님은 어떻게 제자들에게 배신 당하고 미움과 핍박을 받을 것이라는 이야기가 끝나기가 무섭게 두려워할 것 없다고 말씀하실 수 있는 것일까?

하나님의 주권, 안전의 근원

예수님은 제자들에게 세상적인 위안이 아니라 만물을 다스리는 하나님이 안전의 근원이라는 것을 일깨워 주셨다. "참새 두 마리가 한 앗사리온에 팔리지 않느냐 그러나 너희 아버지께서 허락하지 아니하시면 그 하나도 땅에 떨어지지 아니하리라"(마 10:29). 이 세상의 모든 일들은 주관자이신 하나님의 뜻 안에서 일어나고 있다. 여기에는 예외가 있을 수 없다. 이러한 사실을 기억하면 어디든 편안한 마음으로 자신 있게 갈 수 있을 것이다.

그래서 개인적으로는 스데반의 이야기를 가장 좋아한다. 성경은 그를 기독교 역사상 첫 번째 순교자로 기록하고 있다. 사도행전 7장을 보면, 산헤드린 공회는 스데반을 돌로 쳐 죽였다. 그의 죽음은 그리스도의 고난에 동참한다는 것이 무엇을 의미하는지 한눈에 보여 주었다(골 1:24). 그러나 이 이야기에서 더 인상적인 것은 스데반의 순교가 불러온 파장이다. 누가는 "그날에 예루살렘에 있는 교회에 큰 박해가 있어 사도 외에는 다 유대와 사마리아 모든 땅으로 흩어지니라. 그 흩어진 사람들이 두루 다니며 복음의 말씀을 전할새"(행 8:1, 4)

라고 적고 있다. 즉 스데반이 고난을 받고 목숨을 잃은 결과 유다와 사마리아 전역에서 교회가 크게 부흥했다는 이야기다.

무슨 일이 일어났는지 알겠는가? 스데반을 죽여서 하나님의 백성들을 통제하려던 사탄의 전략은 도리어 교회가 성장하는 도화선이 되었다.

이것이 성경의 간증이다. 욥의 이야기에서부터 고린도후서 12장에서 바울이 묘사하는 공격에 이르기까지 수많은 본문들은 사탄 역시 하나님의 권세 아래서 움직일 뿐만 아니라 결국 그분의 주권적인 역사를 이루는 데 힘을 보탤 수밖에 없다는 사실을 보여 준다. 십자가 사건도 마찬가지다. 하나님의 아들을 거꾸러트리려는 사탄의 작전은 결국 죄인들에게 구원의 길을 열어 주었다. 두려워할 것 없다. 주권은 하나님께 있다.

하나님의 사랑, 안정의 근원

세상이 절대로 줄 수 없는 안정감 역시 그리스도가 베푸시는 큰 상급 가운데 하나다. 주님은 마태복음 10장에서 참새 이야기를 하신 뒤에, 제자들을 얼마나 사랑하시는지 다시 한 번 일깨우셨다. "너희에게는 머리털까지 다 세신 바 되었나니 두려워하지 말라 너희는 많은 참새보다 귀하니라"(마 10:30-31). 예수님은 우리 삶을 낱낱이 헤아리시며 구석구석을 보살피신다. 이것이 그 무엇도 두려워할 필요가 없는 두 번째 이유다.

몇 주 전, 교회 성도인 크레이그(Craig)와 에이미(Amy) 가정을 해외의 빈민촌으로 파송하는 일이 있었다. 그들이 나를 찾아와서 버밍엄의 집을 팔고 아이들과 함께 도움이 필요한 나라에 가서 하나님의 영광을 드러내고 싶다고 고백한 지 몇 달 만에 이뤄진 일이었다. 처음 그들을 만났을 때 나는 그곳에는 여러 가지로 어려운 일이 많을 테니 잘 견디라고 격려했다. 그리고 두 달 만에 다시 만났는데, 몇 가지 문제가 있어서 진행에 차질이 생겼다고 했다. 첫 번째 상담이 끝난 지 얼마 안 돼서 할머니가 세상을 떠났고, 형제 가운데 하나가 심장마비로 병원에 실려 갔으며, 강도가 들었고, 교통사고를 당했다고 했다.

무엇보다도 아내의 건강에 문제가 생겨서 급히 치료를 받아야 하는 상황이었다. 이러한 상황은 정착할 지역을 결정하는 데도 큰 제한 요인이 되었다. 에이미의 병은 특정한 기후 조건 아래 살아야 호전되는 특성이 있었기 때문이다. 부부는 눈물을 훔쳐 가며 하나님이 두 사람을 어떻게 인도하셨는지 간증했다. 진찰을 받으면서 크레이그와 에이미는 의사에게 자신들이 가려고 하는 나라의 기후에 어떻게 적응할 수 있는지 물었다. 의사의 대답은 명쾌했다. 미국보다 그곳이 더 나으니 걱정할 필요가 없다는 이야기였다.

하나님은 문자 그대로 우리 삶을 갈피갈피 다 들여다보고 계신다. 그리고 우리가 주님을 믿고 따를 때 그 무엇과도 비교할 수 없는 안정감을 주신다. 자녀들의 필요를 완벽하게 꿰뚫고 계시는 분, 그리고 그 필요를 넉넉히 채워 주실 분이 신실하게 예비하시는데 무엇을 걱정하겠는가? 이것은 세상이 억지로 만들어 낸 위안과는 차원이 다르다.

하나님의 임재, 만족의 근원

마태복음 10장에서 예수님이 내놓으신 놀라운 선언들 가운데 가장 쇼킹하고 중요한 내용이 여기에 있다. "몸은 죽여도 영혼은 능히 죽이지 못하는 자들을 두려워하지 말고 오직 몸과 영혼을 능히 지옥에 멸하실 수 있는 이를 두려워하라"(마 10:28).

목숨을 걸고 순종할 각오를 다지는 제자들을 격려하기에는 솔직히 부적절한 말씀처럼 보인다. 예수님은 하나님만이 궁극적인 심판자이며 그 안에 영원한 생명이 있다고 하신다. 그리고 아무런 힘이 없는 인간은 결코 두려워할 까닭이 없다고 말씀하신다.

주님의 말씀이 지닌 무게감을 느끼는 데 도움이 되도록 풀어서 말하면 이렇다. 제자들이 받을 박해와 고난을 예고하면서, "사람들을 겁내지 말거라. 기껏해야 죽기밖에 더하겠느냐?"라고 담담하게 말씀하신 셈이다.

세상에 이런 격려가 어디에 있을까? 우리가 주님을 만나서 하소연한다고 치자. "거기 가면 죽을 수도 있어요."

그분이 되물으신다. "그래서, 그게 어떻다고?"

우리는 세상 어디를 가든지 두려워할 필요가 없다. 최악의 상황이라고 해 봤자 죽는 정도인데 떨 필요가 없다. 이런 이야기를 듣고 마음이 편해지겠는가?

이미 그리스도와 함께 죽은 몸이 아니라면 결코 위안이 될 수 없을 것이다. 하지만 유한한 삶을 살다 가는 인간 따위는 전혀 위협이 되지 못한다는 것을 안다면 큰 격려가 되는 말씀이다. 바울은 그런 마음을 이렇게 표현했다. "이는 내게 사는 것이 그리스도니 죽는 것도 유익함이라"(빌 1:21). 죽는 것이 유익할 때에야 비로소 죽음이 상급이 된다.

목숨을 아까워하지 않았던 사람들

교회사는 계시록의 말씀처럼 "죽기까지 자기들의 생명을 아끼지"(계 12:11) 아니한 이들의 이야기로 가득 차 있다.

존 패튼(John Paton, 1824-1907)은 요즘 그리스도인들에게는 상대적으로 덜 알려진 인물이다. 그는 스코틀랜드에서 한창 성장하고 있던 교회를 10년 넘게 섬기던 목회자였다. 하나님은 그에게 복음에 대해 전혀 알지 못하는 식인종들이 우글거리는 뉴헤브리디스 군도(New Hebrides)에 가서 복음을 전하라는 부담을 주셨다.

패튼은 특별한 한 섬으로 들어가고 싶어 했다. 20년 전에 두 선교사가 상륙했다가 잡아먹힌 곳이었다. 당연히 선배 선교사들의 전철을 밟지 말라는 주위의 만류가 빗발쳤다. 패튼은 이렇게 적었다. "마음씨 좋은 한 노신사는 나를 붙들고는 소리 내어 우셨다. '식인종이 살고 있다니까요! 목사님도 잡아먹을 거라고요!'"

존 패튼은 노인에게 이렇게 대답했다고 한다. "딕슨 씨, 머잖아 선생님도 가지고 있던 것을 모두 남겨 둔 채 무덤에 들어가게 될 것입니다. 거기서는 벌레들이 주검을 뜯어먹겠지요. 주님만을 섬기다 죽는다면 벌레가 먹든 식인종이 먹든 무슨 차이가 있겠습니까? 마지막 때가 되면 선생님처럼 저도, 그리스도처럼 깨끗한 몸으로 부활하게 될 겁니다."

노인은 눈물을 닦고 방을 나가면서 이렇게 외쳤다. "그렇다면 더 이상 할 말이 없습니다!"[1]

서른세 살 때, 존 패튼은 아내와 함께 뉴헤브리디스 군도로 들어갔다. 도착한 지 얼마 뒤에 아내와 갓난아이는 세상을 떠났다. 패튼은 맨손으로 땅을 파헤쳐서 그들의 시신을 묻었다. 그 뒤로도 생명을 위협하는 일들이 끝없이 벌어졌다. 하지만 몇 년의 시간이 지나자, 뉴헤브리디스에 사는 수많은 식인종들이 그리스도가 주시는 평안을 알게 되었고 오스트레일리아와 스코틀랜드를 비롯한 많은 서방세계들이 복음 전도에 대한 도전을 받게 되었다.

> 복음의 가장 큰 상급은 하나님 자신이다. 목숨을 내놓고 주님을 따라가면 주님의 임재 안에서만 찾을 수 있는 만족을 맛보게 된다.

짐 엘리엇(Jim Elliot, 1927-56)의 경우도 결말이 다르긴 하지만 비슷한 경로를 걸었다. 그는 하나님이 자신을 후아오라니(Huaorani) 인디오 마을로 보내신다는 것을 확신했다. 접근해 오는 외부인은 묻지도 않고 살해하기로 유명한 부족이었다. 예수님의 이름을 들어 보지 못했음은 두말할 것도 없었다. 그곳에 복음을 전하는 일에 책임감을 느낀 몇 사람이 더 합류했다. 엘리엇이 탁월한 설교자였기 때문에 교회는 그의 능력을 아까워하며 마음을 돌이키길 권유했다. 너무도 위험한 일이라는 이야기였다.

엘리엇은 일기에 이렇게 적었다.

여호와의 뜨거운 열정을 잘 알고 있다면 그분의 뜻을 두루 나누기 위해 자기를 사랑하는 마음을 부정해야 한다. 생각해 보라. 하늘 보좌에서 "가라"는 음성이 들린다. 사방에서 "와서 우리를 도와주세요!"라는 외침이 들린다. 지하의 저주 받은 영혼들조차도 "나사로를 내 형제들에게 보내어 이 고통 받는 곳에 오지 않게 하소서"라고 소리 지른다. 이런 음성이 들리는데 어떻게 한가로이 집에 앉아 끼추아(Quichuas) 부족이 죽어 가는 것을 보고만 있을 수 있겠는가? 게다가 이 땅의 풍족한 교회들을 한번 휘저어야 하지 않겠는가? 그들은 모세와 선지자들의 글을 비롯해서 수많은 말씀이 담긴 성경을 가지고 있다. 하지만 교회를 향한 꾸지람이 적힌 그 성경책들은 먼지에 덮인 채 방치되어 있다. 미국의 그리스도인들은 생명을 팔아 맘몬을 섬기고 있다. 분명 하나님은 라오디게아 교회의 심령 상태에 빠진 이들을 정확하게 치리하실 것이다.[2]

1956년 1월 8일, 엘리엇과 네 동지들은 지정된 바닷가에서 후아오라니 부족민들과 만났다. 원주민들은 창을 들고 인사를 건넸으며 일행은 그날 그 자리에서 모두 숨졌다. 그들은 목숨을 헛되이 버리지 말라는 이야기에 귀를 기울였어야 하지 않았을까? 각자가 판단해 보라. 훗날 엘리엇의 아내 엘리자베스는 남편을 창으로 찔러 죽인 그 원주민들에게 가서 그리스도를 전하는 사역을 이끌었다. 그리고 결국 그리스도의 평화가 부족 전체를 지배하게 되었다.

또 다른 사례를 생각해 보자. 가지고 있던 넉넉한 재산을 다 팔아서 복음을 전했던 영국인 스터드(C. T. Studd, 1860-1931)를 아는 사람은 그다지 많지 않다. 스터드가 선교사로 나가겠다는 결심을 밝히자 가족은 물론이고 목회자들까지 반대를 했지만, 그는 결국 중국에 들어가 복음을 전하다가 다시 인도로 가서 하나님의 일을 계속했다. 어느덧 쉰 살이 되었지만 그리스도인에게 은퇴란 없다는 각오로 다시 수단으로 들어가 여생을 보내게 된다. 스터드의 죽음은 아프리카와 아시아, 남아메리카에 복음의 씨앗을 뿌리는 WEC 국제 선교회가 태동하는 디딤돌이 되었다.

스터드는 어떤 상급을 기대하면서 살았을까? 세상을 떠나기 직전에 쓴 마지막 글에서 그 실마리를 찾아보자.

> 우리는 누군가가 먼저 시작하기를 너무나 오랫동안 기다려 왔다. 이제 더 기다릴 시간이 없다. … 우리가 두려워하는 그런 부류의 사람이 될 것인가? 온 세상 앞에서, 곧 잠에 빠져 있고, 미적지근하고, 믿음이 없고, 약해 빠진 그리스도인들 앞에서 우리는 과감히 하나님을 신뢰한다. … 말할 수 없는 기쁨으로, 마음으로 소리 높여 노래하

며 이 일을 할 것이다. 우리는 수천 번이라도 인간을 의지하며 살기보다 하나님을 신뢰하다 당장 죽는 편을 택할 것이다. 이것은 이미 이긴 싸움이며 영광스러운 작전의 끝이 우리 눈앞에 있다. 우리는 심약한 이야기나 앙증맞은 말투, 귀여운 생각이 아니라 참다운 하나님의 거룩함을 가지게 될 것이다. 예수 그리스도를 위해 과감히 믿고 일하는 사나이다운 거룩함을 갖게 될 것이다.[3]

죽음이 상급이 되는 순간, 삶은 급진적이 된다

존 패튼, 짐 엘리엇, C. T. 스터드의 삶은 우리에게 중요한 사실을 가르쳐 준다. 죽음을 상급으로 보기 시작할 때 우리 신앙이 급진적이 된다는 점이다. 마태복음 10장에 기록된 예수님의 말씀의 핵심도 이것이었다. 개인적으로는 성공 신화에 사로잡힌 현대의 신앙을 건져 내는 비결도 여기에 있다고 믿는다.

이 세상은 우리의 영원한 집이 아니다. 이 사실을 깨닫고 믿는 것이 열쇠다. 세상적인 욕망과 세상적인 사고, 세상이 주는 쾌락, 세상적인 꿈, 세상적인 이상, 세상적인 가치, 세상적인 야심, 세상의 찬사에서 자유로운 인생을 소망한다면 이 땅이 아닌 다른 세계에 초점을 맞추어야 한다. 지금 어디서 살고 있든지 우리의 시선은 더 멋진 나라, 곧 하늘나라에 고정시켜야 한다(히 11:16). 비록 순간적이고 말초적인 즐거움의 유혹에 둘러싸인 채 살아가고 있지만 절대로 깨지거나 변하지 않고 영원히 한결같은 보화를 약속하시는 주님을 향한 끈을 놓쳐서는 안 된다. 삶이 세상 쪽으로 기울어지려고 하면 얼른 하늘나라에 집중해야 한다. 그래야 저만치 기다리고 있는 급진적인 보상을 바라보며 급진적인 모험을 해 볼 수 있다.

제네사 웰스(Genessa Wells)는 대학을 졸업한 후 무한한 가능성을 가지고 갓 세상에 나온 젊은이였다. 좋은 기회들이 많이 있었지만, 그녀는 복음을 들어 보지 못한 이들이 있는 중동의 한 나라로 들어가기로 했다. 떠나기 전에 제네사는 친구들에게 편지를 썼다. "(해외로 가는 것을) 단념하고 결혼해서 음악 교사로 평온하게 살 수도 있었어. 그것 역시 무척 고상하고 소박하고 멋진 일이지. 하지만 복음을 통해 세상을 변화시키고 싶은 마음이 사라지지 않았어. 그것이 남편이나 편안한 생활을 바라는 마음보다 더 간절했다고 할까. … 다른 이들에게 예수님을 알려 주는 것이 가장 급한 일인 것 같아."

한동안 제네사는 이집트인들 틈에서, 요르단에 있는 팔레스타인 난민촌에서, 프랑스의 무슬림 공동체 안에서, 사막의 베두인 족 사이에서 활동했다.

그리고 다시 편지를 보냈다. "솔직히 말해서, 하나님이 보내시는 데 말고는 아무 데도 가고 싶지 않아. 주님은 상상의 한계를 초월하시는 분이야." 여섯 달 뒤, 마지막 이메일에서는 이렇게 밝혔다. "우리가 드러내야 할 것이 있다면 오직 하나님의 영광뿐이야. 그런 삶을 살게 해 달라고 날마다 기도하고 있어."

그리고 두 주 뒤, 제네사 웰스는 이집트 시나이 사막 한복판, 칠흑같은 어둠 속에서 버스 사고로 세상을 떠났다.[4]

이런 이야기를 들으면 십중팔구는 비극으로 받아들일 것이다. '젊디젊은 아가씨가 외진 이집트 사막에서 비참한 교통사고로 삶의 마지막을 장식하다니! 살아 있었더라면 얼마나 많은 일들을 할 수 있었을까? 이집트에 가지만 않았더라면!'

하지만 그리스도의 시각은 완전히 다르다. 마태복음 10장에 따르면, 제네사 웰스의 사연은 비극이 아니라 상급에 관한 이야기다. 상급이라고? 한 젊은이가 지구 반대편 사막에서 죽은 것이 어떻게 상급이 될 수 있다는 것일까?

잘 생각해 보라. 이집트 시나이 사막에서 숨을 거두자마자 제네사 웰스는 그리스도의 임재 앞으로 안내되었다. 거기서 우리로서는 상상조차 할 수 없는 아름다운 그분의 영광을 보았다. 젊은 친구가 지금 어디에 있는 줄 아는가? 바로 주님과 함께 있다. 백억 년 뒤에도 여전히 낙원에서 하나님의 큰 영광을 찬양하고 있을 것이다. 장담하건대, 자신이 누리는 상급에 비하면 세상에서 성공하는 것쯤은 눈곱만큼도 중요하지 않다고 여길 것이다.

기억하는가? 복음의 가장 큰 상급은 하나님 자신이다. 목숨을 내놓고 그리스도를 따라가면 오직 하나님을 통해서만 가능한 안전과 그분의 사랑에서 오는 안정, 그리고 주님의 임재 안에서만 찾을 수 있는 만족을 맛보게 된다. 이렇게 크고 영원한 상급을 버리고 비교할 수조차 없는 모조품을 좇는 것은 한없이 어리석은 짓이다.

그리스도의 약속에 비추어 보면, 주님을 위해 나의 소유와 존재를 거는 것은 더 이상 희생이 아니다. 도리어 상식에 가깝다. 예수님을 따르는 것은 어찌 보면 똑똑한 선택이다. 짐 엘리엇은 말했다. "결코 잃어버리지 않을 것을 얻기 위해 간직할 수 없는 것을 줘 버리는 사람은 바보가 아니다."

　그리스도께 철저하게 순종하는 것은 쉬운 일이 아니다. 어쩌면 위험스러운 일일지도 모른다. 호화 유람선을 타고 순적하게 항해하는 것이 아니라 희생을 각오하고 수송선에 올라 거친 파도를 헤치며 나가는 작업이다. 안락함도, 건강도, 부요함도, 세상적인 출세도 없다. 온전히 순종하다 보면 그 모든 것을 다 잃을 수도 있다. 그러나 마침내는 예수님 안에서 모두 보상 받게 될 것이다. 주님은 우리가 포기한 것, 그 이상을 갚아 주신다.

Chapter **09**

당신의 삶을
완전히 바꿀 래디컬 실험

삶을 뒤엎는 365일

실험(experiment)이라는 것은 어떤 이론이나 주장을 검증하기 위해 통제된 조건 아래서 취하는 일련의 행동 과정을 가리킨다.

지금까지 우리는 복음에는 분명히 담겨 있지만 성공 지향적인 문화와는 상충되는 인생의 목적과 관련된 대담한 주장들을 제시하였다. 짧게 요약하자면 이렇다. 진정한 성공은 철저한 희생을 통해서만 가능하다. 궁극적인 만족은 자신이 아닌 하나님을 중시하는 데서 얻을 수 있다. 인생의 목적은 자신이 살고 있는 나라와 문화를 초월한다. 삶의 의미는 개인이 아니라 공동체 안에서 발견되며, 참 기쁨은 물질주의가 아니라 너그러이 베푸는 마음가짐에서 얻을 수 있다.

그리고 진리는 보편주의가 아닌 그리스도 안에서 발견된다. 결국 알고 경험하고 즐기는 모든 것을 희생하고서라도 붙잡을 가치가 있는 것은 예수님뿐이다.

하지만 검증되지 않은 주장은 가설에 불과하다. 그래서 실험이 필요한 것이다. 검증을 거치게 되면 주장하는 것이 거짓말인지 진실인지 드러난다. 진실이라는 것이 밝혀지면 관점을 수정하고, 생각을 바꾸며 그 진리에 맞추어 삶을 조정하기가 훨씬 쉬워질 것이다. 그것은 당신의 삶을 뒤엎을(실은 올바르게 되는 것이지만) 것이다.

그래서 다음의 실험을 제안한다. 여태껏 단 한 번도 시도하지 않았던 방식으로 복음에 담긴 주장들을 검증해 보자는 것이다. 그리스도의 명령에 전폭적으로 순종하는 것이 세상적인 성공을 좇는 것보다 과연 더 의미 있고 만족스러우며 기쁜지 확인해 보자. 분명히 말하지만 실험을 마칠 때쯤이면 그리스도의 영광을 세상에 널리 드러내기 위해 살려는 주체하지 못할 소망을 품게 될 것이다.

이 검증 과정을 '래디컬 실험'(radical experiment)이라고 부르겠다.

딱 1년이다

실험 기간은 일 년이다. 통상적인 일정표가 아니라는 것은 나도 알고 있다. 요즘 잘나가는 교회 성장 이론가들이 잡지와 신문 기사, 각종 전단에 내놓는 이른바 전략이라는 것을 보면, 어떤 계획이든 최대한 6-8주 단위로 잘라야 효과적이라고 한다. 요즘의 그리스도인들은 단기 투자로 장기적인 유익을 얻고 싶어 한다는 이유에서다.

하지만 교회사가 늘 이런 식으로 돌아가지 않았다는 데 깊이 감사한다. 데이비드 브레이너드(1718-47)는 긴 세월에 걸쳐 외로움과 침체와 고통을 겪은 뒤에 비로소 하나님이 아메리카 원주민들의 심령을 회복시키는 것을 목격할 수 있었다. 윌리엄 캐리(1761-1834)는 한 심령이 돌아오기까지 꼬박 일곱 해 동안 온 힘을 다해 복음을 선포했다. 존 하이드(1865-1912) 역시 세계를 통틀어 가장 가혹한 선교 현장 가운데 하나인 펀자브(Punjab)에서 사역하면서 선택된 백성들이 그리스도께 나오는 것을 보기 위해 몸이 상하도록 기도하고 금식했다. 브레이너드와 캐리, 그리고 하이드의 사례를 보면 이렇게 물어볼 용기가 생길 것이다. "장기적인 헌신이 장기적인 유익을 불러오는 것이 아닐까?"

이에 대해서는 세상의 가치관도 크게 다르지 않다. 고등학교를 졸업하는 데도 최소한 3년이라는 기간과 거기에 상응하는 비용이 들어간다. 의대나 법대에 다니는 학생들은 계속되는 공부와 가혹하리만치 빡빡한 학사 일정을 힘겹게 따라가며 그 분야의 전문가가 되어 간다. 음악가들은 날이면 날마다 연습을 거듭한다. 운동선수들 역시 사시사철 훈련을 거르지 않는다. 기술을 익히고 자신의 분야에서 전문가가 되려는 마음에 장기간에 걸친 헌신을 기꺼이 감수하는 것이다. 마찬가지로 일 년 동안 최선을 다하고 나면 뒤를 돌아보며 만족할 날이 반드시 올 것이다.

이 실험은 우리의 인생에서 365일을 떼어 내 남은 생애를 완전히 바꿔 놓는 데 사용할 것이다. 따라서 일 년이라는 시간을 철저하게 지키는 것이 중요하다. 지속되지 못할 일에 한 해 이상을 투자하는 경우도 많지 않은가? 그리고 설령 다른 급한 일이 있다 하더라도 한 해 정도 연기하는 것도 그다지 나쁘지 않을 것이다. 실험은 한시적으로 진행된다.

여기에는 다음 다섯 가지 요소가 들어간다.

1. 전 세계를 위해 기도하라.

2. 말씀 전체를 샅샅이 읽으라.

3. 의미 있는 곳에 쓰기 위해 재정을 희생하라.

4. 당신을 필요로 하는 낯선 곳에 가서 섬기라.

5. 복음적인 지역 교회에 헌신하라.

일 년 동안 이 다섯 가지를 충실하게 이행한다면 자신의 심령이 몰라보게 살아나는 것을 경험하게 될 것이라고 믿는다(아니, 분명히 그렇게 된다). 지금 살고 있는 곳에서, 또는 더 넓은 세상에서 하나님이 주관하시는 역사에 동참하는 것이 얼마나 스릴 넘치는 일인지 알게 될 것이다. 그리고 성공 신화에 몰입하는 현대 사회의 병폐를 떨쳐 버리고 주님이 특별히 설계해 주신 아름답고도 변치 않는 꿈을 붙잡게 될 것이다.

그러면 이제 실험의 다섯 가지 요소들을 하나씩 살펴보자.

전 세계를 위해 기도하라

처음에는 이것이 포괄적이고 애매하고 모호하다 못해 뜬구름 잡는 이야기처럼 들릴 수 있다는 것을 알고 있다. 속으로는 이렇게 생각할지도 모르겠다. '나 한 사람이 전 세계를 위해 기도한다고 해서 특별히 달라질 것이 뭐가 있을라고?' 지금부터 이것이 무슨 소리인지, 그리고 왜 중요한지 짚어 보도록 하자.

지금 세계는 45억의 인구가 그리스도 없이 살고 있으며 10억이 넘는 사람들이 기아에 허덕이고 있다. 하지만 어디서부터 손을 대야 하는가? 예수님은 마태복음 9장에서 그 해답을 제시하셨

> 올 한 해 동안 라이프 스타일을 제한해 보면 어떨까? 사치품을 최소한으로 줄이면 어떤 변화가 일어날까?

다. "무리를 보시고 불쌍히 여기시니 이는 그들이 목자 없는 양과 같이 고생하며 기진함이라. 이에 제자들에게 이르시되 추수할 것은 많되 일꾼이 적으니 그러므로 추수하는 주인에게 청하여 추수할 일꾼들을 보내 주소서 하라 하시니라"(마 9:36-38).

놀랐는가? 처음 이 본문을 대했을 때 난 두 가지 점에서 깜짝 놀랐다. 우선 병들고, 가난하고, 갖가지 도움이 필요한 이들에게 둘러싸인 예수님이 즉시 제자들에게 돌격 명령을 내리시지 않았다는 점이다. "베드로야, 너는 저 남자한테 가 봐라! 요한, 너는 저 젊은이를 돌보고! 안드레야, 넌 저쪽으로!" 하지만 주님은 그러지 않으셨다. 대신 그 어떤 행동보다도 먼저 기도하라고 명령하셨다.

더욱 놀라운 것은 예수님이 주신 기도의 내용이다. 개인적으로는

주님이 이렇게 말씀하시리라고 예상했다. "도움을 청하는 백성들을 보아라. 추수할 것이 참 많구나. 그러므로 고생에 지쳐서 기운이 빠진 이들을 위해 기도해라. 먼저 저 사람들을 위해 간구하여라." 그러나 이번에도 그렇게 가르치지 않았다. 길을 잃고 방황하는 무리를 위해서가 아니라 교회를 위해서 구하라고 말씀하신 것이다.

생각해 보라. 도움을 간청하는 이들에게 둘러싸인 예수님이 어째서 제자들을 돌아보시며 제각기 자신을 위해 기도하라고 하셨을까? 여기에는 마음을 한없이 낮아지게 만드는 속사정이 있다. '고생하며 기진한' 이들을 바라보시며 예수님은 어찌할 바를 모르는 백성들이 하나님 아버지께 나가지 못할까 염려하신 것이 아니라, 제자들이 주님의 잃은 양들에게 가지 않을까 걱정하셨던 것이다.

곰곰이 생각해 보면 그리스도인들이 예수님의 말씀대로 복음을 듣지 못한 수많은 사람들에게 나갔더라면 지금쯤 세상이 어떻게 달라졌을지 궁금하다. 오늘날의 문제는 근본적으로 기도하지 않기 때문에 생긴 것들이다. 그것 말고는 밭이 그토록 넓은데 추수할 일꾼이 터무니없이 적은 상황을 설명할 길이 없다. 전 세계의 헤아릴 수 없이 많은 이들이 복된 소식을 기다리고 있다. 지금 우리에게 가장 시급한 것은 추수할 밭의 주인께 더 많은 그리스도인들을 들판으로 보내 달라고 부탁하는 일이다.

기도는 흔히들 무심코 건너뛰거나 몰라서 무시할 위험성이 가장 높은 대목이다. 복음서를 통해 이미 살펴본 것처럼, 인간은 한없이 부족하고 무기력하다. 따라서 하나님이 도와주시지 않으면 영원한 가치를 가지는 사역 중 그 어느 것도 감당할 수 없다. 계획을 세우고, 전략을 짜고, 그것을 실행할 일꾼을 제아무리 많이 가졌다 하더라도 기도하는 일꾼이 반드시 필요하다.

얼마 전 친구 한 명이 한국에서 두 주간을 보내고 돌아왔다. 한국은 최근 몇 년 동안 그리스도인의 숫자가 폭발적으로 늘어나고 있는 곳으로 지난 1세기 동안, 전체 인구의 절반가량이 그리스도께 돌아왔다. 한국의 교회 지도자들은 이처럼 영적인 부흥이 일어난 요인으로 하나님의 권능이 기도를 통해 역사하셨던 점을 꼽는다.

어느 날, 호텔에 묵고 있던 친구는 밖에서 들려오는 시끄러운 소리에 잠이 깼다. 새벽 4시였다. 졸린 눈을 부비며 어기적어기적 창가로 다가가 커튼을 젖혔더니 호텔 가까운 곳에 있는 경기장 안에 사람들이 가득 들어찬 것이 보였다. 이상한 노릇이었다. '한국인들은 이 꼭두새벽에 무슨 경기를 한다는 거지?' 그는 짜증스러운 기분으로 다시 침대로 기어들어 잠을 청했다. 스타디움에서 나는 함성은 길을 가로질러 호텔 방까지 고스란히 들려왔다.

그날 아침 느지막하게 일어난 친구는 안내 데스크로 가서 매니저에게 아까 경기장에서 무슨 경기를 했냐고 물었다. 호텔 직원이 웃으며 대답했다. "고객님, 경기를 한 것이 아니고 교인들이 모여서 기도회를 가졌답니다."

우리는 어떠한가? 경기장이나 텔레비전 주위에 몇 시간씩이나 둘러앉아서 건장한 선수들이 돼지 껍데기로 둘러싼 공을 쥐고 냅다 달려 흰 선을 넘는 것을 지켜보며 살고 있지 않은가? 미식축구를 비롯한 각종 스포츠에 쏟아 내는 열정과 애정을 볼 때마다 온 교회가 저렇게 뜨겁게 기도하면 세상이 어떻게 달라질까 하는 간절함이 절로 생긴다. 그처럼 피상적이고 시시한 일들이 아니라 존귀하신 주님이 우리들의 관심을 독차지한다면 어떤 일이 벌어질까? 지구상의 모든 교회와 잃은 양들, 가난한 백성들을 위해 시간을 내서 기도한다면 세상이 얼마나 달라졌을까?

그렇다고 반드시 스타디움에서 급진적인 실험을 시작해야 하는 것은 아니다. 거실이나 골방에서 시작할 수도 있다. 기도는 어디서나 가능하다.

이쯤에서 "나 한 사람이 전 세계를 위해 기도한다고 해서 특별히 달라질 것이 뭐가 있을까?"라는 질문을 되짚어 보자. 대답은 "분명히 달라진다"이다.

몇 년 전에 패트릭 존스턴이 쓴 「세계 기도 정보」(*Operation World*)라는 책을 소개 받았다. 이 책은 성경을 제외한다면 내 기도 생활에 가장 큰 영향을 끼친 서적이 되었다. 여기에는 종교적인 구성, 전도 사역의 현황, 기도 제목 등 세계 모든 나라와 관련된 구체적인 정보들이 들어 있다. 아울러 일 년 동안 기도하는 일정을 제시해서 모든 나라를 위해 빠짐없이, 그리고 구체적으로 기도할 수 있게 해 두었다. 어린이용도 있어서 온 가족이 함께 기도할 수도 있다. 인터넷(www.operationworld.org)을 이용하면 무료 열람도 가능하다.

우리 교회에는 온 가족이 함께 모여 이 책을 가지고 기도하는 가정이 여럿 있다. 그중에서 특별히 벤(Ben)과 제니퍼(Jennifer) 가정을 소개하고 싶다. 이들은 두 아이(네 살, 두 살)와 함께 저녁마다 하루에 한 나라씩 돌아가며 기도하기 시작했다. 기도 모임이 거듭될수록 그들은 이 세상에 역사하시는 하나님의 손길을 감지하게 되었다. 그리고 열방을 향한 주님의 뜨거운 열정에 사로잡혀 갔다. 제니퍼는 이렇게 말한다. "하나님이 우리의 눈을 열어서 전 세계 사람들의 특별한 필요를 보게 하셨어요. 덕분에 우리 가족들의 삶이 달라졌고 언제든지 주어진 사명을 감당할 준비를 갖춰 나갈 수 있게 되었습니다."

기도는 눈에 띄는 일도 아니고 급진적인 느낌을 주지도 않지만 교회사를 돌아보면 기도를 통해 엄청난 일들이 일어났음을 볼 수 있다. 1세기 전, 에번스 로버츠(Evans Roberts, 1878-1951)라는 한 남성의 기도는 웨일스에서 부흥 운동이 일어나는 도화선이 되었으며 그 덕에 불과 몇 달 만에 십만 명 이상이 그리스도를 믿게 되었다. 그리고 그 파장은 웨일스를 넘어 전 세계로 퍼져 나갔다. 교회는 자국을 넘어 전 세계를 바라보기 시작했으며 평범한 그리스도인들은 복음을 듣지 못한 나라들로 들어갔다. 그 후 몇 년 사이에 인도네시아의 기독교 인구가 세 배로 늘어났으며 인도에서는 힌두교보다 열여섯 배나 빠른 속도로 교회들이 성장했다. 하나님이 성령을 부어 주시는 현장을 세상 모든 민족들이 똑똑히 목격한 것이다.

기도는 흔히 상상하는 것보다 훨씬 더 막강한 영향력을 발휘한다. 기도가 무슨 변화를 가져오겠느냐고? 하나님이 역사하시면 어떤 일이 일어날지 모른다. 무엇이든 상상만 하라!

그러므로 래디컬 실험의 첫 번째 영역은 일 년 동안 전 세계를 위해 기도하는 일이다. 하나님의 목적이 전 세계에서 두루 성취되기를 의지적으로, 구체적으로, 그리고 담대하게 기도하라.

말씀 전체를 샅샅이 읽으라

래디컬 실험의 두 번째 도전은 말씀 전체를 샅샅이 읽으라는 것이다. 말 그대로다. 한 해 동안, 창세기 1장 1절부터 요한계시록 22장 21절까지, 전체 31,101절을 하나도 빼놓지 말고 체계적으로 다 읽으라.

세계 곳곳에 흩어진 그리스도인들 가운데는 자신의 목숨을 걸고 하나님의 말씀을 들으려고 모이는 이들이 허다하다. 그런 형제자매들과 더불어 그리스도께 철저하게 순종하는 일에 동참하려면 성경을 펼치고 정신을 집중하는 데서부터 시작해야 한다. 개인적으로든 교회 공동체로든 오늘의 그리스도인들은 '성경 비슷한 무언가'에 지나치게 오랫동안 안주해 왔다. 그날그날 적용할 바를 한 토막씩 얻거나, 교회에 가서 즐거운 이야기를 듣거나 21세기에 더 나은 인간이 되거나 더 나은 삶을 사는 방법들을 소개하는 가르침을 받는 것으로 만족하는 이상한 기독교를 받아들인 것이다.

이제는 탁월한 하나님의 말씀을 붙잡고 저마다의 삶에서, 가정에서, 소그룹에서, 교회에서 그 가르침에 우선순위를 부여해야 한다. 우리 주위에서 치열한 싸움이 벌어지고 있는 것이 감지되는가? 한쪽에는 모든 민족들이 사랑과 구원의 주님 앞에 엎드려 경배하길 원하는 참 하나님이 계신다. 그리고 다른 한쪽에는 한 사람이라도 더 지옥 불에 던져 넣고 싶어 하는 거짓 신들이 있다(고후 4:4-6). 전투는 더할 나위 없이 치열하다. 경건의 시간에 묵상한 단편적인 말씀이나 주일 예배에서 받은 한 줌의 가르침만으로 치러 내기에는 힘이 달린다. 텔레비전 오락 프로그램이나 DVD, 비디오 게임, 인터넷 따위에 마음을 빼앗긴 상태라면 더 말할 것도 없다. 복음으로 세상 문화를 돌파해 나가자면 하나님의 말씀에 깊이 침잠하는 훈련이 절실하다.

성경을 체계적으로 읽는 데는 무수히 많은 방법이 있다. 인터넷에서 다양한 성경 읽기 표를 얻을 수 있을 것이다. 첫 장부터 마지막 장까지 순서대로 독파해 나가는 부류가 있는가 하면 연대순으로 재배열해서 보는 쪽도 있다. 여기저기를 조금씩 보거나 주제별로 묶어서 읽기도 한다. 날마다 읽는 이들도 있고 며칠에 한 번씩 날을 잡아 한 묶음씩 읽는 이들도 있다. 사람마다 기호와 취향이 다르다. 중요한 것은 성경을 읽는 것이다. 어떤 방식을 택하든지 무조건 읽으라.

개인적으로는 래디컬 실험에서 이 부분을 가장 강조하는 편이다. 기독교 시장은 온갖 서적들로 가득 차 있다. 건전한 서적도 있지만 그렇지 못한 경우도 적지 않다. 솔직히 말해서 나 역시 이 책을 쓰기 전 무척이나 망설였다. 서가를 바라볼 때마다 '이렇게 많은 책이 나와 있는데 거기에 또 한 권을 보태는 것이 과연 의미가 있을까?'라는 생각을 떨쳐 버릴 수 없었다. 아무튼 이 책의 가치는 세월이 가려 주겠지만, 세월의 검증을 마친 유일한 책이 이미 수중에 있음을 잊지 말아야 한다.

하나님은 말씀 안에 자신을 계시해 주셨다. 성경이야말로 성령의 역사를 통해 그리스도인 하나하나를 예수 그리스도의 형상으로 변화시켜 줄 수 있는 유일한 책이다. 하나님은 이 책을 사용하셔서 자녀들의 마음과 생각과 삶이 주님의 뜻에서 벗어나지 않도록 정렬해 주신다. 교회가 오랜 역사를 통해 생산해 낸 각종 서적과 문서들도 사용하시지만 하나님의 거룩한 목적을 달성하기 위해 처음부터 끝까지 성령의 감동으로 기록한 책은 오직 성경뿐이다. 그러므로 성경을 편다는 것은 곧 하나님 자신의 말씀을 보는 것을 의미한다. 죄를 속해 주시고, 우리로 거듭나게 하시며, 우리를 본래의 모습으로 회복시키시는 하나님의 초자연적인 능력이 이 말씀 안에 다 들어 있다.

개인적으로 지금까지 발간된 기독교 서적 가운데 단연 으뜸이라고 평가 받는 경건 서적보다 레위기를 읽는 것이 더 중요하다고 믿는 까닭이 여기에 있다. 레위기는 기독교 시장에 나와 있는 그 어떤 책도 따라갈 수 없는 탁월한 수준과 영향력을 가지고 있다. 이처럼 하나님의 영광에 대해 자세히 알고 싶다면, 주님의 아름다움을 체험하고 싶다면, 그분의 손에 붙들려 쓰임 받고 싶다면, 하나님의 말씀에 빠져 살아야 한다.

'기도하고 성경을 읽는 것이 뭐가 급진적이라는 것이지?'라고 생각하는 사람도 있을지 모르겠다. 하지만 오늘날 교회의 영적인 열정과 성경 지식의 결핍을 직시한다면, 기도하고 성경을 읽는 것이야말로 가장 급진적인 신앙의 모습이라는 것을 공감할 수 있을 것이다. 좀 더 깊이 들어가서 저마다 뜻을 정하여 전 세계를 위해 기도하고 하나님의 말씀에 온전히 귀 기울인다면 어떤 일이 생길지 생각해 보라. 분명 우리들의 삶에 급진적인 변화가 일어날 것이다. 기도를 통해 한 사람 한 사람의 마음이 주님을 닮고, 말씀을 통해 우리의 생각이 그분의 뜻과 일치되게 하실 거라고 친히 약속하셨기 때문이다(마 6:9-15; 딤후 3:16-17). 비범해지려는 욕구에 사로잡힌 현대인들은 평범한 일의 중요성을 자주 잊어버린다. 실제로 급진적인 라이프 스타일은 평범한 일에 비범하게 헌신하는 데서 시작된다. 이것은 역사를 주름잡으며 세상에 영향을 미쳤던 그리스도인들에게서 특징적으로 나타났던 현상이기도 하다.

래디컬 실험의 두 번째 단계는 이것이다. 한 해 동안 성경 전체를 샅샅이 읽으라.

의미 있는 곳에 쓰기 위해 재정을 희생하라

단순히 "주라"라고 하지 않고 "희생하라"라고 표현한 데 주목하라. 이것은 결코 쉽지 않지만 무엇과도 비교할 수 없을 만큼 짜릿한 보상이(받는 쪽뿐만 아니라 주는 편에도) 따르는 일이기도 하다.

알다시피 재물이 있는 곳에 우리의 마음도 있게 마련이다(마 6:19-21). 제6장에서 공부한 것처럼, 이 영역은 이른바 선진국 그리스도인들의 위태로운 현실이자 현대 기독교의 사각지대이기도 하다. 많은 사람들이 가난하게 살고 있는 지구상에서 우리는 상대적으로 풍족한 편에 속한다. 일 년에 1만 달러(1천 2백만 원)만 벌어도 세계에서 상위 16퍼센트에 속하는 수입이다. 5만 달러(6천만 원)를 벌면 상위 1퍼센트에 해당할 만큼 부유하다. 지구 한편에서는 가난과 질병으로 인해 생존 한계선에 몰린 이들이 10억을 웃돌고 있다. 그렇다면 부유한 그리스도인들이 어떻게 해야 물질주의에 맞서 하나님의 일을 시작할 수 있을까?

앞 장에서 우리는 얼마를 쓰는 것이 적정선인지, 기존의 라이프 스타일을 제한하면 어떨지 생각해 보았다. 가난한 이들에게 가능한 한 많이 베풀기 위해서 필수품과 사치품을 구별하는 방법도 검토했다. 역사적으로는 주위의 절박한 요구에 부응하기 위해 라이프 스타일을 통제하고 조정했던 존 웨슬리의 삶을 돌아보았다. 그렇다면 이제 오늘을 사는 우리 자신의 삶을 돌아볼 차례다.

내년 한 해 동안 라이프 스타일을 제한해 보면 어떨까? 사치품을 최소한으로 줄이면 어떤 변화가 일어날까? 여기에는 수중에 지닌 사치품들을 팔고, 새로 구입하는 것을 자제하며, 보유한 자산들을 의도적으로 희생하는 일들이 포함된다.

실험 기간이 단 일 년이라는 것을 다시금 강조하고 싶다. 십 년은 못 미뤄도 일 년쯤은 가볍게 보류해 둘 수 있는 지출이 있을 것이다. 그리고 십 년 동안은 불가능해도 일 년 정도는 없이 살아도 괜찮은 물건이 있을 것이다.

이제 세계 곳곳의 긴급한 필요를 채우기 위해 의도적으로 재물을 희생하기로 결단해 보자. 여기서 다시 '희생'이라는 키워드가 등장한다. 남거나 필요 없는 물건을 주는 것이 아니다. 그것은 희생이라 말할 수 없다. 희생은 이편의 피해를 감수하고 베푸는 것을 말한다. 곧 능력에 맞게 주는 것이 아니라 분에 넘치게 나눈다는 의미다.

일단 희생하기로 결심했다면 다음은 그 자원을 보낼 곳이 문제가 된다. 여기서는 구체적인 장소를 말하기보다는 베풂의 대상을 선정할 때 반드시 고려해야 할 중요한 점 몇 가지를 나누려고 한다.

첫째로, 일의 중심에 복음이 있는 곳에 자원을 투자하라. 세계 곳곳에는 다양한 요구들을 충족시키기 위해 활동하는 수많은 단체들이 있다. 하지만 인간에게 가장 절박한 필요는 그리스도다. 영적

> 래디컬 실험은 우리 인생에서 365일을 떼어 내 남은 생애를 완전히 바꿔 놓는 데 사용할 것이다.

인 갈급함을 채우는 일을 도외시한 채 육신적인 필요를 임시로 메워 주는 것은 성경적인 베풂의 핵심을 놓치는 처사다.

둘째로, 이와 관련해서 교회를 중심으로 베푸는 데 초점을 맞추라. 짧은 지면에 깊이 다룰 수는 없지만, 세상의 필요를 채우려고 하면서 하나님이 세우신 일꾼을 외면하는 것은 현명하지 않다는 점은 지적하고 싶다. 주님의 가장 큰 일꾼은 교회다.

셋째로, 개별적이고 실질적인 필요를 채우라. 재물을 희생하는 목표를 한데 뭉뚱그려서 '가난한 이들을 위해'로 설정한다면 절제의 동기를 상기시켜 줄 구체적인 얼굴이 없는 셈이다. 따라서 개인적으로 섬길 수 있는 누군가, 또는 무엇인가에 자원을 투자하라. 심금을 울리는 요구에 개인적으로 반응할수록 그 상대에게 복음을 정확하게 보여 줄 가능성이 더 커지게 된다.

마지막으로, 신뢰할 만한 곳에 베풀라. 알다시피 자선 기금이 엉뚱한 곳에 남용되는 일은 흔히 있는 일이다. 우리 그리스도인들은 물질의 청지기로서 주어진 자원을 성실하게 관리할 인물 또는 단체에 재물을 맡길 책임이 있다. 같은 맥락에서 지속 가능한 방식으로 기부하기를 권면하고 싶다. 베푸는 데는 현명한 방법이 있고 그렇지 못한 방법이 있다. 조심하지 않으면 장기적으로 도울 수 없는 단기 프로젝트에 자원을 낭비할 가능성이 높다. 눈앞의 필요를 잠깐 채워주고 마는 것보다는 오래도록 지속할 수 있는 사역에 재화를 투입하는 것이 중요하다.

이것이 래디컬 실험의 세 번째 요소다. 일 년 동안, 구체적이고 긴급한 영적, 신체적 필요를 채우는 일에 급진적으로 삶을 드리기 위해 가진 재물을 동전 한 닢까지 최대한 희생하라.

당신을 필요로 하는 낯선 곳에 가서 섬기라

'가는 일'에 급진적이 되는 것은 급진적으로 베푸는 것만큼이나(때로는 더) 중요하다. 여기가 래디컬 실험의 네 번째 단계다. 이것은 지극히 개인적이고 인격적인 영역이어서 여태까지와는 전혀 다른 경로를 통해 깊은 감동을 받게 될 것이다.

자동차를 타고 달려가든 비행기를 타고 날아가든, 어려운 처지에 빠진 이들에게 복음을 전하거나 그들을 돕기 위해 집을 떠나 본 적이 있는가? 그런 적이 있든 없든, 앞으로 한 해 동안은 하나님이 저마다의 삶을 위해 마련해 두신 일정에 따라 멀고 낯선 지역으로 나가는 경험을 쌓아야 한다. 반감이 들지 모르겠지만 현실을 알고 나면 금방 고개를 숙이게 될 것이다.

오랜 내전으로 극심한 빈곤 상태에 빠진 수단을 처음 방문하려고 했을 때다. 당시 약 3천 달러(4백만 원) 정도의 여행 경비가 필요했다. 게다가 아직 전쟁이 끝나지 않아서 내륙을 자유롭게 여행하기가 무척 어려운 형편이었다. 우리는 어쩔 수 없이 일행이 탈 경비행기를 세내기로 했는데 그 일에만 며칠이 걸렸다. 준비가 한창이던 어느 날, 예배를 마치고 나오는데 신실한 자매 하나가 다가와서 속삭이듯 말했다. "차라리 그 여행 경비를 수단 사람들에게 보내 주는 것이 좋지 않을까요? 목사님이 열흘 정도 함께 있어 주는 것보다는 그 편이 더 도움이 될 것 같은데요."

그 질문을 붙들고 나는 깊이 고민했다. 그 돈을 가난한 이들에게 나눠 주지 않고 여행 경비로 써 버리는 것이 과연 낭비일까, 아닐까? 우리는 그곳에 꼭 가야 하는가? 그 고민은 수단에 도착할 때까지 계속되었다. 그리고 현지에 도착해서 앤드류라는 젊은이와 대화를 나누면서 비로소 풀렸다.

앤드류는 지난 20여 년 동안 자신이 살아온 이야기를 들려 주었다. 태어나던 날부터 전쟁을 보고 배웠던 이 청년은 수단 사람들이 그 고통과 박해를 어떻게 헤쳐 나왔는지 담담하게 말했다. 그는 가장 암울한 시기에 구호품들과 도움을 주었던 수많은 이들(대부분 기독교와 관련 없는 단체나 정부 조직 사람들)에게도 깊은 감사를 전했다.

그리곤 나를 바라보며 물었다. "그런 도움에 감사하면서도 우리가 누구를 진정한 형제라고 생각했는지 아십니까?"

의자를 바짝 당겨 앉으며 물었다. "누구죠?"

앤드류가 대답했다. "가장 어려울 때 함께 있어 준 사람들이죠. 목사님, 여기까지 와서 함께해 주시니 감사합니다."

왈칵 눈물이 솟았다. 생각지도 못했던 곳의 급소를 찔린 기분이었다. 하나님이 우리 인간을 구원하실 때 금은이나 현금, 수표 따위를 보내지 않았다는 사실이 새삼 가슴에 다가왔다. 하나님은 자신을, 독생자를 보내셨다. 잠시나마 직접 가는 대신 송금하는 것이 좋을지도 모르겠다고 생각했던 것은 큰 오산이었다. 물질만 보낸다면 어떻게 복음을 소개할 수 있겠는가? 물질만으로 모든 필요를 해결할 수 있다고 판단할 만큼 피상적인 믿음을 가졌던 내 자신이 부끄러웠다.

세상을 향한 하나님의 목적을 이루는 데 동참하고 싶다면 물질을 나누는 것도 중요하지만 그것이 1순위가 되어서는 안 된다. 오히려 자신을 바치는 것을 최우선으로 삼아야 한다. 복음은 우리가 그러기를 요구하고 있다.

그렇다면 어떻게 갈 것인가? 정해진 것은 저마다 집에서 출발한다는 점뿐이다. 그리스도인은 어디에 살든지 거기서 제자를 삼으라는 명령을 받았다. 예수님이 보여 주신 본보기를 보면, 복음을 전하는 시발점은 우리 주변이 되어야 한다. 주님은 지상에 계시는 동안 세계 곳곳을 누비지 않으셨다. 수많은 사람들이 모인 곳을 찾아가지도 않으셨다. 만나지 못한 무수한 사람들 때문에 속을 끓이신 것이 아니라 가까이에 있는 몇몇 제자들에게 온힘을 쏟으셨다. 따라서 첫 번째 대상은 자신의 집과 동네, 도시가 되어야 한다. 더불어 그리스도의 영광을 위해 세상에 영향을 끼칠 사람들에게 초점을 맞추어야 한다.

지난 몇 해에 걸쳐, 우리 교회에서는 '가라'는 명령을 해석하는 방식을 두고 미묘하지만 중대한 변화가 일어났다.

한동안 우리 교회는 다채로운 공동체 사역을 일사불란하게 조직하고 중앙 집중식으로 편성하는 데 신경을 썼다. 그러다 보니 더 많은 성도들이 나갈 수 있도록 격려하고 준비시킬수록 진행하는 사안들을 일일이 통제하기가 어려워지는 문제가 생겼다. 결국 진행되는 프로그램들을 교회가 모두 통제하려는 마음을 빨리 접는 것이 상책이라는 결론에 이르렀다. 우리는 프로그램의 주도권을 분산시키기로 했다. 사역을 시작하고, 관리하고, 지역사회 곳곳으로 확산시키는 권한을 한 사람 한 사람에게 나눠 주기로 한 것이다.

효과는 놀라웠다. 소그룹들이 자발적으로 나서서 저마다 가지고 있는 은사와 열정을 파악하고 하나님께서 그 자원을 사용하셔서서 제자를 삼고 복음을 확산시켜 주시길 기도하기 시작했다. 학교를 빌려 거창하게 특별 사경회를 개최하는 대신 자기 집을 개방해서 일주일에 한 번씩 성경을 공부하는 모임을 열었다. 그것을 통해 집으로 초대하면 사람들에게 훨씬 효과적으로 복음을 전할 수 있다는 것을 자연스럽게 익혀 갔다. 그것이 시발점이 되어서 다른 형태의 사역들도 폭발적으로 늘어났다.

지금은 복음을 전하기 위해 직장과 동네를 중심으로 성경 공부 그룹을 운영하고, 약물중독 재활 센터를 지원하고, 노숙자 쉼터의 급식을 돕고, 고아들에게 기술을 교육하며, 요양원의 할머니들을 보살피고, 삶의 마지막 순간을 맞은 이들에게 호스피스 사역을 하며, 직업 훈련을 시키고, 글을 모르는 이들에게 읽고 쓰기를 가르치며, 입원 중인 어린 환자들과 놀아 주고, 에이즈에 걸린 환자를 간병하고, 외국에서 갓 이민 온 이들이 영어를 쉽게 익히도록 돕는 등 다채로운 활동을 펼치고 있다. 이 중에서 교회가 개입한 모임은 단 하나도 없다. 하나님의 백성들을 무장시키고 일상이라는 삶의 현장에서 하나님의 목적을 이루는 권한을 그들에게 맡기는 순간, 가능성은 무한대로 증폭된다.

복음을 전하는 일은 살고 있는 곳에서부터 시작되지만 거기에만 국한되지 않는다. 래디컬 실험의 네 번째 요소는 여기에 근거를 두고 있다. 복음을 들어 보지도 못한 이들이 십억 명을 넘으며 알면서도 받아들이지 않는 인구 역시 비슷한 규모에 이른다는 점을 감안하면 가야 할 책임이 누구에게 있는지가 분명해진다. 가는 것은 선택 사항이 아니라 주님의 명령이고 부르심이다. 남은 문제는 이제 어디로 가서 얼마나 오래 머무느냐 하는 것뿐이다. 너나없이 같은 곳으로 가서 똑같은 기간 동안 살 필요는 없다. 하지만 복음을 가지고 열방으로 나가는 것이 하나님의 뜻이라는 점만큼은 그 무엇보다 확실하다.

래디컬 실험의 네 번째 도전은 내년 한 해 동안 지금 살고 있는 지역을 벗어나 낯선 환경과 조건 아래서 복음을 전하는 데 일정 시간을 투자하자는 것이다. 가용 시간의 최소 2퍼센트 정도는 이 일에 쓰기를 권하고 싶다. 계산해 보면 대략 일주일 정도가 되는데, 그 기간을 활용해서 국내외를 가리지 말고 전혀 생소한 세계로 가서 복음을 전하라.

우리 교회는 매년 연말이 되면 수많은 교인들이 이 특별한 도전을 실행에 옮기고 있다. 그리고 한 주 한 주가 지날 때마다 자신들이 목격한 하나님의 역사를 나누는 생생한 간증들이 꼬리에 꼬리를 물고 들려온다. 복음을 들고 전혀 다른 환경에 들어가 사는 2퍼센트의 시간은 익숙한 조건 속에서 생활하는 나머지 98퍼센트의 시간에도 큰 영향을 끼친다.

주일마다 교인들이 개인적으로, 또는 여럿이 함께 나를 찾아와 한 주간 낯선 환경과 조건에 들어가 복음을 전하면서 경험한 일들을 나눈다. 어느 주일엔가는 얼굴 가득 환한 미소를 띠고 있는 그룹과 마주쳤다. 막 라틴아메리카에서 돌아오는 길이라고 했다. 그들은 한 주 전까지만 해도 일면식도 없던 사이였는데 지금은 팔짱을 끼고 다니는 사이가 됐다. 그들은 현장에서 하나님의 역사를 확인한 후 하나같이 감격을 주체하지 못했다.

그 팀원들은 자신들이 외국에 나가서도 복음을 전했는데 국내라고 못할 것이 무어냐는 데 뜻을 같이했다. 그래서 매주 기도 모임을 갖는 한편, 정기적으로 빈민촌에 가서 음식을 나누고 잔치를 열어 주는 봉사를 시작하게 되었다. 그렇게 얼마나 활동했을까, 그들은 정

말 그곳에서 제자를 키우고 싶다면 가끔가다 한 번씩 만나는 것으로
는 부족하다는 사실을 깨달았다. 여러 가지 방안을 논의한 끝에 아
예 그곳에 들어가 소그룹 모임을 가지기로 했다. 그래서 매주 주민
들과 함께 모여서 성경을 공부하기 시작했다. 얼마 뒤부터는 어린이
들을 대상으로 한 다채로운 프로그램도 열었다. 그때부터 하나씩 둘
씩 부모들이 그리스도께 돌아오기 시작했다. 여태 약물과 폭력에 찌
들어 살던 이들이었다. 라틴아메리카에서 복음을 전했던 경험을 발
판으로 버밍엄의 빈민가에까지 복음을 확산시켰던 것이다. 어느 한
쪽이 아니라 양쪽 다 중요하다.

소그룹 사역을 통해 거둔 열매는 거기서 그치지 않았다. 몇몇 식
구들은 힘을 모아서 사회 · 경제적으로 소외된 그곳 청소년들이 대
학에 진학해서 그들이 고백하듯 "모든 민족으로 제자를 삼아 복음을
전 세계에 가득하게 만들" 채비를 갖출 기회를 제공했다. 또 다른 가
정은 거리에서 먹고 자던 한 남성을 집에 기숙시키면서 자립할 발판
을 마련하도록 지원하고 있다.

모든 민족으로 제자를 삼는 사역의 성과는 끝없이 이어진다. 그러
나 삶의 2퍼센트를 드리기로 작정할 당시로서는 그 경험이 나머지
98퍼센트의 삶에 어떤 영향을 미칠지 전혀 알 수 없었다.

장담하지만 세상을 향한 하나님의 목적을 이루는 사역에 삶을 드
리면 주님은 여태껏 상상하지도, 경험하지도 못했던 것을 우리에게
보여 주실 것이다. 휠체어 회사에서 탁월한 기술자로 인정받는 애덤
스는 루마니아 빈민가에 가서 가난한 장애인들에게 휠체어를 맞춰

주는 일을 하고 있다. 건축 일을 하는 대릴(Darryl)은 에콰도르에 가서 수중에 돈 한 푼 없는 이들에게 집을 지어 주고 있다. 수의사 윌(Will)은 애리조나 주에 있는 인디언 보호 구역에 들어가서 주민들이 기르는 소 떼를 돌봐 준다.

자칭 '대학을 좋아하지 않는 대학생', 안드레아(Andrea)도 있다. 그녀는 고등학교를 마친 뒤 다른 나라로 가고 싶어 했다. "대학에 들어가는 것은 시간 낭비라고 생각했어요. 그리스도를 모르고 죽어 가는 이들이 수두룩한데 교육을 받는다고 세월만 보낼 수는 없잖아요." 하지만 부모는 딸을 이리저리 구슬려서 딸이 가고 싶어 하는 아시아나 아프리카 대신 앨라배마 주에 있는 대학에 그녀를 보냈다.

대학 생활에서 별다른 의미를 찾지 못하던 그녀는 어느 날 우리 교회의 예배에 참석했다가 베두인 족에게 복음을 전할 사람이 필요하다는 이야기를 듣고 반색을 했다. 그리고 베두인 공동체에 들어갈 공부를 시작했다. 서둘러 아랍어 수업에 등록했고 얼마 뒤에는 한 학기 동안 직접 중동에 가 머물 작정인데 베두인 족과 접촉할 기회가 생겼으면 좋겠다는 이메일을 보내왔다. "이번 학기가 끝나면 브룩힐즈교회에서 베두인 족을 볼 수 있기를 기대합니다. 그들에게 예수님을 소개할 기회가 생기면 좋겠어요."

모든 그리스도인들이 자신의 직업과 기술을 생계를 유지하고 좀 더 나은 지위를 얻는 수단이 아니라 복음을 전하는 발판으로 사용한다면 어떻게 될지 생각해 보라. 교회들이 전통적인 개념의 선교사만 보낼 것이 아니라 경영자와 기술자, 교사와 학생, 의사와 정치인, 엔

지니어와 운동선수를 파송해서 목회자는 들어갈 수 없는 지역에서 복음을 전하게 한다면 어떻게 되겠는가?

간혹 이 2퍼센트의 헌신이 계기가 되어 매년 98퍼센트의 삶을 복음을 전하는 데 사용할 수도 있을 것이다. 어디에 가서 얼마나 머무느냐 하는 것은 중요하지 않다. 핵심은 가는 데 있다.

자, 이제 어디로 갈 것인가? 어떻게 하나님의 손에 자신을 맡겨 능력을 최대한 발휘할 것인가? 앞으로 일 년 안에 개인이나 가족 단위로 복음을 들고 낯선 환경과 조건 속에 들어가 그곳에서 2퍼센트의 시간을 보내라. 이것이 래디컬 실험의 네 번째 도전이다.

복음적인 지역 교회에 헌신하라

급진적인 실험의 마지막 요소는 복음을 전하는 공동체에 삶을 드리는 것이다. 앞에서 이야기한 네 가지 요소가 모두 이곳으로 수렴되는 까닭에 이 부분을 맨 끝에 두었다. 제5장에서 다루었다시피 제자를 삼으라는 예수님의 명령은 다른 사람을 위해 생명을 내어 주라는 초대다. 하나님은 인간을 만드시면서 서로 기대어 공동체를 형성하게 하셨다. 그리스도인들은 살아 있는 공동체의 지체로서, 교회의 지원과 격려를 받으며 급진적인 삶을 살아갈 수 있게 된다.

그리스도의 광대한 몸 가운데 일부를 이루는 것은 지극히 영광스러운 일이다. 국경과 역사를 초월해서 하늘나라 공동체의 식구가 된다니 얼마나 놀라운가! 그러나 신약성경은 지역사회 공동체의 지체가 된다는 것, 다시 말해 특정한 지역의 형제자매들이 한데 모여서 서로에게 헌신하는 것 역시 영광스러운 것이라 말하고 있다. 하나님은 지역 교회가 그리스도인의 삶의 모든 영역에 영향을 미치도록 설계해 두셨다.

그러므로 세계를 위해 기도할 때 혼자 외친다고 생각해서는 안 된다. "하나님 아버지"라고 입을 여는 순간, 그 간구는 소속된 더 넓은 규모의 신앙 공동체에 완벽하게 연결된다. 성경을 읽을 때도 깨닫고 배운 것을 함께 나누면서 적용해야 한다. 물질을 희생하고 전혀 다른 환경과 조건 속에서 복음을 전할 때도 혼자 힘으로 발버둥 치는 외로운 병사가 되어서는 안 된다. 이 모든 일들은 교회를 통해 복음이 전해지는 과정과 긴밀하게 연결되어 있다.

그러므로 현재 헌신적이고 활동적이며 열성적으로 지역 교회를 섬기고 있지 않다면, 기본적으로 신앙 공동체에 삶을 드리는 데서부터 래디컬 실험을 시작해야 한다. 사실 이 책은 처음부터 끝까지 그리스도께 전폭적으로 순종하는 마음가짐이 지역 교회의 움직임에 어떤 영향을 주는지에 초점을 맞추고 있다고 해도 지나치지 않는다. 저마다 개인적으로 그리스도를 따르는 것이 아니라 신앙 공동체를 이루어 함께 주님을 좇아가도록 돕는 것이 이 책의 목표다.

마가복음 10장에서 부자 청년이 재물을 지키러 돌아간 뒤에, 예수님은 제자들을 돌아보시며 주와 복음을 위하여 가족을 잃어버릴 수도 있다고 말씀하셨다. 그러나 곧바로 전과는 비교할 수 없을 만큼 많은 형제자매와 어머니들을 얻게 되며 영생을 얻지 못할 자가 없을 것이라고 덧붙이셨다. 이처럼 놀라운 영적 가족이야말로 신약성경이 제시하는 공동체의 아름다운 초상이다.

따라서 그리스도를 철저하게 좇으려면 반드시 공동체에 속해야 한다. 예를 들어 베푸는 일에 과감히 나서지 못하는 것도 대부분 재물을 사랑해서라기보다 고립되는 것을 두려워해서다. 교회 안에서 그리스도가 말씀하신 급진적이고 단순한 삶을 흔히 목격할 수 있다면 검소하게 살기가 한결 쉬워질 것이다. 하지만 가까운 그리스도인들이 다들 멋진 차를 타고, 커다란 집에 살며, 호화로운 라이프 스타일을 유지한다면 그것을 기준으로 살게 될 공산이 크다. 성경을 읽으면서 이러저러하게 살겠다고 마음먹었다가도 주변의 그리스도인들이 너나없이 말씀과 다른 식으로 사는 것을 보면 '저래도 괜찮은가 보다'라고 생각하게 되는 것이다.

그리스도께 전폭적으로 순종하길 원한다면 신앙의 모델을 제대로 보여 줄 그런 교회가 필요하다. 아낌없이 나눠 주고, 과감하게 나가고, 위험을 감수하며 사는 모습을 서로서로가 보여 주어야 한다. 우리에게는 예상하거나 기대하지 않았던 문제에 부닥쳤을 때, 손을 내밀어 삶을 지탱해 줄 형제자매가 있어야 한다. 그런 과정을 통해서 하나님이 설계하신 교회의 목적대로 서로 의지하는 법을 배우게 되는 것이다. 세상을 향한 그리스도의 뜻을 이루는 일은 본래부터 개인에게 맡겨진 과제가 아니었다. 그리스도인은 모든 민족에 가족을 둔 세계의 시민이다. 그러므로 늘 교회와 더불어 움직이며 서로에게 필요한 공동체를 위해 삶을 바치라.

일단 지역 교회에 헌신하기로 했다면(또는 이미 그러고 있다면), 그 공동체 안에서 제자 삼는 사역을 할 수 있는 최상의 길을 찾으라. 우리 교회에서는 그런 작업이 주로 소그룹을 통해 이뤄진다. 길을 잃고 방황하는 이들과 더불어 말씀을 나누면서 세상을 섬기는 것이다. 예수님은 관계를 통해 제자를 세우는 것에 가장 큰 우선순위를 두셨다. 그리스도인의 삶에 있어서 그런 관계는 부수적인 요소가 아니다. 래디컬 실험을 하면서 내년 한 해 동안 속해서 활동할 그룹을 물색하라. 어떤 공동체에 들어갈지, 그리고 어디로 가서 낯선 환경과 조건을 경험할지 함께 검토하라. 누구에게 주님을 소개할지, 누구에게 말씀을 가르치고 어떻게 제자를 삼을지 곰곰이 생각해 보라.

이제 막 교회에 들어와 복음의 가르침에 따라 살기 시작한 이들이 변화하는 모습은 대단히 인상적이다. 얼마 전에 우리 교회에 출석하는 한 성도가 '비판적인' 편지 한 통을 보내왔다. 그리스도를 모르는 이들의 눈에 복음이 살아서 역사하는 모습이 어떻게 비치는지 단적으로 보여 주는 글이어서 함께 나눴으면 한다.

*

사랑하는 데이비드 목사님, 그리고 브룩힐즈 성도들에게

모두들 목사님과 브룩힐즈교회 성도들에 대한 찬사를 아끼지 않더군요. 그래서 당연히 칭찬하고 격려하는 편지에 익숙하시리라 믿습니다. 하지만 이 편지는 항의나 경고에 더 가깝습니다. 설령 관점이 다르다 할지라도 너그럽게 이해하시고 끝까지 읽어 주시기 바랍니다. 실은 목사님의 '급진적인' 가르침과 행동이 저의 삶(다른 이들의 인생도 마찬가지리라 믿습니다만)을 완전히 붕괴시켰다는 사실을 알려 드리려고 이 글을 씁니다.

저로 설명 드리자면 … 저는 충분히 만족스러운 삶을 사셨던 부모님 밑에서 사랑을 받으며 자랐습니다. 교회에는 다니지 않았습니다. 제가 속했던 세상의 관점으로 보기에 그리스도인들의 행동은 너무나 위선적으로 보였기 때문입니다. 성인이 된 뒤에는 야망을 품고 세상적인 성공을 추구하며 살았습니다. 그 길을 걸으면서 교회는커녕 그 근처에는 발길도 돌리지 않았습니다. 대학을 거쳐 대학원을 졸업한 후에는 마음씨 따뜻하고 아름다운 여성과 결혼을 했습니다. 괜찮은 직장에 들어간 덕에 남보다 빨리 집도 마련하고 대출금도 꼬박꼬박 갚을 수 있었습니다. 은퇴 후 제법 큰돈을 받을 수 있는 주식형 퇴직 연금에도 가입했습니다. 곧이어 귀여운 두 딸이 태어났고 강아지도 두 마리 키우며 단란한 가정을 가꿨습니다. 중산층에 어울리는 성공 신화를 써 가고 있었던 셈입니다.

주위 사람들로부터도 현실적인 세계관에 토대를 둔 친절하고 품위 있는 남자라는 평가를 받으며 살았습니다. 저는 열심히 일해서 생활하고 저금하는 저의 생활에 백 퍼센트 만족했습니다. 퇴직 연금과 교육 보험을 붓고, 적금을 들고, 휴가를 대비해서 따로 돈도 모았습니다. 평면 텔레비전처럼 값나가는 전자 제품들을 장만하기 위해

착실하게 저금도 했습니다. 기부금은 간신히 체면을 지킬 정도만 냈습니다. 저는 가족을 사랑했고 그들과 함께 시간을 보내는 것이 무엇보다 좋았습니다. 하지만 늘 돈이 부족해서 쩔쩔맸고 살림살이에 필요한 비용은 늘어만 갔습니다. 그때마다 가지고 있던 통장들을 훑어보면서 거기서 위안과 안정을 찾았습니다.

승진과 출세에 목매는 평범한 남성들이 다 그렇겠지만, 주식형 퇴직 연금에서 분기마다 배당금이 나올 때면 잠시나마 기분이 좋았습니다. 그러나 주가가 폭락하여 배당금이 나오지 않거나 생돈을 끌어다 메워야 할 때면 스트레스를 받고 좌절했습니다. 때로는 화가 나기도 했습니다. 그래도 사노라면 어쩔 수 없이 겪어야 할 오르내림으로 받아들이고 그냥 넘어갔습니다.

그러던 어느 날, 아내가 아이들을 교회에 보내고 싶다면서 함께 가까운 예배당에 다니자고 했습니다. 이 시점까지는 교회나 거기에 다니는 위선적인 그리스도인들과 마주치는 일을 용케도 잘 피해 왔습니다. 믿음이 좋다는 교인들을 만나면 늘 마음이 불편했기 때문입니다. 어쩐지 성경을 잘 모른다고 깔보는 것 같았습니다.

하지만 이번에는 아내를 기쁘게 해 주기 위해서 꾹 참고 예배에 참석했고 교인들과도 어울렸습니다. 주말에 해야 할 일의 목록에 '예배'라는 항목을 마지못해 끼워 넣은 것입니다. 처음에는 그래도 나은 편이었습니다. 그런데 시간이 갈수록 괴로움이 더해졌습니다. 사람들은 괜찮아 보였지만 물에 물 탄 듯 미적지근한 설교를 듣고 있으면 감동은커녕 얼른 집에 가고 싶은 마음만 들었습니다.

나만큼이나 흥미를 잃었던 아내는 브룩힐즈교회에 한번 가 보자고 했습니다. 평판이 좋다는 이유였습니다. 평범한 교회에 다니는 것이 그저 싫은 수준이라면 대형 교회에 나가는 것은 최악이라는 것이 평소의 지론이었지만, 아내의 입담을 어떻게 당해 내겠습니까? 결국 지난 가을, 이 교회의 문턱을 밟았습니다. 그날을 시작으로 목사님과 교회 성도들은 세상에서 편안히 살던 저의 삶을 차근차근 무너뜨리기 시작했습니다.

목사님의 설교는 순수하고도 강력해서 예전에 듣던 어중간한 메시지와는 사뭇 달랐습니다. 저는 즉각적으로 영향을 받기 시작했고 곧 마약중독자처럼 다음 주를 기다리는 처지가 됐습니다. 그때부터는 정말 꼬박꼬박 교회에 다녔습니다. 주일만으로는 말씀에 대한 욕구를 채울 수가 없어서 지나간 설교 CD를 사다가 출·퇴근길에 듣기도 했습니다. 그리고 듣고 마는 것이 아니라 삶으로 살아 내는 교인들과도 교제했습니다. 점점 배우고자 하는 마음이 더 뜨겁게 타올랐습니다. 이번에는 소그룹 모임에 가입했습니다. 수요일 저녁 성경 공부 모임에도 나갔습니다.

목사님과 교회 성도들이 반가워하며 저를 격려해 주시더군요. 그런데 점점 더 깊이 말씀에 중독될수록 부작용이 생겼습니다. 내면에서 믿음이 싹을 틔우고 자라나기 시작한 겁니다. 이번에는 같은 믿음을 가지고 씨름하는 다른 그리스도인들을 만나 보고 싶은 마음이 굴뚝같아졌습니다. 세상의 소중한 것들을 삶을 지탱하는 기둥으로 여기고 단단히 쥐었던 저의 손아귀에서도 차츰 힘이 빠졌습니다. 그렇게 해서 저는 그리스도인이 되었습니다.

말씀을 듣고 신앙이 성장하면서 지난 한 해 동안 내 삶이 얼마나 달라졌는지 생각하면 스스로도 믿기지 않을 정도입니다. 예전에는 교회라면 딱 질색이었는데 이제는 주일 예배에 빠지는 법이 없습니다. 일주일에 한 번씩 멤버들의 집에 모여서 서너 시간씩 성경을 공부하는 소그룹 모임에도 열심입니다. 성경을 가르치기 위한 교사 세미나에도 참석했습니다. 그리스도인이라면 무조건 피하던 내가 그리스도의 제자가 된 것입니다. 이제는 예전에 다른 그리스도인들이 내게 그랬듯이, 누군가를 붙잡고 말씀을 나누고 싶습니다.

평면 텔레비전을 사려고 돈을 모으던 일은 그만둔 지 오래입니다. 텔레비전 앞에 오래 앉아 있는 버릇도 없어졌습니다. 퇴직 연금 불입액도 줄였습니다. 통장을 보며 위안을 찾는 짓도 그만뒀습니다. 그렇게 해서 남는 돈은 교회 또는 자선단체에 보내거나 다른 사역을 위해 헌금을 합니다. 희한하게도 배당금이 나왔을 때보다 훨씬 기분이 좋습니다.

제가 어디가 아픈 것이 아닐까요? 생각할수록 미친 짓입니다. 저한테 무슨 약을 먹이신 것이지요?

세상에 푹 빠져 살던 일 년 전에는 제 자신이 이렇게 변할 줄은 꿈에도 몰랐습니다. 세상이 전부인 줄 알았고, 성공을 좇아 뛰었으며, 안락한 미래를 위해 저축을 했고, 튼튼한 기반 위에 안정된 삶을 구축하려고 노력했습니다. 하지만 이제는 보이지 않는 하나님을 믿게 되었고 그분께 기도하며 풍성하고 깊은 교제를 추구합니다. 그리고 눈에는 보이지 않는 영원한 나라를 갈망하며 믿음 가운데서 안정을 얻습니다. 옛날 같았으면 멍청한 짓이라고 비웃었을 것입니다. 그러나 한 해 전까지 꾸려 왔던 세속적인 삶은 완전히 무너지고 말았습니다. 저뿐만 아니라 가족들 역시 크게 달라졌습니다.

옛 생활이 붕괴되는 데 목사님과 신앙의 식구들이 얼마나 큰 역할을 했는지 알려 드리고 싶었습니다. 아울러 말씀을 가르치고 삶으로 구현해 내는 일을 앞으로도 계속한다면 예전의 나처럼 세상에 빠져 사는 이들의 삶에 강력한 충격을 주게 되리라는 점을 경고하고 싶습니다. 부디 여러분들의 행동과 그 파장이 이웃들의 인생에 영구적인 영향을 미친다는 사실을 알아 주기를 부탁 드립니다. 여러분이 저지른 행동의 결과를 단적으로 보여 주는 산 증거가 바로 저입니다.

_ 그리스도 안에서 형제 된 자

*

교회가 한뜻이 되어 급진적인 복음을 널리 선포할 때 일어날 일들을 생각하면 하나님을 찬양할 수밖에 없다. 교회는 모든 민족에게 복음을 전하기 위해 주님이 설계하신 특별한 도구다. 또한 믿음을 같이하는 이들이 단단히 연대해서 급진적인 구세주를 따라가는 신앙 공동체이기도 하다. 래디컬 실험의 마지막 단계는 제자 삼는 사역을 통해 복음을 확산시키는 그리스도인들의 공동체에 삶을 바치는 일이다.

꿈

래디컬 실험의 얼개는 이렇다. 앞으로 한 해 동안 전 세계를 위해 기도하라. 처음부터 끝까지 말씀을 온전히 읽으라. 특별한 목적을 위해 재정을 희생하라. 전혀 다른 환경과 조건 속에 들어가 살아 보라. 복음을 전파하는 공동체에 삶을 드리라. 도전을 받아들이겠는가? 성공 지향적인 현대 문화의 사슬을 끊고 급진적인 복음을 추구하기 위해 지금까지 이야기한 이 다섯 가지 요소를 실천에 옮겨 볼 마음이 있는가?

한 해 동안 모든 민족을 사랑하시는 하나님의 마음을 깊이 살피고 나면 어떤 느낌이 들지 생각해 보라. 일 년에 걸쳐 그분의 음성에 귀를 기울이고 나면 주님의 영광에 관해 무엇을 배우게 될지 묵상해 보라. 지금 가지고 있는 물질 중에 어떤 것을 내려놓게 될지 생각해 보라. 그리고 그 자원들이 심각한 어려움에 빠진 이들에게 전해진다고 생각해 보라. 하나님이 어디로 인도하실지 마음에 그려 보라. 가까운 곳일지 먼 곳일지, 예수를 아는 이들에게 보내실지 복음이라곤 들어 본 적도 없는 미전도 종족에게 보내실지 상상해 보라. 신앙 공동체 안에서 삶을 통해 세상에 영향을 미치는 주요한 통로가 될 관계를 맺는다고 생각해 보라.

그리스도인들이 그리스도의 명령을 좇아 온 마음을 다해 세상 속으로 파고들면 어떤 일이 벌어질까? 이 책을 통해 그 결과를 문틈으로나마 엿볼 수 있었을 것이다. 하지만 그야말로 슬쩍 넘겨다보는 정도일 뿐이다.

앞에서 언급한 래디컬 실험들이 여러분의 신앙에 부디 보탬이 되길 바란다. 아울러 관련된 자료나 동일한 믿음의 길을 가고 있는 다른 이들과 연결될 수 있으면 더욱 좋겠다. 홈페이지(www. radicalthebook.com)에 접속하면 더 많은 이야기와 이와 관련된 웹사이트 정보, 일 년에 걸친 실험을 무사히 마치는 데 필요한 도움을 얻을 수 있을 것이다. 래디컬 실험의 결과로 하나님이 여러분의 삶에 특별한 역사를 일으키시거든 그 이야기를 홈페이지에 꼭 남겨서 함께 격려 받을 수 있기를 바란다.

급진적인 제자 훈련에 관해서 배워야 할 것은 아직도 수두룩하며 우리 교회가 실험을 통해 검증 받아야 할 일들도 산더미같이 많다. 혹시라도 앞에서 언급한 몇 가지 사례들만 보고 우리 교회가 그리스도의 성품과 목적을 모든 면에서 정확하게 따라가고 있다고 오해할까 봐 두렵다. 안타깝게도 우리는 전혀 그렇지 못하다. 아직도 갈 길이 멀다. 그리고 교회 안에 복음의 핵심을 회복하려는 시도가 시종일관 부드럽게, 그리고 멋지게 성공하고 있다는 인상을 주는 것 또한 걱정스럽다. 분명히 이야기하지만 실제로는 그것과 정반대에 가깝다. 성도들에게 복음의 핵심 진리를 적용하려고 노력하는 과정에서 받은 부정적인 이메일들만 따로 모아서 한 장(chapter)을 구성해 볼

까 고민했을 정도다. 나는 흠 없는 인간이 아니며 헤아리기 어려울 만큼 실수도 많이 저질렀다. 그리고 아직도 여전히 목회자가 된다는 것이 무엇을 의미하는지 배워 가고 있는 중이다. 그럼에도 불구하고 교인들이 따라 주는 것은 순전히 하나님의 크나큰 은혜 덕분이다. 나는 목회자로서 브룩힐즈 성도들을 사랑한다. 처음 부임했을 때는 이렇게까지 사랑하게 될 줄 몰랐다. 성령의 능력에 힘입어 열방을 뒤흔들 잠재력을 가진 교회를 돌보고 있다는 것은 나의 평생을 통틀어 가장 강렬하고도 과분한 기쁨이다.

지금까지는 아메리칸 드림의 부정적인 면만 이야기했는데 실은 그 안에 긍정적인 요소가 없지 않다. 우리는 신앙의 자유가 없는 나라에서 핍박을 받으며 믿음을 지키고 있는 이들이나 가난과 싸우고 있는 그리스도인들에게서 배우고 얻어야 할 것이 너무나 많다. 그럼에도 불구하고 이 땅에 나게 하셔서 자유와 자원을 넉넉하게 누리게 하신 것도 감사해야 한다. 거기에는 분명한 이유가 있기 때문이다. 우리에게 이 신앙의 자유와 자원들이 없었다면 복음을 들고 다른 민족에게 갈 기회가 없었을 것이다. 따라서 우리는 세상의 사고나 가치관, 가정을 받아들이지 않도록 조심하는 한편, 주님이 맡기신 자유와 자원을 주님의 뜻을 이루는 데 사용해야 할 것이다. 이것이 우리가 감당해야 할 사명이다.

예수님을 따르기 위해 어떤 대가를 치러야 하는지는 앞에서 이미 살펴보았다. 우리는 가진 것을 다 팔아서 가난한 이들에게 나눠 주어야 하며 상황이 절박하고 위험스러운 곳으로 가야 한다. 자칫 했다가는 목숨을 잃을 수도 있다. 이처럼 십자가를 지고 그리스도를 따르는 길은 가파르기 짝이 없다. 그러나 그 상급은 달콤하다. 예수님의 말씀처럼 예전과는 비교할 수 없을 만큼 풍성하게 받게 된다. "나와 복음을 위하여 집이나 형제나 자매나 어머니나 아버지나 자식이나 전토를 버린 자는 현세에 있어 집과 형제와 자매와 어머니와 자식과 전토를 백 배나 받되 박해를 겸하여 받고 내세에 영생을 받지 못할 자가 없느니라"(막 10:29-30). 산술적인 계산만으로도 우리의 희생이 진정한 희생이 아니라는 것이 분명해진다. 짐 엘리엇의 전기 서문에서 아내 엘리자베스는 남편의 삶과 죽음을 간략히 정리하면서 다음과 같이 말했다.

> 짐의 목표는 하나님을 아는 것이었다. 그는 그 목표를 이루기 위해 유일한 경로라 할 수 있는 순종의 길을 갔다. 어떤 이들은 남편의 최후를 일컬어 평범하지 않은 죽음이라고 말한다. 그러나 짐은 자신의 죽음을 통해 많은 이들이 하나님께 순종했기 때문에 죽어 갔음을 조용히 지적하고 있다.
>
> 흔히들 짐, 그리고 더불어 최후를 맞았던 이들을 영웅, 혹은 '순교자'라고 부른다. 마땅치 않은 일이다. 아마 그이들도 동의하지 않을 것이다. 그리스도를 위해 사는 것과 그분을 위해 죽는 것이 어떻게 다를 수 있다는 말인가? 죽음이 그렇게 대단한 일인가? 후자는 전자의 논리적 귀결에 불과하지 않은가? 더 나아가 하나님을 위해 사는 것은 사도 바울의 말처럼 '날마다' 죽는 일이기도 하다. 그리스도

를 얻기 위해선 모든 것을 다 잃어야 한다. 그러므로 우리의 생명을 내려놓을 때 비로소 그것을 얻을 수 있다.[1]

엘리자베스가 지적한 것처럼, 십자가에서 돌아가신 구세주를 따르는 한, 순교자의 죽음까지도 특별한 순종으로 분류되지 않는다. 그녀의 말을 듣고 있자면 순교도 평범한 순종처럼 보인다.

그렇다면 그리스도께 철저히 순종하는 것이 그리스도인의 새로운 기준이 된다면 어떨까? 우리에게는 선택권이 있다. 잠깐 있다가 사라지는 보화에 집착할 수도 있고, 절대로 사라지지 않는 영구적인 보물을 좇아 살 수도 있다. 영원한 보물에는 그리스도께 나온 사람들이라든지, 끼닛거리를 배급 받으러 찾아온 가난한 이들, 또는 복음을 받아들이기로 결심한 미전도 종족들이 예가 될 수 있다. 그리스도를 알고 경험하는 것 역시 무슨 대가를 치르고서라도 손에 넣고 싶은 보배다.

인간은 평균 70-80년을 살다가 죽음을 맞이한다. 그렇게 짧은 세월을 살면서도 잠시 있다가 사라지는 허망한 것을 정신없이 따라다닌다. 돈을 벌고, 물건을 사 모으고, 조금이라도 편안하고 즐겁게 살려고 발버둥 치며 노력한다. 그러는 사이에 영원한 존재를 바라보는 시각을 잃어버리는 것이다. 하지만 너나없이 조만간 하나님 앞에 서서 자신의 시간과 은사, 그리고 주님이 맡기신 복음의 청지기직을 어떻게 감당했는지 설명해야 할 것이다. 그날이 왔을 때, 성공을 위해 더 열심히 살지 못한 것을 아쉬워할 것 같지는 않다. 더 많이 일하고, 더 많은 재산을 축적하고, 더 편히 살고, 더 많이 여가를 즐기고, 더 오래 텔레비전을 보고, 더 멋진 노후 생활을 누리지 못해서 서운해할 것 같지도 않다. 대신 모든 나라와 민족들이 주님의 보좌 앞에서 찬양하는 것을 지켜보면서 그 마지막 때를 위해 더 열심히 살지 못한 것을 못내 아쉬워할 것이다.

자, 이 꿈을 위해 살 준비가 됐는가? 더 이상 흔들리지 마라.

래디컬 실험 결심문

나는 예수님 앞에 모든 것을 다 내려놓을 때 비로소 참다운 만족을 누릴 수 있으며 진정으로 하나님을 예배할 수 있다는 래디컬한 주장에 동의합니다. 그러므로 지금부터 한 해 동안 복음의 가르침에 따라 래디컬한 삶을 살겠습니다. 아울러 마음을 열고 하나님이 이 실험을 통해 내 삶에서 이루기 원하는 영원한 변화를 받아들이겠습니다.

한 해 동안 나는

1. 전 세계를 위해 기도하겠다.
그러기 위해서 특별히 다음과 같은 일을 실천하겠다.

_____

_____

2. 말씀 전체를 샅샅이 읽겠다.

_____

_____

3. 의미 있는 곳에 쓰기 위해 재정을 희생하겠다.

_____

_____

4. 나를 필요로 하는 낯선 곳에 가서 섬기겠다.

_____

_____

5. 복음적인 지역 교회에 헌신하겠다.

_____

_____

서명 : _____

날짜 : _____

주註

Chapter 01

1. 디트리히 본회퍼(Dietrich Bonhoeffer), 「나를 따르라(*The Cost of Discipleship*)」
   (New York : Simon and Schuster, 1995), p. 89.

Chapter 02

1. 탁월하신 하나님(느 9:6, 시 24:1-2), 모든 것을 다 아시는 하나님(욥
   37:16, 요일 3:20), 세상의 모든 피조물을 돌보시는 하나님(시 36:6, 시
   104:24-30), 만물의 주인이신 하나님(신 10:14), 거룩하신 하나님(삼상
   2:2), 의로우신 하나님(신 32:4), 진노하시는 하나님(롬 3:5-6), 사랑이
   많으신 하나님(요일 4:16).
2. 예수님을 영접하는 문제와 관련된 사도 요한의 가르침(요 1:12-13)마저
   도 그리스도를 전심으로 신뢰하는 수준이 아니라 몇 마디 말로 간단
   히 인정하는 것으로 곡해되는 경우가 얼마나 많은지 모른다.

Chapter 03

1. James Truslow Adams, *The Epic of America*(Boston : Little, Brown,
   1933), p. 415.
2. George Muller, *Answers to Prayer*, comp. A. E. C. Brooks(Chicago :
   Moody, n. d.), pp. 9-10.

3. 지혜의 성령(엡 1:17), 권능의 성령(행 1:8, 딤후 1:7), 성령의 열매(갈 5:22-23).

Chapter 06

1. 이것은 특히나 가난한 형제자매들을 돕는 이들에게 적용되는 가르침이다. 마태복음 25장 31-36절에서 주님이 유난히 강조하셨던 점이며, 아울러 사도행전 2장 42-47절과 4장 32-37절에 나오는 교회의 그림이기도 하고 고린도후서 8-9장, 야고보서 2장, 요한일서 3장에서 사도들이 의도했던 바이기도 하다.

2. 성적인 죄와 물질적인 죄 사이에는 여러 가지 분명한 차이가 있다. 여기서 이야기하는 핵심은 누구든 성과 물질 양면에서 모두 유혹을 받지만 어느 쪽에서 잘못을 저지르든 회개할 필요가 있다는 점이다. 죄를 무시하는 문제에 관해서는 야고보서 4장 17절을 참조하라.

3. 부자에게 하나님을 신뢰하는 마음이 없었다는 사실은 이야기 끄트머리(바리새인들이 하나님의 아들과 그분의 말씀을 한꺼번에 거부했다고 예수님이 말씀하시는 대목)에서 더욱 선명하게 드러난다.

4. 다시 한 번 분명하게 말하지만, 가난한 이들을 보살피는 것이 구원의 토대는 아니다. 제2장에서 살펴본 것처럼, 그리스도가 십자가 위에서 이루신 역사만이 구원의 기초이며, 하나님은 예수님을 믿는 믿음을 보시고 우리의 영혼을 구해 주신다. 따라서 가난한 이들에 대한 배려는 구원의 조건이 아니라 믿음의 열매 중 하나라고 볼 수 있다(약 2:14-19과 요일 3:16-18을 보라). 그러므로 거룩한 진리를 공부하고 주위의 가난한 이들을 돌아보는 하나님의 백성들은 훗날 긍휼히 여기시는 그리스도의 은혜를 입게 될 것이다.

5. 여기에 대해 더 깊이 알아보고 싶으면 다음을 참조하라. Craig L. Blomberg, *Neither Poverty nor Riches : A Biblical Theology of Material Possessions*, ed. D. A. Carson(Downers Grove, IL : InterVarsity, 1999). 블롬버그는 이렇게 적었다. "신약성경은 구약성경과 중간기 유대교의 원리들을 상당 부분 이월 받았지만 그 가운데 뚜렷한 예외가 있었

다. 영적인 순종이나 열성적인 노동이 물질적인 부요를 보장해 준다는 사고다. … 예수님의 가르침에는 경건한 삶에 물질적인 보상이 따른다는 이야기를 전혀 찾아 볼 수 없다. 그것은 도리어 철저하게 배격되는 개념이었다"(p. 242, 145).

6. 예수님은 그런 종류의 신앙은 오직 하나님의 은혜로만 가능하다고 말씀하신다(막 10:27).

7. 누가복음 12장 33절에서, 예수님은 똑같은 명령을 되풀이하셨다. "너희 소유를 팔아 구제하여."

8. Charles Edward White, "Four Lessons on Money from One of the World's Richest Preachers," *Christian History* 7, no. 19(1998), p. 24.

9. John Calvin, *Commentary on the Epistles of Paul the Apostle to the Corinthians*, trans. John Pringle(Grand Rapids : Baker Book, 2003), 1:297.

10. John Calvin, *Calvin Institutes of the Christian Religion*, ed., John T. McNeill, trans. Ford Lewis Battles(Philadelphia : Westminster Press, 1960), 2:1098.

11. Calvin, *Commentary on the Epistles*, 1:297.

Chapter 07

1. 흥미롭게도 바울은 로마에 있는 그리스도인들을 도와서 복음을 들어 보지 못한 이들에게 기쁜 소식을 전하려고 로마서를 썼다. 그는 "알려지지 않은 곳에서 복음을 전하는 것"(롬 15:20)을 큰 꿈으로 삼았는데, 특히나 스페인에 가고 싶어 했다(롬 15:24). 당시 스페인에는 그리스도가 전혀 알려지지 않은 상태였다. 복음을 들어 보지 못한 이들의 운명에 관한 부분은 스프라울(R. C. Sproul)의 글, *Reason to Believe : A Response to Common Objections to Christianity*(Grand Rapids : Zondervan, 1982), pp. 58-59에 등장하는 인용문을 많이 참조했다. 여기서 나누는 생각들은 스프라울이 제시한 다양한 진리들을 토대로 발전시킨 것들이다.

2. 바울은 로마서 2장 12-16절에서 이와 같은 논리로 유대인과 이방인을
   비교했다.

Chapter 08

1. John G. Paton, John G. Paton, D.D., *Missionary to the New Hebrides :
   An Autobiography*(London : Hodder and Stoughton, 1891), 56.
2. Elisabeth Elliot, *Sadow of the Almighty : The Life and Testament of Jim
   Elliot*(San Francisco : HarperCollins, 1979), p. 132.
3. Norman Grubb, *C. T. Studd : Cricketer and Pioneer*(Fort Washington, PA
   : CLC Publications, 2001), pp. 120-21.
4. Erich Bridges, "Worldview : Remembering a Young Woman Who
   Followed God to the Desert," *Baptist Press*, August 1, 2002, www.
   bpnews.net/printerfriendly.asp?ID=13951.

Chapter 09

1. Elisabeth Elliot, *Shadow of the Almighty : The Life and Testament of Jim
   Elliot*(San Francisco : HarperCollins, 1979), pp. 9-10.